Dreamweaver CS3

POUR LES NULS

Janine Warner

Dreamweaver CS3 pour les Nuls

Titre de l'édition originale : Dreamweaver CS3 For Dummies
Publié par Wiley Publishing, Inc.
111 River Street
Hoboken, NJ 07030-5774
USA

Edition française publiée en accord avec Wiley Publishing, Inc.
© 2008 Éditions First
2 ter rue des Chantiers
75005 Paris - France
Tél. 01 45 49 60 00
Fax 01 45 49 60 01
E-mail : firstinfo@efirst.com
Web : www.efirst.com
ISBN : 978-2-7568-0679-8
Dépôt légal : 1er trimestre 2008

Collection dirigée par Jean-Pierre Cano
Edition : Pierre Chauvot
Maquette et mise en page : Edouard Chauvot
Traduction : Daniel Rougé

Imprimé en France

Sommaire

Introduction

Au cours des dix ans et plus pendant lesquels j'ai écrit sur la conception de sites Web, j'ai vu de grands changements. Aux jours anciens, quand Dreamweaver n'existait même pas encore, vous ne pouviez que créer des pages toutes simples en tapant vous-même du code HTML 1.0. Aujourd'hui, il est possible de réaliser des maquettes très élaborées grâce à Dreamweaver, au XHTML, à CSS, à JavaScript, au multimédia et à bien d'autres choses encore.

Si vous ne savez pas très bien ce que signifient ces sigles, ce n'est pas très grave. Je n'ai pas oublié mes années d'apprentissage ; aussi ai-je conçu ce livre pour vous présenter les concepts de base que vous devez connaître. Mais je veux également vous préparer à entrer de plain-pied dans le monde toujours changeant de la création Web, c'est pourquoi je vous montrerai comment utiliser Dreamweaver pour créer des sites Web qui tirent pleinement profit des dernières avancées technologiques comme CSS ou XHTML.

L'un des défis que doit relever le concepteur de sites Web de nos jours est que non seulement les pages doivent pouvoir être affichées sur différents types d'ordinateurs, mais aussi qu'elles sont susceptibles de l'être sur des moniteurs larges comme des postes de télévision ou aussi petits que des écrans de téléphones portables. Résoudre ce dilemme rend évidemment la tâche plus complexe, et le rôle des standards est du même coup devenu plus important. C'est pourquoi vous apprendrez ici aussi bien à utiliser les grandes fonctionnalités de Dreamweaver qu'à déterminer celles qui serviront le mieux vos buts et votre public.

A propos de ce livre

J'ai écrit *Dreamweaver CS3 pour les Nuls* pour vous aider à trouver les réponses dont vous avez besoin quand vous en avez besoin. Inutile de le dévorer de la première à la dernière page et d'apprendre des chapitres par cœur. Considérez-le comme un guide pratique et rapide, et comme une référence vers laquelle vous tourner quand le besoin s'en fait sentir. Chaque section de l'ouvrage a une vie autonome, donnant des réponses simples à des questions parfois complexes, et décortiquant pas à pas l'exécution de tâches spécifiques.

Vous voulez savoir comment modifier la couleur d'arrière-plan d'une page, comment concevoir des styles pour aligner vos images, comment ajouter une galerie photo interactive avec le comportement Permuter une image ? Alors, pointez le bout de votre nez dans le bon chapitre ! Et puis n'essayez pas de mémoriser à tout prix ces nouvelles connaissances. Si vous oubliez quelque chose, ouvrez le livre et consultez les chapitres concernés. Et ne vous sentez pas gêné si vous l'emportez à la plage et qu'un peu de crème solaire tombe sur les pages. Je ne vous en tiendrai pas rigueur !

Les nouveautés de Dreamweaver CS3

Les fonctionnalités de haut niveau de Dreamweaver font de ce programme le choix préféré des créateurs professionnels de sites Web, tandis que son interface particulièrement ergonomique le rend également populaire auprès des novices comme des amateurs éclairés. Au fil des versions, Dreamweaver est devenu de plus en plus puissant et riche en fonctions, mais l'évolution que représente CS3 est probablement la plus importante de toutes. Je vais vous donner une idée des nouveautés qu'elle apporte :

- **Meilleure intégration avec Photoshop, Flash et d'autres programmes de conception.** Certaines des améliorations les plus agréables offertes par Dreamweaver CS3 sont le fait du rachat de Macromedia (la société qui a produit toutes les versions antérieures de Dreamweaver) par Adobe, l'éditeur (entre autres) de Photoshop, Illustrator et InDesign. D'autres programmes développés par Macromedia, notamment Fireworks et Flash, se voient donc maintenant pleinement intégrés avec des applications phares d'Adobe, en particulier Photoshop et Acrobat. Cela signifie que vous pouvez travailler bien plus efficacement qu'auparavant avec cette populaire collection d'outils, par exemple pour réaliser des images dans Photoshop et les transférer vers Dreamweaver par de simples copier-coller. Si vous êtes déjà un utilisateur impénitent de Photoshop, vous connaissez certainement le programme Adobe Bridge, qui simplifie le partage entre applications d'images et autres fichiers. Avec l'introduction de CS3, Bridge supporte des documents provenant d'une importante collection de programmes, y compris Dreamweaver.

- **Support CSS amélioré.** Parmi les autres progrès réalisés par Dreamweaver, une mention spéciale doit être adressée au support amélioré de CSS, ainsi qu'aux nouvelles fonctionnalités et modèles CSS. Créer des sites Web à l'aide de feuilles de style en cascade est de loin la meilleure option actuelle. C'est pourquoi une bonne partie des améliorations du programme concernent ces feuilles de style. C'est aussi pourquoi j'ai consacré une partie importante de ce livre à ce sujet.
- **Un émulateur de téléphones portables intégré.** Lorsque vient le moment de tester ses pages Web, l'un des ajouts les plus excitants à Dreamweaver CS3 est sans conteste le nouveau émulateur de portables. Adobe Device Central propose en standard une impressionnante série d'émulateurs qui permettent de juger de l'aspect d'une page Web pour de nombreuses marques et modèles de téléphones portables. Evidemment, la liste des matériels supportés s'allongera au fur et à mesure que de nouveaux émulateurs seront disponibles.
- **Fonctions améliorées pour le développement de sites dynamiques.** Les fonctions les plus avancées de Dreamweaver CS3 sont dédiées à la création de sites connectés à des bases de données, et ce en utilisant une large gamme de technologies. Que vous préfériez PHP, ColdFusion, ASP ou d'autres solutions encore, vous pouvez utiliser Dreamweaver pour créer de tels sites avancés.

Utiliser Dreamweaver sur Mac ou PC

Dreamweaver fonctionne de manière pratiquement identique sur Mac et sur PC. La figure qui suit vous montre la page d'accueil de mon site `DigitalFamily.com` telle qu'elle apparaît sous Windows Vista. Pour des raisons de cohérence, toutes les copies d'écran de ce livre sont réalisées avec cette version. Cependant, j'ai testé le logiciel sur les deux plates-formes, et je vous indiquerai le cas échéant dans les instructions données dans ce livre les différences entre les deux applications. Sachez déjà que pour l'essentiel elles se limitent au fait que certaines commandes sont placées dans un menu Dreamweaver sur Mac et qu'elles apparaissent sur PC dans le menu Edition. Rien de bien dramatique en vue, donc.

Conventions utilisées dans ce livre

Plus les choses sont cohérentes, plus elles sont faciles à retenir. Dans ce livre, la cohérence passe par le respect de certaines *conventions*. Notez que le terme *conventions* est en italique ! Eh bien voilà, c'est une convention que j'utilise souvent. Je place les nouveaux termes en italique, et je présume par la suite que vous les connaissez.

Lorsque je saisis des URL (adresses Internet) ou des adresses électroniques (e-mails), elles ont l'aspect suivant : `www.janinewarner.com`. Parfois, l'URL se distingue du reste du paragraphe, comme ceci :

```
www.janinewarner.com
```

Vous pouvez facilement les voir sur une page pour les saisir ensuite dans votre navigateur afin de visiter le site. Je présume également que votre navigateur Web n'exige pas la saisie de `http://` avant l'adresse elle-même. Si vous avez recours à un ancien navigateur, vous devrez manuellement saisir ces lettres et signes (et n'oubliez pas d'inclure cette partie de l'adresse lors de la création de liens dans Dreamweaver).

Bien que Dreamweaver ne nécessite pas la connaissance du langage HTML, vous pourrez être amené à plonger à l'occasion dans ses eaux troubles. Je me sers alors d'un style identique à celui des adresses Web :

```
<A HREF="http://www.janinewarner.com">Le site Web de Janine</A>
```

(C'est le code HTML qui crée un lien hypertexte sur une page Web.)

Lorsque je vous présente des fonctions, comme les options d'une boîte de dialogue, je définis les éléments en les séparant par des puces. Vous savez alors qu'ils ont un lien les uns avec les autres. Dès qu'il faut suivre des instructions pour mener à bien une procédure quelconque, j'utilise des étapes numérotées.

Ce que vous n'êtes pas obligé de lire

Si vous êtes comme la plupart des développeurs Web que je connais, vous n'avez pas le temps de décortiquer un livre aussi épais que celui-ci avant de vous jeter dans la construction de votre site. C'est pourquoi j'ai écrit *Dreamweaver CS3 pour les Nuls* d'une manière qui devrait vous aider à trouver rapidement les réponses aux questions que vous vous posez. Vous n'avez pas besoin de le lire de la première à la dernière page, dans l'ordre et couvertures incluses. Si vous êtes pressé, passez directement à l'information dont vous avez besoin, puis retournez à votre travail. Si vous débutez dans la conception de sites Web, ou si vous voulez humer les parfums qui s'échappent des entrailles de Dreamweaver, feuilletez les chapitres pour vous en faire une idée générale, puis revenez en arrière et étudiez plus en détail ce qui vous intéresse pour votre projet. Que votre but soit de réaliser la première version d'un site simple ou de redessiner un site complexe pour la quinze millième fois, vous devriez trouver dans ces pages tout ce dont vous avez besoin.

Quelques suppositions fantaisistes

Dreamweaver est conçu pour les développeurs *professionnels*. Néanmoins, je ne pars pas avec l'idée que vous êtes un professionnel. Du moins, pas encore. Reposant sur la conception traditionnelle de la collection *Pour les Nuls*, ce livre est un guide facile d'emploi, quel que soit le niveau d'expérience du lecteur. Il vous sera utile si vous vous intéressez à la création pour le Web, surtout si vous voulez *effectivement* créer un site, et je n'attends de vous rien de plus que ce désir.

Si vous êtes un créateur Web expérimenté, *Dreamweaver CS3 pour les Nuls* est une référence idéale. Le livre vous permettra en effet de vous mettre rapidement au travail avec ce programme, que ce soit pour créer des pages simples ou pour progresser vers des fonctions plus avancées. Si vous êtes nouveau dans l'univers de la conception Web, ce livre vous aidera à y faire vos premiers pas et vous dira tout ce dont vous avez besoin pour construire un site Web, depuis la création de sa première page jusqu'à la publication sur le Web du projet fini.

Organisation de l'ouvrage

Cet ouvrage est organisé pour pouvoir être consulté de façon non linéaire. Vous pouvez le lire de la première à la dernière page, mais je pense que vous trouverez plus intelligent de vous reporter aux sections qui traitent du sujet qui vous intéresse. Chaque chapitre embrasse, étape par étape, des fonctions spécifiques de Dreamweaver. Le vocabulaire utilisé est simple, efficace, donnant des conseils et des astuces pour faciliter, voire accélérer, votre travail sous Dreamweaver. Chaque chapitre décrit étape par étape les fonctionnalités du programme, tout en proposant des astuces et en vous aidant à comprendre le langage du Web.

Icônes utilisées dans ce livre

Renvoie à une procédure ou à un concept important que vous aurez stocké dans un tiroir de votre mémoire déjà bien remplie.

Indique une technique, un truc, un conseil qui vous fera gagner du temps et de l'argent.

Un danger vous guette ! Ne négligez pas ce paragraphe sous peine d'aller à la catastrophe !

Et maintenant, que faire ?

Lisez le Chapitre 1 pour prendre contact avec Dreamweaver CS3 et vous familiariser avec les dernières stratégies du Web. Si vous êtes déjà prêt à construire votre premier site Web avec Dreamweaver, passez au Chapitre 2. Si vous connaissez déjà Dreamweaver et souhaitez apprendre des astuces ou des techniques spécifiques, consultez le sommaire ou l'index et reportez-vous à la section qui vous intéresse. Ainsi, vous ne passerez pas à côté d'informations importantes dont vous avez besoin pour terminer la conception de votre site dans les délais prévus.

Et, plus important que tout, je vous souhaite plein succès dans tous vos projets Web !

Première partie

Créer des sites Web géniaux

"C'est impressionnant, l'interactivité de ce site Web sur le lavage de voitures."

Dans cette partie...

Dans cette première partie, vous trouverez une introduction à la conception Web ainsi qu'un aperçu sur les différentes façons dont vous pouvez créer un site Web avec Dreamweaver. Le Chapitre 1 compare différentes techniques de mise en page, et fournit une introduction aux barres d'outils, menus et autres panneaux (ou volets) qui forment l'interface de Dreamweaver.

Dans le Chapitre 2, vous plongerez directement dans la configuration d'un site Web, la création d'une page d'accueil et l'ajout de texte, d'images et de liens. Dans le Chapitre 3, vous en apprendrez plus sur les graphismes Web et trouverez des conseils pour utiliser Photoshop afin d'optimiser les images aux formats GIF, PNG et JPEG. Enfin, le Chapitre 4 traite de tests et de la publication, de manière à vous assurer que tout est en bon ordre de marche avant de placer votre site en ligne.

Chapitre 1

Les multiples manières de concevoir des pages Web

Dans ce chapitre :

- Comprendre les différences entre navigateurs.
- Développer un site Web.
- Personnaliser votre espace de travail.

Lorsque j'ai commencé à créer des sites Web, vers le milieu des années 1990, il était facile d'apprendre à le faire, et facile aussi d'enseigner ces techniques à d'autres. Plus de dix ans et une douzaine de livres plus tard, tout est devenu bien plus complexe.

Aujourd'hui, vous pouvez parfaitement vous contenter de concevoir en quelques heures un site Web très simple, uniquement basé sur du HTML, ou à l'inverse passer des années à développer les concepts de programmation avancés nécessaires à la construction de sites aussi complexes que ceux que vous pouvez voir chez MSN, Orange, eBay et bien d'autres.

Pour tout ce qui se trouve entre les deux, Dreamweaver est *le* choix clair, aussi bien pour les professionnels du Web que pour le nombre toujours croissant d'amateurs qui veulent construire des sites pour leur passion, leur association, leur famille ou leur petite société.

Mais avant de nous plonger dans les détails de la création d'une page Web dans Dreamweaver, je pense qu'il est utile de commencer par s'intéresser aux multiples manières de construire un site. Mieux vous comprendrez les diverses approches possibles, et mieux vous serez à même d'évaluer votre démarche.

Comparer les différentes approches pour la conception de sites Web

Quelques chapitres explorent également différentes techniques de mise en page. Vous pouvez créer des pages Web en utilisant des tableaux HTML, des cadres ou encore des feuilles de style en cascade (*CSS*). Vous pouvez même combiner toutes ces approches. Les sections qui suivent sont conçues pour vous aider à comprendre les différences entre ces approches avant de vous décider pour celle qui est le mieux adaptée à votre projet.

CSS et ses avantages

Aujourd'hui, W3C, qui est l'organisation chargée de définir les standards du Web, recommande d'utiliser CSS (les feuilles de style en cascade) pour pratiquement tous les aspects de la conception Web. En effet, les meilleures réalisations CSS sont accessibles, souples et évolutives. De plus, le fait qu'elles suivent des standards est devenu de plus en plus important au fil des ans.

Si d'un côté tous ceux qui conçoivent des sites Web et de l'autre tous ceux qui fabriquent les navigateurs qui les affichent suivaient les mêmes standards, nous aurions aujourd'hui un bien meilleur Internet. Malheureusement, si la technologie du Web a fortement évolué avec le temps, les navigateurs, eux, n'ont pas toujours affiché les fonctionnalités des sites de la même manière. En d'autres termes, la même page Web peut avoir un rendu différent dans tel ou tel navigateur (surtout si la version de celui-ci date quelque peu). Vous en apprendrez davantage sur les différences entre navigateurs et sur la manière de tester vos sites dans le Chapitre 4.

A l'heure actuelle, un mouvement se développe parmi les meilleurs créateurs du globe pour demander que tout un chacun suive les mêmes standards, crée des sites Web avec CSS et vérifie que ces sites soient accessibles à tous.

Lorsque les concepteurs Web parlent d'*accessibilité*, ils veulent dire créer un site auquel toute personne susceptible de visiter vos pages puisse accéder. Ce qui comprend également les gens qui ont des problèmes de vue et doivent utiliser un navigateur spécial capable de lire à haute voix le contenu de ces pages et ceux qui se servent de navigateurs particuliers pour une variété d'autres raisons.

Si vous travaillez pour une université, une organisation non gouvernementale ou toute autre structure comparable, la réalisation de sites qui respectent ces critères d'accessibilité peut être un exercice imposé. Mais, même si vous n'êtes pas tenu d'utiliser CSS ou de suivre des règles d'accessibilité, cette démarche est une bonne pratique. C'est pourquoi Dreamweaver CS3 inclut tant de fonctionnalités CSS ainsi qu'une collection de modèles CSS prédéfinis, tel celui qui m'a servi à créer la maquette illustrée sur la Figure 1.1. Vous trouverez dans le Chapitre 6 des instructions pour réaliser des mises en page CSS telles que celle-ci.

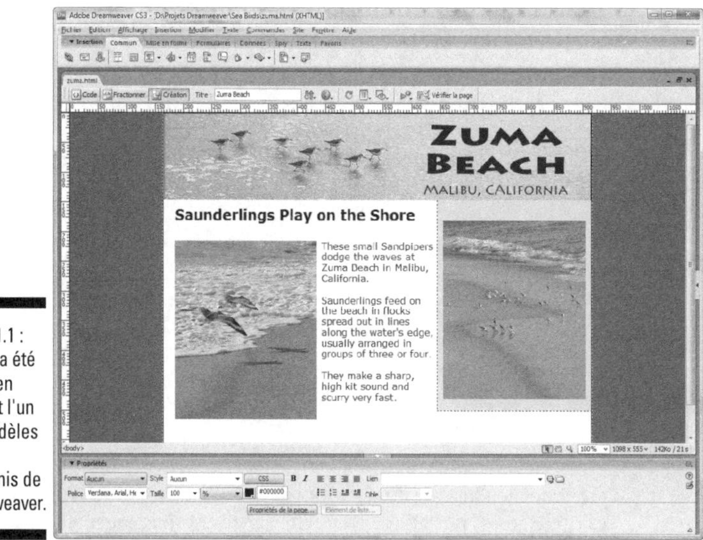

Figure 1.1 : Ce site a été conçu en utilisant l'un des modèles CSS prédéfinis de Dreamweaver.

L'un des grands avantages de CSS est qu'il vous permet de séparer le contenu de la mise en forme. Par exemple, au lieu de formater chaque titre de votre site en choisissant la police Arial 24 points gras, vous pouvez définir un style associé à la balise <h1> et l'utiliser afin de formater tous vos titres. Si, par la suite, vous sentez que la police Garamond serait mieux adaptée, il vous suffit de changer une seule fois le style associé à la balise <h1>, et tous les titres correspondant seront automatiquement redessinés.

Séparer le contenu de la mise en forme vous permet également de créer des feuilles de style différentes en fonction de votre public et/ou du matériel. Cette façon de procéder prendra de plus en plus d'importance au fur et à mesure que les gens visualiseront les pages Web aussi bien sur des écrans plats géants que sur leurs petits téléphones portables (voir la Figure 1.2). L'un des meilleurs ajouts à Dreamweaver CS3 est Device Central, qui vous permet de prévisualiser vos maquettes sur divers téléphones portables ou assistants personnels afin de juger de ce qu'elles donnent lorsqu'elles sont affichées sur ces petits écrans.

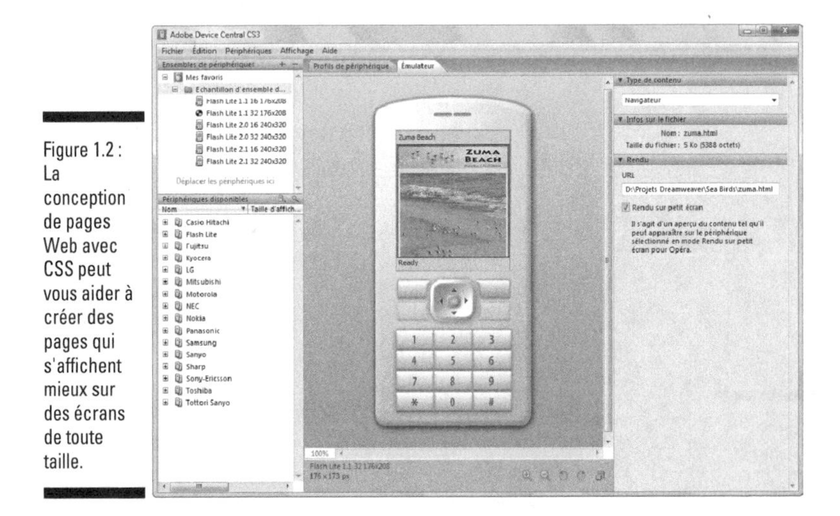

Figure 1.2 : La conception de pages Web avec CSS peut vous aider à créer des pages qui s'affichent mieux sur des écrans de toute taille.

Lorsque vous aurez davantage d'expérience avec CSS, vous pourrez créer des feuilles de style multiples pour la même page Web. Par exemple, il est possible d'en définir une qui soit idéalement adaptée à un écran de petit format comme celui de la Figure 1.2, une autre qui soit conçue pour une sortie imprimée, et une autre encore destinée à des personnes malvoyantes qui ont besoin de caractères plus grands que ceux que l'on rencontre en général dans les pages Web.

Et les anciennes conceptions ?

Même si CSS est de loin la meilleure option actuelle pour créer des pages et des sites Web, de nombreux auteurs continuent à fabriquer des tableaux pour contrôler leur mise en page, comme l'illustre la Figure 1.3. Ces sites à l'ancienne ont été créés en utilisant la balise

HTML <table>. Pour vous aider à apprécier la manière dont cette page a été créée, j'ai modifié la conception originale afin d'afficher le cadre qui entoure le tableau, quoique la plupart des concepteurs désactivent cet entourage lorsqu'ils produisent des compositions comme celle-ci.

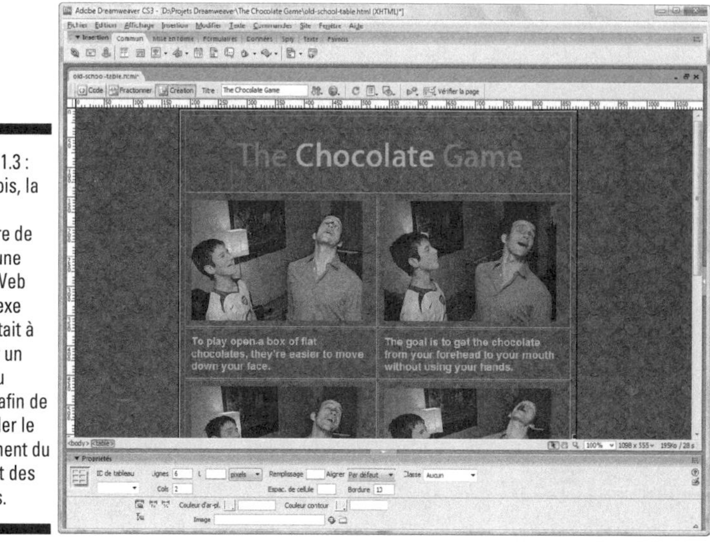

Figure 1.3 : Autrefois, la seule manière de créer une page Web complexe consistait à utiliser un tableau HTML afin de contrôler le placement du texte et des images.

De la même manière que vous pouvez fusionner et partager les cellules d'un tableau, il est possible de contrôler la disposition d'une page et de positionner le texte et les images plus ou moins comme vous le désirez. Si vous définissez l'épaisseur de l'encadrement comme étant égale à 0 (au lieu de 10 par exemple) comme je l'ai fait pour cet exemple, vous arriverez à masquer le tableau de manière qu'il n'interfère pas avec votre mise en page.

Dans le Chapitre 7, vous trouverez une introduction à la gestion des tableaux sous Dreamweaver, ainsi que des conseils pour leur création. Mais apprenez déjà qu'il est possible de combiner tableaux et CSS afin de créer des mises en page encore plus sophistiquées.

Même si je vous recommande de concevoir ou modifier vos sites (comme celui de la Figure 1.3) avec CSS et des balises <div>, ce que vous apprendrez à faire dans le Chapitre 6, je comprends très bien que de nombreux créateurs continuent à penser qu'il est plus facile de créer des mises en page avec des tableaux. De plus, personne n'a le temps de revoir son site Web de fond en comble tant la vie presse.

Personnellement, je plaide coupable pour avoir laissé en ligne des sites conçus à partir de tableaux, bien après avoir appris à employer des techniques plus évoluées. Dans le chapitre consacré aux tableaux, je vous montrerai comment utiliser les fonctionnalités de Dreamweaver pour créer une mise en page semblable à celle de la Figure 1.3, et vous expliquerai comment concevoir un tableau destiné à afficher des données tabulaires comme celles que vous pouvez trouver dans un tableur.

En résumé, même si les tableaux ne sont plus recommandés pour la mise en page des sites Web, ils restent une technique intéressante lorsqu'il s'agit par exemple de formater une commande ou une certaine liste d'éléments.

Une affaire de cadres

Dans le Chapitre 8, vous trouverez des instructions pour créer des sites Web utilisant des cadres, comme celui illustré Figure 1.4. De nombreux concepteurs font le même nez que ma nièce (celle qui est visible sur la figure), car ils pensent que les cadres sont ce qu'il y a de mieux pour réaliser des sites Web.

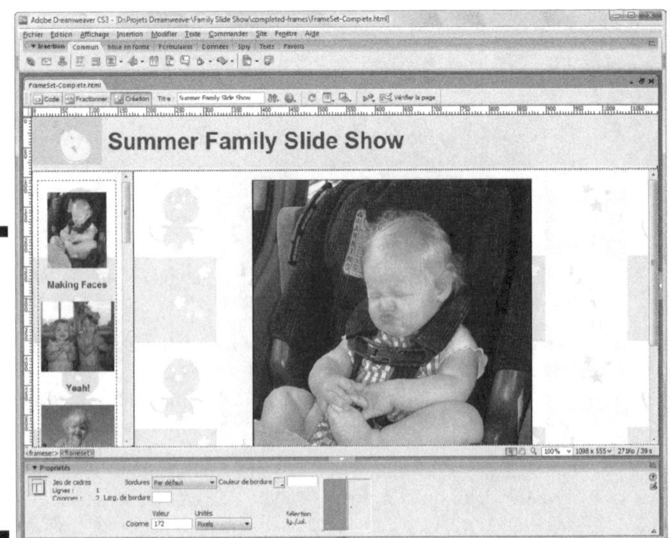

Figure 1.4 : Les cadres vous permettent d'afficher plusieurs pages Web dans la fenêtre de votre navigateur.

Les cadres ont une mauvaise réputation, et il existe quelques bonnes raisons pour ne plus les utiliser. Cela étant posé, ils ont toujours leur place sur le Web, c'est pourquoi j'ai inséré un chapitre afin d'expliquer comment les gérer en utilisant les fonctionnalités de Dreamweaver.

Créer des sites Web dynamiques

Lorsque vous utilisez les fonctionnalités les plus avancées de Dreamweaver, vous pouvez créer des sites connectés à une base de données qui affichent des contenus dynamiques sur une page Web, ce qu'illustrent les Figures 1.5 et 1.6.

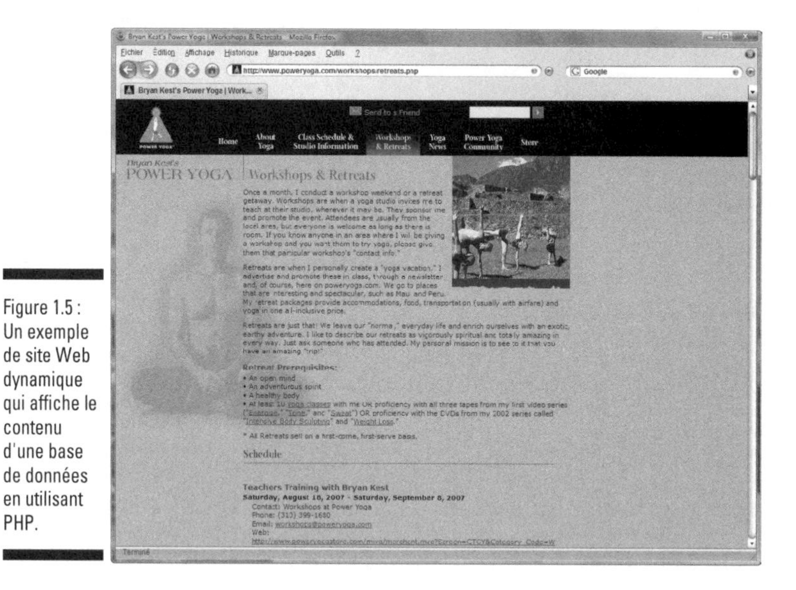

Figure 1.5 : Un exemple de site Web dynamique qui affiche le contenu d'une base de données en utilisant PHP.

Ce qui se passe derrière la Scène sur un site comme `PowerYoga.html` ou sur mon site DigitalFamily.com devient rapidement compliqué, mais l'un des avantages qu'offre cette technologie est que vous pouvez créer une page Web semblable à celle de la Figure 1.6 qui permette à tout un chacun d'entrer des données sans qu'il ait besoin de rien connaître à Dreamweaver. Si vous avez fait appel aux fonctionnalités de programmation de Dreamweaver, qu'il s'agisse par exemple de PHP ou d'ASP, pour configurer un système qui sauvegarde automatiquement les informations dans une base de données, vous pouvez ensuite renvoyer le contenu du formulaire vers une page du site afin de mettre en forme des événements, un agenda, une liste de produits, etc.

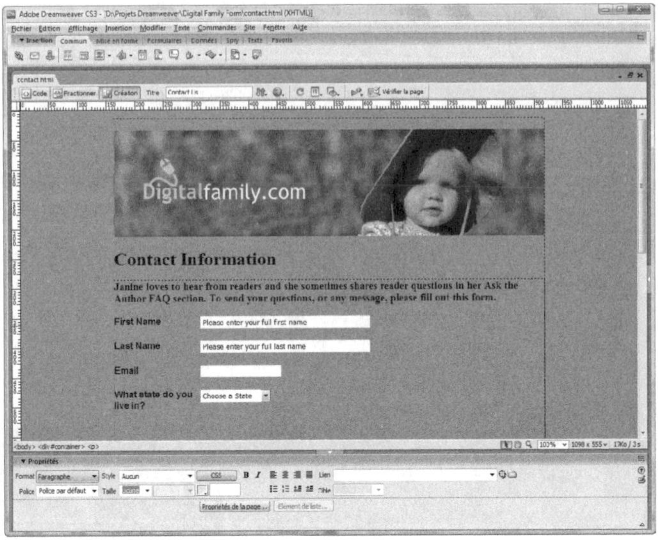

Figure 1.6 : Utilisez les fonctionnalités de développement de sites Web dynamiques pour créer des pages interactives comme celle-ci.

C'est ainsi que les sites Web les plus avancés arrivent à faire des choses comme vous rappeler le dernier livre que vous avez recherché, ou encore connaître le contenu de votre panier lorsque vous achetez en ligne. Même si je ne peux pas couvrir toutes ces fonctionnalités évoluées dans le cadre de ce livre, vous trouverez tout de même une introduction à la création de sites Web associés à des bases de données dans les Chapitres 13, 14 et 15.

Un autre point utile à rappeler est que la plupart des sites Web volumineux et complexes ont été créés par des équipes de développement et non par une seule personne travaillant dans son garage. Dans le cas du site Power Yoga, par exemple, la conception est due à Kathy McCarthy, et la programmation qui rend ce site véritablement dynamique a été effectuée par mon amie Anissa Thompson. C'est une des raisons pour lesquelles la responsable de Power Yoga, Christine Fang, est capable de mettre toute seule à jour les informations sur les stages et les formules proposées à partir d'un simple navigateur Web, sans connaître grand-chose au HTML.

Comprendre les différences entre navigateurs

Une autre idée importante à comprendre avant même de commencer à créer des sites Web est que, quel que soit le soin apporté à ce travail, vos pages n'apparaîtront pas d'une manière totalement identique sur l'écran de tous vos visiteurs. En effet, l'un des plus grands avantages du Web en constitue également l'un des principaux défauts. HTML a été créé pour partager des informations entre tous les utilisateurs de la planète. Malheureusement, tous les ordinateurs ne bénéficient pas du même navigateur ou des mêmes polices de caractères, ou encore de moniteurs de même taille. De surcroît, des tas d'anciens navigateurs sont dépassés et incapables d'afficher les dernières fonctionnalités disponibles sur le Web. D'ailleurs, même les navigateurs les plus récents n'affichent pas tous les mêmes éléments de la même manière.

Même si vous disposez aujourd'hui d'un meilleur contrôle sur vos créations, ainsi que de la possibilité de réaliser des sites Web plus élaborés, il est en même temps plus difficile de s'assurer que vos pages s'afficheront correctement dans le navigateur de vos visiteurs potentiels. C'est pourquoi le meilleur conseil que je puisse vous donner est de tester, tester et tester encore, et de demander à vos amis de tester vos pages de leur côté. Plus vous saurez rester simple, plus vous aurez de chance d'offrir à vos visiteurs des sites qui, sans être strictement les mêmes, du moins s'afficheront de manière semblable sur tous les écrans.

Si vous voulez créer des interfaces plus intéressantes tout en atteignant l'audience la plus large possible, faites particulièrement attention à la prévisualisation proposée par Dreamweaver ainsi qu'aux fonctions de compatibilité, et préparez-vous à consulter des ouvrages d'un niveau technique supérieur à celui-ci. Des livres et des sites entiers sont dédiés à la création de modèles qui fonctionnent avec des ordinateurs et des navigateurs extrêmement variés.

Puisque vous lisez ce livre, je suppose que vous êtes plus ou moins novice dans la conception de sites Web, ou encore que vous avez besoin de rafraîchir vos connaissances concernant CSS et les nouvelles fonctionnalités de Dreamweaver CS3. C'est pourquoi vous trouverez dans les sections qui suivent quelques conseils et suggestions quant à la planification d'un projet Web. A la fin de ce chapitre, je vous proposerai une introduction à l'interface de Dreamweaver.

Dans les 400 pages (environ) qui suivent, vous trouverez toute une variété d'approches concernant la création de sites Web, allant des anciennes techniques, telles que la conception de tableaux et de cadres, aux fonctionnalités plus avancées que sont CSS et le multimédia.

Développer un nouveau site Web

Concevoir un site Web revient à créer des pages individuelles que vous liez les unes aux autres. Vous avez besoin d'une page d'accueil (la première à s'afficher) qui permette aux internautes de se diriger vers les rubriques de votre site. Ces rubriques sont développées dans des pages connexes. Ces pages, à leur tour, peuvent être liées à des sous-sections qui gèrent d'autres sous-sections dans des strates inférieures.

Un des gros challenges de la création d'un site consiste à déterminer la manière dont il sera divisé en sections, et à décider comment les pages seront liées les unes aux autres. Dreamweaver facilite la création des pages et leur liaison. Toutefois, leur organisation vous incombe entièrement.

Gérer la structure de votre site

La gestion de la structure d'un site Web a deux aspects : celui que les utilisateurs voient, qui dépend de la manière dont les liens sont définis, et l'aspect caché qui dépend de la manière dont vous organisez les fichiers et les dossiers.

Ce que voit l'utilisateur

Tout ce que voit l'utilisateur concerne la navigation. Lorsqu'il arrive sur votre page d'accueil, où va-t-il se diriger ? Comment peut-il parcourir votre site ? Dans un bon site Web, la navigation est simple et intuitive. Lors de la planification du site :

- Assurez-vous que les utilisateurs peuvent accéder facilement aux informations clés à plusieurs endroits du site.
- Soyez sûr qu'ils peuvent avancer et reculer de page en page et de section en section.
- Vérifiez qu'ils peuvent revenir d'un clic à la page d'accueil ou aux sections principales.

Paramétrer les liens est facile à réaliser dans Dreamweaver. Le challenge est de faciliter la navigation des utilisateurs.

Ce que vous voyez

Le second aspect de la gestion de la structure d'un site se passe derrière la Scène, c'est-à-dire loin des informations délivrées aux utilisateurs. Avant de concevoir un site dans Dreamweaver, envisagez posément les problèmes de gestion qui surgissent dans le suivi des fichiers que vous allez créer. Par *fichiers*, j'entends toutes les images, pages HTML, animations, fichiers audio et tout ce qui prend place sur votre site Web. Il est judicieux d'organiser vos pages dans des dossiers et des répertoires séparés.

Dès lors que votre site Web dépasse une poignée de pages, organiser celles-ci en fichiers et en dossiers différents peut vous aider à mieux vous organiser. Fort heureusement, Dreamweaver facilite ce travail grâce à son panneau Fichiers. Vous pouvez y visualiser le contenu de votre site et même déplacer ou renommer fichiers et dossiers. Vous trouverez dans les Chapitres 2 et 4 des instructions détaillées pour gérer l'organisation de vos fichiers et dossiers.

Préparer et planifier un site Web

L'une des erreurs les plus courantes commises par les débutants est de se plonger dans le développement d'un site sans réfléchir aux buts, aux priorités, au budget et aux options de design. L'instinct pousse à se lancer directement dans la création de pages, à toutes les rassembler dans un seul gros dossier, puis à coupler toutes ces choses à l'aide de liens. Lorsque de tels sites sont ensuite testés par un vrai public, leurs auteurs constatent souvent avec surprise que les utilisateurs trouvent la navigation dans le site difficile et n'arrivent pas à trouver ce qu'ils veulent.

Apprenez à éviter ce genre de faute et de griefs, et vous aurez davantage de chance de produire un site Web non seulement attrayant, mais aussi plus facile à gérer et à mettre à jour.

Visualiser votre site

Avant de vous lancer tête baissée dans la conception d'un site, prenez le temps de le planifier. Il faut penser à sa structure et à son organisation. Commencez toujours par vous poser les questions ci-après. Certaines sont très faciles à comprendre, d'autres ne peuvent pas encore trouver de réponse ; mais cela viendra plus tard. Malgré tout, essayez de réunir un maximum de réponses avant de lancer la construction de votre site Web :

- Quels sont les objectifs de votre site ?
- Quelle est votre cible (auditoire) ?

- Qui travaillera sur votre site ? Combien de développeurs devez-vous diriger ?
- Comment allez-vous créer ou collecter le texte et les images nécessaires à votre site ?
- Comment allez-vous organiser les fichiers de votre site ?
- Allez-vous inclure des fichiers multimédias, audio, vidéo ou encore créés avec Flash ?
- Souhaitez-vous implanter des fonctions interactives comme une gestion de formulaires ou un salon de discussion ?
- Quel système de navigation est le mieux adapté à votre site ? En d'autres termes, comment pouvez-vous faciliter le déplacement entre pages et entre sections ?
- Comment allez-vous gérer la croissance et les développements ultérieurs de votre site ? Les bons sites Web grandissent toujours au fil du temps...

Avec un plan au moins élémentaire de votre site, vous serez mieux à même de profiter des fonctions de gestion de site étudiées dans ce chapitre. Le temps passé à définir clairement vos objectifs est du temps bien exploité, susceptible de vous éviter de nombreux problèmes plus tard.

Se préparer au développement

Je recommande la réunion de quelques têtes pensantes qui sauront définir les objectifs de votre site Web. Le but ici est d'envisager les fonctions et les éléments nécessaires à votre site Web. Toutes les suggestions sont bonnes à faire, même les plus audacieuses et les plus fantaisistes. Elles peuvent ouvrir de multiples horizons !

Aucune idée émanant d'un groupe de réflexion n'est à bannir. Au contraire ! Une idée farfelue peut mettre en évidence un aspect que ni vous ni personne n'aviez envisagé. A l'ère de l'Internet, les meilleures idées sont souvent les plus récentes !

Une réunion de réflexion (*brainstorming*) aboutit à une impressionnante liste de possibilités. Le défi est de revoir ces idées à la baisse, de les concentrer, pour développer le site qui répond exactement à vos attentes et à celles des internautes. Idées et planification doivent agir de concert pour obtenir un site Web du plus bel effet.

Personnaliser l'espace de travail de Dreamweaver CS3

Quand vous démarrez Dreamweaver, un écran de démarrage apparaît (vous le retrouvez chaque fois que vous ouvrez un nouveau fichier, à moins d'avoir coché l'option Ne plus afficher). A partir de là, vous pouvez choisir de créer une nouvelle page ou d'utiliser l'un des nombreux modèles prédéfinis de Dreamweaver. Vous avez aussi la possibilité d'opter pour la création directe en HTML. Dans ce cas, Dreamweaver affiche une page vierge dans l'*espace de travail* (voir la Figure 1.7).

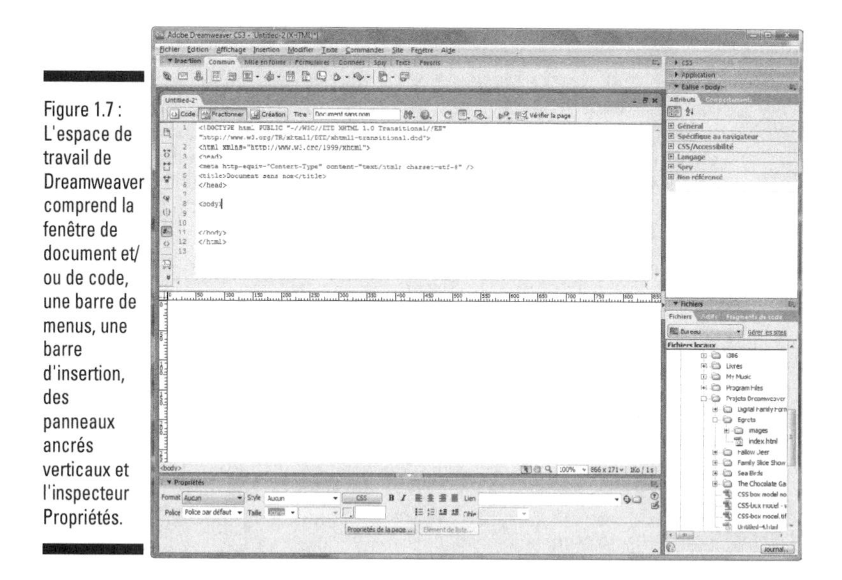

Figure 1.7 : L'espace de travail de Dreamweaver comprend la fenêtre de document et/ou de code, une barre de menus, une barre d'insertion, des panneaux ancrés verticaux et l'inspecteur Propriétés.

Vous élaborez vos pages HTML, vos modèles, vos feuilles de style et vos autres fichiers dans l'espace de travail. Il consiste en une fenêtre principale qui affiche la page courante, et en une série de panneaux et de menus qui vous procurent tous les outils nécessaires à vos développements. L'espace de travail de Dreamweaver se compose des éléments suivants : la barre de menus (tout en haut), la barre d'insertion (juste en dessous), la fenêtre du document (la zone la plus importante de l'écran, sous la barre d'insertion), l'inspecteur Propriétés (en bas de l'écran) et les panneaux ancrés verticaux (à droite du document) que vous développez ou réduisez selon vos besoins. Nous allons observer ces éléments de plus près dans les sections qui suivent.

La fenêtre de document

Elle est incarnée par la plus grande section de l'espace de travail. C'est ici que vous concevez et modifiez votre page Web. Pour voir le code HTML sous-jacent de la page, cliquez sur le bouton Code, en haut de l'espace de travail. Pour voir le code HTML et le mode Création simultanément, choisissez le bouton Fractionner.

Personnaliser l'interface

Les panneaux flottants, les palettes et les barres fournissent un accès rapide aux diverses fonctions de Dreamweaver. Vous pouvez les déplacer dans l'espace de travail par un simple glisser-déposer. Si vous trouvez que la présence d'un panneau est superflue, vous pouvez le fermer en cliquant sur la petite icône Options dans sa barre de titre (l'espèce de minuscule symbole de paragraphe) et en sélectionnant Fermer le groupe de panneaux dans le menu qui apparaît. Vous pouvez accéder à tous les panneaux via le menu Fenêtre. Si vous souhaitez ouvrir le panneau des styles CSS, par exemple, choisissez Fenêtre/Styles CSS. Pour vous débarrasser de ces éléments, sélectionnez Masquer les panneaux.

La barre Insertion

La barre Insertion, située en haut de l'écran, présente huit *sous-catégories*, chacune regroupant un ensemble d'icônes représentant les fonctions courantes. Cliquez sur la petite flèche à droite du nom pour choisir dans la liste la sous-catégorie de boutons à afficher. Voici les options disponibles :

- **Barre Commun :** Affiche les icônes des fonctions les plus courantes, notamment pour les liens, tableaux et images.
- **Barre Mise en forme :** Propose des options div, de tableau et de cadre essentielles pour la création de mises en page.
- **Barre Formulaires :** Présente les éléments courants de formulaire tels que les boutons radio et les cases à cocher.
- **Barre Données :** Affiche des options permettant de construire des pages Web dynamiques faisant appel à des bases de données.

- **Barre Spry :** Propose une collection de *widgets* (des gadgets, si vous préférez), combinant HTML, CSS et JavaScript, servant à créer des éléments interactifs sur les pages.
- **Barre Texte :** Fonctions courantes de mise en forme du texte pour les paragraphes, les sauts ou encore les listes.
- **Barre Favoris :** Cliquez du bouton droit (Windows) ou Contrôle+cliquez (Mac) pour personnaliser la liste des éléments que vous employez le plus souvent.

En bas de la liste déroulante, vous disposez de l'option Afficher onglets, pour afficher les noms des barres sous forme d'onglets, en haut de l'écran (voir la Figure 1.8).

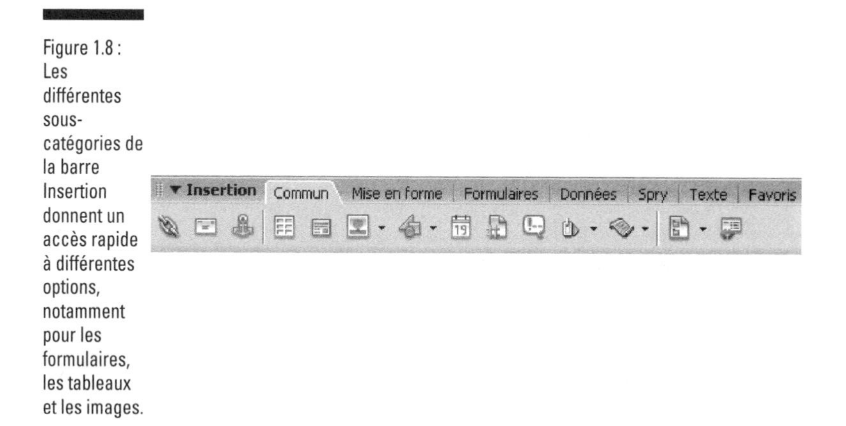

Figure 1.8 : Les différentes sous-catégories de la barre Insertion donnent un accès rapide à différentes options, notamment pour les formulaires, les tableaux et les images.

L'inspecteur Propriétés

Dans Dreamweaver, l'inspecteur Propriétés est verrouillé en bas de l'espace de travail, mais vous pouvez le faire glisser sur le haut de l'écran. Personnellement, la disposition par défaut me semble être la meilleure.

L'inspecteur Propriétés affiche les options (ou *propriétés*) de l'élément sélectionné dans la page. Lorsque vous sélectionnez un élément dans une page (par exemple une image), l'inspecteur affiche les propriétés ou attributs de cet objet (par exemple, la hauteur et la largeur d'une image ou encore les options d'un fichier Flash). Vous pouvez modifier ces réglages grâce aux champs affichés dans l'inspecteur Propriétés. A titre d'exemple, la Figure 1.9 montre les propriétés affichées dans ce volet lorsqu'une image est sélectionnée.

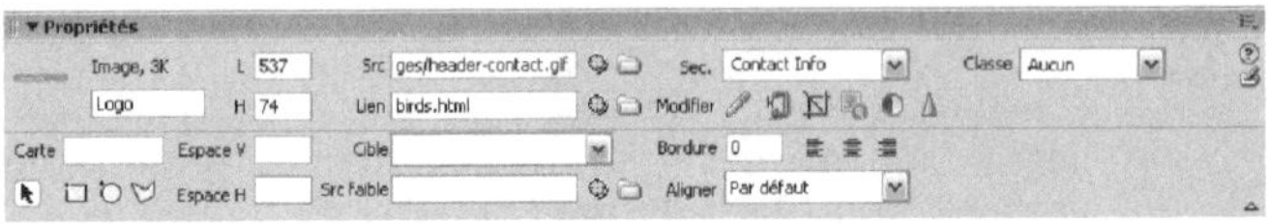

Figure 1.9 : L'inspecteur Propriétés affiche les attributs de n'importe quel élément sélectionné, par exemple une image.

Les panneaux ancrés

Les panneaux ancrés, représentés Figure 1.10, sont localisés sur le côté droit de l'interface (mais vous pouvez les disposer sur le côté gauche en choisissant l'option Codeur ou encore les stocker n'importe où en cliquant et en les faisant glisser).

Ces panneaux affichent des fonctions essentielles de Dreamweaver (comme les fichiers d'un site, les actifs, les CSS, les comportements, l'historique, etc.). Vous pouvez ouvrir et fermer ces panneaux en sélectionnant leur nom dans le menu Fenêtre. Vous pouvez également masquer leur contenu en cliquant sur la petite flèche située à gauche du panneau.

La barre de menus

En haut de la fenêtre principale de Dreamweaver, se trouve la barre de menus. Elle permet d'accéder facilement à toutes les fonctions de ce logiciel – que vous retrouvez par ailleurs dans les différents panneaux –, ainsi qu'à quelques autres qui ne sont accessibles que par des menus.

La barre d'état

La barre d'état se trouve en bas de la fenêtre du document. Elle contient de multiples détails utiles sur la page ouverte dans le

Figure 1.10 : Les panneaux ancrés donnent un accès facile aux diverses fonctions de Dreamweaver.

programme, tout en donnant accès à diverses fonctionnalités. Sur le côté droit de cette barre, vous pouvez voir des icônes d'outils qui contrôlent l'affichage de la page active. A gauche, vous trouvez le sélecteur de balises, qui propose une collection de balises HTML changeant en fonction de la position du curseur sur la page. Ces balises indiquent la manière dont les éléments de cette page sont formatés. Si vous cliquez sur une de ces balises, vous pouvez la sélectionner, de même que tout ce qu'elle contient, dans la fenêtre principale Document. Ce qui fournit un procédé commode pour opérer des sélections précises dans Dreamweaver.

Plus vous utiliserez Dreamweaver, plus vous apprécierez certainement les possibilités de personnalisation qu'il vous offre. Souvenez-vous que vous pouvez toujours adapter l'espace de travail à vos besoins, et qu'il est facile d'altérer les options du programme en choisissant dans le menu Edition (ou Dreamweaver sur Mac) la commande Préférences (voir la Figure 1.11).

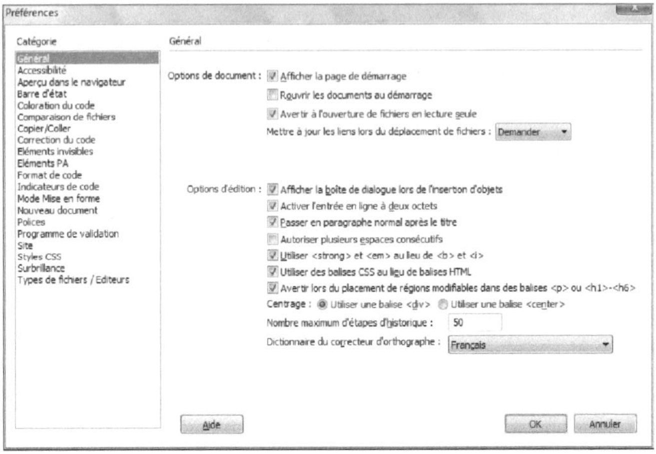

Figure 1.11 : Vous pouvez modifier la manière dont Dreamweaver crée du code, affiche les éléments et gère les options d'accessibilité.

Chapitre 2

Ouvrir et créer des sites dans Dreamweaver

Dans ce chapitre :

- Ouvrir un site Web existant.
- Créer un nouveau site Web.
- Créer de nouvelles pages.
- Insérer et formater du texte.
- Créer des liens.

Si vous êtes prêt à faire le grand saut et à entreprendre la cons truction de votre site, vous êtes au bon endroit. Si vous avez besoin de travailler sur un site existant, c'est également ici que vous devez commencer. En effet, ce chapitre couvre une étape préliminaire importante : le processus de définition de site, qui permet à Dreamweaver de conserver la trace des images et des liens présents dans votre structure. Une fois que vous avez terminé le processus de configuration du site, vous êtes paré pour créer des pages, insérer du texte et des images, ajouter des liens, et ainsi de suite. Mais quoi que vous fassiez ensuite, ne passez pas cette première étape.

Paramétrer un nouveau site ou un site existant

La première chose à comprendre à propos du processus de configuration de site est que vous devez enregistrer toutes les ressources de ce dernier dans un dossier racine de votre disque dur (donc en local), puis enregistrer ce dossier dans Dreamweaver. En effet, tous les éléments de votre site doivent conserver le même emplacement relatif sur votre système et sur le serveur Web que vous utiliserez ensuite, et ce de manière que vos liens, vos images et vos autres objets fonctionnent correctement.

Au cours de ce processus, vous pouvez créer un nouveau dossier sur votre disque dur, ou bien encore identifier un dossier existant. Dans les deux cas, cette racine devra être définie dans Dreamweaver.

La boîte de dialogue servant à la définition du site contient également des fonctionnalités pour le transfert de fichiers via FTP (File Transfer Protocol). Pour l'instant, et afin de rester simples, nous allons laisser ces choses de côté (de même d'ailleurs que d'autres fonctionnalités de publication et de gestion de site de Dreamweaver). Vous trouverez dans le Chapitre 4 des instructions détaillées pour utiliser des outils, des mêmes que pour envoyer les fichiers de votre site Web vers un serveur distant.

Construire et publier un site Web

La logique veut que vous commenciez par créer un site Web sur le disque dur de votre ordinateur et l'y testiez avant de le rendre visible sur l'Internet. Lorsque vous êtes prêt à publier le site terminé, vous le transférez sur un serveur Web. Un *serveur Web* est un ordinateur disposant d'une connexion permanente et de logiciels spéciaux lui permettant de communiquer avec les navigateurs Web tels Firefox, Internet Explorer et les autres. Vous apprendrez à publier un site Web au cours du Chapitre 4.

Définir un site Web dans Dreamweaver

Si le processus de définition de site semble un peu confus au premier contact, il est rapide, relativement sans grandes difficultés, et vous n'avez besoin de le subir qu'une seule fois pour chaque site. Croyez-moi, suivez rigoureusement cette étape préliminaire.

Que vous vouliez créer un nouveau site ou travailler sur un site existant, les étapes qui suivent vous permettent de définir un dossier racine.

1. **Ouvrez le menu Site, puis choisissez Nouveau site.**

   La boîte de dialogue Définition du site apparaît (Figure 2.1).

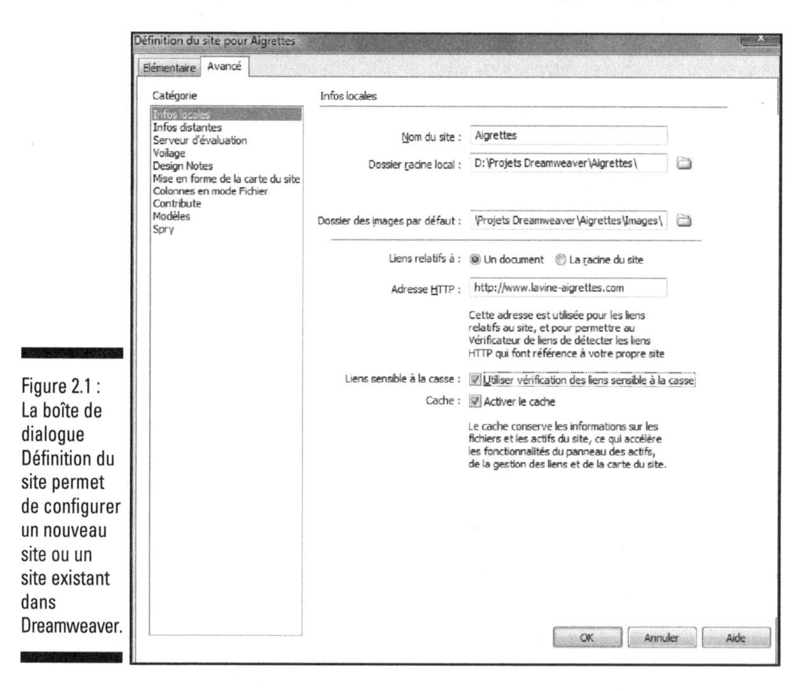

Figure 2.1 : La boîte de dialogue Définition du site permet de configurer un nouveau site ou un site existant dans Dreamweaver.

2. **Cliquez sur l'onglet Avancé.**

   Son contenu apparaît. Si vous préférez, vous pouvez utiliser l'assistant Elémentaire, mais je trouve qu'il est plus rapide et plus facile de disposer de toutes les options à la fois, ce que permet l'onglet Avancé.

3. **Dans la liste Catégories, sélectionnez Infos locales.**

4. **Dans le champ Nom du site, saisissez le nom de votre site.**

   Ce nom ne sert qu'à identifier votre site localement, c'est-à-dire sur votre disque dur et par Dreamweaver. Par conséquent, n'importe quel nom fera l'affaire. Cet intitulé apparaîtra dans le panneau Fichiers ainsi que dans la boîte de dialogue servant à gérer les sites. Cela permet de sélectionner rapidement celui sur lequel vous souhaitez travailler ou que vous voulez gérer.

5. **Utilisez le bouton Parcourir, à droite du champ Dossier racine local. Vous accédez alors aux différents lecteurs de votre disque dur. Sélectionnez celui qui contient le dossier destiné à accueillir tous les fichiers formant votre site.**

   Si vous travaillez sur un nouveau site, créez un nouveau dossier et désignez-le comme racine pour vos fichiers. Si vous travaillez sur un site existant, sélectionnez le dossier contenant les fichiers de ce site.

6. **Spécifiez le dossier des images par défaut soit en saisissant directement le chemin d'accès au dossier en question, soit en cliquant sur l'icône Parcourir.**

   La désignation d'un tel dossier n'est pas une obligation, mais c'est une autre manière de permettre à Dreamweaver de vous aider à gérer vos données. Si vous stockez des images dans plusieurs dossiers ou si vous n'avez pas encore créé d'images, laissez ce champ vide. Si vous configurez un nouveau site, créez un nouveau dossier dans le dossier du site, pour en faire votre dossier images, même s'il reste vide pour l'instant.

7. **Sur la ligne Liens relatifs à, laissez active l'option Document, à moins d'être certain que vous voulez définir des liens qui soient basés sur la racine de votre site.**

   Cette option contrôle la manière dont le chemin d'accès est configuré dans les liens. Si vous collaborez avec d'autres développeurs, voyez ce point avec vos collègues. Si vous travaillez seul, le mode Document est ce qu'il y a de plus simple à choisir. Nous reviendrons un peu plus loin sur les liens relatifs, absolus et attachés à la racine.

8. **Dans le champ Adresse HTTP, saisissez l'URL de votre site Web, c'est-à-dire son adresse Internet.**

   L'adresse HTTP correspond à l'adresse Web ou URL. C'est grâce à elle que le public peut accéder à votre site. Si vous ne la connaissez pas encore ou si vous n'avez pas l'intention de publier votre site sur le Web, ne remplissez pas ce champ. Insérez bien `http://` au début et un slash (`/`) à la fin.

9. **Sélectionnez la case à cocher Utiliser vérification des liens sensibles à la casse.**

   A moins d'être certain que l'emploi des majuscules ou des minuscules dans les noms de fichiers n'aura aucune importance, cochez cette case. Dreamweaver s'assurera alors que la casse est correctement définie dans tous les liens de votre site (c'est ce que demandent la plupart des services d'hébergement sur le Web).

10. **Cochez la case Activer le cache.**

    Dreamweaver crée un cache local de votre site pour retrouver plus rapidement l'emplacement des fichiers sur ce dernier. Le cache local accélère la plupart des fonctions de gestion. De plus, sa création ne demande que quelques secondes.

11. **Cliquez sur OK pour fermer la boîte de dialogue Définition du site et enregistrer vos définitions.**

    Si le dossier que vous avez sélectionné sur votre disque dur contient déjà des fichiers ou des sous-dossiers, ils sont automatiquement mis en cache. Ils apparaissent alors dans le panneau Fichiers (voir la Figure 2.2).

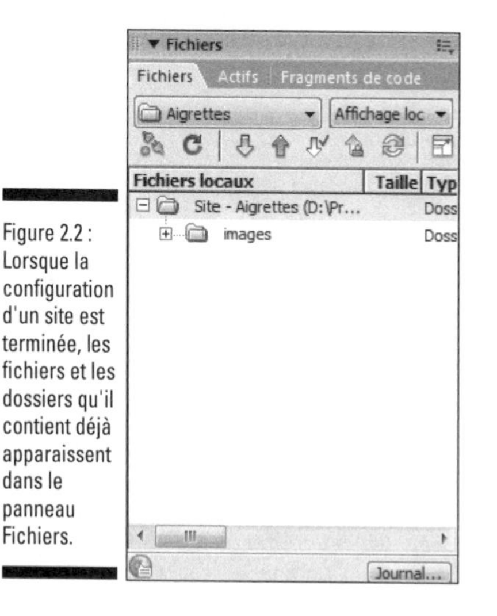

Figure 2.2 : Lorsque la configuration d'un site est terminée, les fichiers et les dossiers qu'il contient déjà apparaissent dans le panneau Fichiers.

Si vous n'avez pas coché l'option Activer le cache, un message vous demande si vous voulez le faire maintenant.

Editer et gérer plusieurs sites

Vous pouvez définir dans Dreamweaver autant de sites que vous le voulez, et passer de l'un à l'autre en sélectionnant son nom dans le panneau Fichiers. Pour charger un autre site dans ce panneau, cliquez sur la flèche qui suit le nom courant, et sélectionnez l'intitulé du nouveau site à afficher.

Sur la Figure 2.3, j'ai sélectionné mon "jeu du chocolat" dans une liste de sites préalablement définis. Il est toujours préférable de sélectionner dans le panneau Fichiers le site sur lequel vous travaillez.

Figure 2.3 : Vous pouvez définir de multiples sites et changer celui qui est actif dans le panneau Fichiers.

Une fois terminé le processus de définition de site décrit dans la section précédente, vous pouvez modifier vos choix en sélectionnant dans le menu Site la commande Gérer les sites. Dans la boîte de dialogue qui s'affiche, sélectionnez le nom voulu, puis cliquez sur le bouton Modifier. Vous revenez à la fenêtre Définition du site et pouvez y apporter toutes les corrections voulues.

Sur la Figure 2.4, par exemple, j'ai sélectionné le site Aigrettes. Vous pouvez également vous servir de cette boîte de dialogue pour définir un nouveau site, en supprimer un, le dupliquer, ou encore importer et/ou exporter un site. Notez bien que la suppression d'une référence dans cette fenêtre n'efface aucun fichier ou dossier sur votre disque dur.

Créer de nouvelles pages

Chaque site Web commence avec une seule page. Cette *page d'accueil* est bien entendu un bon emplacement pour commencer votre travail de conception. Dreamweaver vous facilite la tâche : lorsque le programme s'ouvre, il affiche un écran d'accueil qui propose des raccourcis vers de multiples formats permettant de créer de nouvelles pages.

Figure 2.4 : Cette boîte de dialogue vous permet de gérer vos sites et d'éditer leurs définitions.

Si vous voulez créer une simple page vierge, cliquez sur HTML dans la section Créer, au milieu de la fenêtre (voir la Figure 2.5). Pour réaliser un site dynamique, sélectionnez ColdFusion, PHP ou encore l'une des options ASP. Si vous ne savez même pas de quoi il s'agit, c'est que très vraisemblablement vous n'en avez pas encore besoin. Pour autant, vous trouverez quelques informations sur ces options avancées dans les Chapitres 13, 14 et 15.

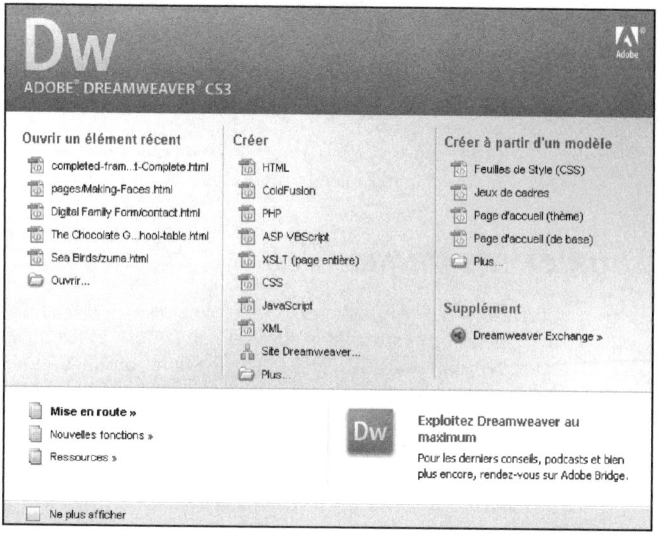

Figure 2.5 : L'écran d'accueil permet de choisir entre plusieurs options de création d'une page Web.

Prenez l'habitude d'enregistrer les nouvelles pages dans le dossier principal de votre site Web dès leur création, même si elles sont encore vides. Lors de la création de liens ou de l'ajout d'images dans vos pages, Dreamweaver doit pouvoir identifier l'emplacement de ces dernières. Certes, il est capable de définir des liens temporaires en attendant que votre page soit sauvegardée, mais ce n'est tout de même pas une très bonne méthode. Créez ou ouvrez, et enregistrez !

Vous pouvez créer une nouvelle page à partir de l'écran d'accueil ou en utilisant la commande Nouveau du menu Fichier. C'est ce que nous allons voir dans les étapes qui suivent. Si vous préférez cette seconde solution, cliquez dans l'écran d'accueil sur l'option Ne plus afficher.

Pour créer une nouvelle page en utilisant la fenêtre Nouveau document, suivez ces étapes :

1. **Choisissez Fichier puis Nouveau.**

   La fenêtre Nouveau document s'ouvre.

2. **Sélectionnez Page vierge dans la liste de gauche.**
3. **Sélectionnez HTML dans la liste Type de base, puis cliquez sur Créer.**
4. **Choisissez Fichier puis Enregistrer pour sauvegarder votre page.**

   De nombreux autres choix existent dans la fenêtre Nouveau document dont de nombreux modèles prédéfinis. Pour l'instant, ne vous en souciez pas. Ce chapitre propose de commencer par créer une simple page vierge. Vous trouverez des instructions pour travailler avec les modèles au Chapitre 9.

Nommer les pages Web

Lorsque vous enregistrez des pages Web, des images et d'autres fichiers de votre site, faites attention aux noms que vous leur attribuez. N'oubliez pas d'inclure une extension pour identifier le type de fichier (comme `.html` pour les fichiers HTML ou `.gif` pour les images GIF). Dreamweaver ajoute automatiquement l'extension `.html` à la fin des fichiers HTML (ce qui fonctionne avec la plupart des serveurs Web), mais vous pouvez changer ces extensions dans les préférences de Dreamweaver.

Les noms de fichiers sont particulièrement importants dans les sites Web, car ils sont incorporés dans le code HTML lorsque vous définissez des liens. Or, les liens sont plus faciles à gérer lorsqu'ils ne comportent pas d'espaces ou de caractères spéciaux. Par exemple, ne nommez pas une page Web avec une apostrophe comme `c'est mon chat.html`. Pour séparer les mots, utilisez le souligné (_) ou le tiret (-). Par exemple, `mon-chat.html` est un nom de fichier correct. Il est aussi possible d'employer des chiffres. Les lettres capitales ne posent pas de problème tant que le nom de fichier et le lien défini dans le code correspondent.

Une autre considération à prendre en compte est que les liens comportant des espaces et des caractères spéciaux ne posent aucun problème tant que vous testez vos pages sur un Mac ou sous Windows. Par contre, les logiciels employés sur la plupart des serveurs Web sont incapables d'interpréter ces espaces ou ces caractères spéciaux dans les liens. D'où le risque de voir ces liens brisés lorsque vous publiez le site sur un serveur Web.

Concevoir votre première page

De nombreuses personnes sont agréablement surprises par la facilité de création d'une page Web de base dans Dreamweaver.

Si vous êtes prêt pour le grand plongeon, créez une page vierge et cliquez dedans pour en haut y insérer le curseur. Tapez du texte dans la page. Ce que vous voulez, c'est juste commencer. Dans l'exemple de la Figure 2.6, j'ai simplement saisi la légende "Connaissez-vous l'Aigrette Garzette ?". C'est le futur titre de la page (très simple) que je vais créer.

Dans ce chapitre, nous allons nous en tenir aux options de mise en forme les plus basiques. Dans le Chapitre 5, vous trouverez des instructions détaillées pour aller au-delà de ces techniques élémentaires en créant des feuilles de style en cascade (CSS) pour gérer et contrôler le formatage de vos pages.

Créer un en-tête

L'une des options de mise en forme les plus courantes est l'utilisation de la collection de balises destinées aux en-têtes. En HTML, il existe de nombreux avantages à employer ces balises (`<h1>`, `<h2>`, et ainsi de suite) pour formater le texte destiné à servir de titre ou de sous-titre. En effet, lesdites balises sont conçues pour être affichées dans des tailles relatives, `<h1>` étant la plus grande, `<h2>` étant plus petite, `<h3>` encore plus petite, et ainsi de suite jusqu'à `<h6>`. De ce fait, et quelle que soit la taille de texte par défaut pour une page Web donnée (cette taille peut en effet varier en fonction du type d'ordinateur et du

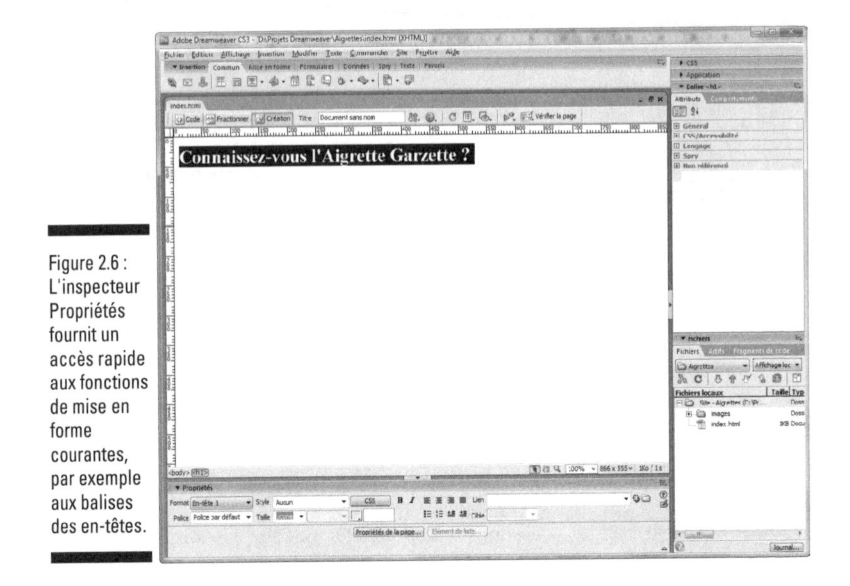

Figure 2.6 : L'inspecteur Propriétés fournit un accès rapide aux fonctions de mise en forme courantes, par exemple aux balises des en-têtes.

paramétrage du navigateur), tout texte formaté avec la balise <h1> sera plus grand que celui auquel est appliquée la balise <h2>, etc.

De nombreux moteurs de recherche donnent la priorité aux mots clés détectés dans le texte formaté avec la balise <h1>, tout simplement parce qu'il est perçu comme étant le plus important de la page.

Pour appliquer un style d'en-tête à un texte, suivez ces étapes :

1. **Sélectionnez le texte que vous souhaitez mettre en forme.**

   Le texte passe en surbrillance.

2. **Dans le panneau Propriétés, servez-vous de la liste déroulante Format pour choisir le style à appliquer (comme sur la Figure 2.6).**

   Dès qu'un nom de balise est choisi, Dreamweaver modifie automatiquement le texte de la page pour lui appliquer le nouveau format d'en-tête.

Bien que Dreamweaver fasse de son mieux pour afficher le texte, les images et les autres éléments de la page tels qu'ils devraient apparaître dans un navigateur Web (tel que Firefox ou Internet Explorer), cet affichage risque de ne pas être partout identique une fois le site publié. Tout dépend en effet du système et du navigateur dont se servent vos visiteurs.

En général, je trouve que le panneau Propriétés est le moyen le plus pratique pour appliquer une mise en forme de base, mais certains préfèrent passer par la barre de menus. Les deux donnent le même résultat, sauf que Dreamweaver propose des tailles de caractères dans l'inspecteur Propriétés (de la taille 9 à 36 et de xx-petit à xx-grand), mais n'offre dans le menu Texte que la possibilité d'augmenter ou de réduire la taille des caractères.

Changer la police et la taille des caractères

Vous pouvez changer la police et la taille du texte dans la totalité de la page ou uniquement pour le texte sélectionné. Pour redéfinir les options de police au niveau de la page tout entière, voyez plus loin la section "Changer les propriétés de la page". Pour modifier la police et la taille des caractères d'une portion de texte sélectionnée, suivez ces étapes :

1. **Sélectionnez le texte dont vous voulez modifier la mise en forme.**

2. **Dans l'inspecteur Propriétés, en bas de l'espace de travail, sélectionnez le nom d'une collection dans la liste Police (voir la Figure 2.7).**

   Le texte sélectionné passe dans la première police de caractères qui apparaît dans la collection (à moins qu'elle ne soit pas disponible sur votre disque dur). Vous pouvez également cliquer sur l'option Modifier la liste des polices, puis utiliser une définition à votre convenance. Même n'oubliez jamais que vos visiteurs ne verront votre page correctement affichée qu'à la condition de disposer eux-mêmes de la police que vous avez choisie (pour plus de détails sur ce point, voyez l'encadré "Pourquoi tant de polices ?").

3. **Toujours dans l'inspecteur Propriétés, spécifiez la taille de caractère dans la liste Taille.**

   Les tailles de caractères HTML sont différentes de celles employées dans les traitements de texte ou les programmes graphiques. Les options sont plus limitées. Vous disposez par ailleurs d'options comme petit, x-petit, etc. Les grandeurs chiffrées fonctionnent à peu près comme celles dont vous avez

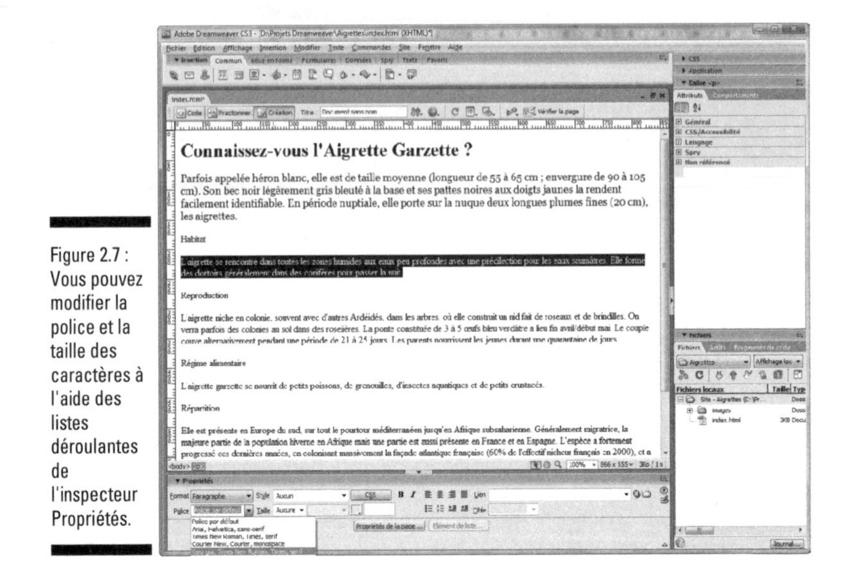

Figure 2.7 : Vous pouvez modifier la police et la taille des caractères à l'aide des listes déroulantes de l'inspecteur Propriétés.

l'habitude dans les autres programmes, mais elles offrent moins de souplesse à vos visiteurs. En revanche, les options littérales comme *petit*, *moyen*, *grand* sont restituées selon les paramètres du navigateur de l'internaute. Vous en apprendrez plus sur les tailles de caractères dans le Chapitre 5, lorsque nous reviendrons sur les feuilles de style en cascade.

Vous trouverez d'autres options de formatage du texte dans l'inspecteur Propriétés, le menu Texte et la barre Insertion Texte. Allez-y, faites des essais ; vous pourrez toujours annuler vos opérations si vous n'aimez pas le résultat obtenu.

Ajouter des paragraphes et des sauts de ligne

Si vous êtes en mode Création et que vous appuyez sur la touche Entrée (sous Windows) ou Retour (sur Mac), Dreamweaver insère un paragraphe, autrement dit une balise `<p>` dans le code, ce qui crée un saut de ligne suivi d'une ligne vierge. Si vous voulez simplement passer à la ligne sans insérer d'espace supplémentaire, appuyez sur la combinaison Majuscule+Entrée (ou Retour). Dans ce cas, Dreamweaver va insérer dans le code la balise `<br />`, ce qui correspond à un simple saut de ligne.

Pourquoi tant de polices ?

Bien que vous puissiez appliquer n'importe quelle police dans vos pages Web, vous n'avez pas le contrôle complet sur la façon dont la police apparaîtra sur l'ordinateur des visiteurs. Une police n'est restituée correctement que lorsqu'elle est également installée sur l'ordinateur du visiteur. Pour vous assurer que le texte apparaîtra comme vous le prévoyez, Dreamweaver offre des collections de polices courantes et similaires comme Arial, Helvetica, sans-serif ou Georgia, Times New Roman, Times, serif.

Ainsi, lorsque vous appliquez une de ces collections, le navigateur affiche le texte en le formatant avec la première police de la liste disponible sur le système du visiteur. Par exemple, si vous choisissez la collection de polices qui commence par Georgia et que vos visiteurs n'en disposent pas, le texte est affiché en Times New Roman. Si ce dernier n'est pas non plus disponible, le texte est affiché en Times. Et si le Times fait défaut, le navigateur recherche une autre police serif. (*Serif* décrit les polices de type Times dotées de petits éléments courbes au bout des lettres appelés *empattements* ; *sans serif* indique qu'il n'y a pas d'empattement, ce qui est le cas d'Arial.)

Il est possible de créer vos propres collections de polices en choisissant la commande Modifier la liste des polices, en bas de la liste Police de l'inspecteur Propriétés. Servez-vous des boutons plus et moins qui se trouvent en haut de la boîte de dialogue Modifier la liste des polices pour créer ou supprimer une collection. Pour éditer une collection, commencez par la sélectionner, puis servez-vous des listes du bas (Polices choisies et Polices disponibles) et des flèches doubles afin d'éliminer ou d'insérer des polices dans la collection courante.

Le seul moyen de garantir que le texte apparaîtra dans la police désirée est de le créer sous forme de graphique dans un programme comme Photoshop ou Fireworks, puis d'insérer l'image dans votre page. Ce n'est pas une mauvaise idée pour les textes spéciaux comme les bannières et les logos. Mais ce n'est habituellement pas une solution à généraliser, car les images sont plus longues à télécharger que le texte et plus difficiles à mettre à jour.

Pour ajouter davantage d'espace, vous avez besoin d'autres options de formatage, car la plupart des navigateurs condensent l'espacement supplémentaire dû aux paragraphes et/ou aux sauts de ligne multiples lorsqu'ils affichent la page qui les contient. Pour mieux contrôler votre mise en page et obtenir les résultats que vous souhaitez, il est préférable de faire appel à CSS. Nous y reviendrons dans les Chapitres 5 et 6.

Insérer un texte d'un autre programme

Dreamweaver propose de nombreuses options permettant de conserver la mise en forme lors du copier/coller de textes provenant d'autres programmes. Vous pouvez modifier la manière dont Dreamweaver gère le fonctionnement de la commande Coller du menu Fichier à partir des Préférences en sélectionnant dans la boîte de dialogue la rubrique Copier/Coller. Vous disposez également d'une commande Collage spécial qui vous permet de choisir manuellement le mode de collage des textes. Celle-ci vous propose quatre choix :

- Texte seul : Dreamweaver se contente d'insérer les caractères en éliminant toute mise en forme de ceux-ci.
- Texte structuré : Dreamweaver conserve les paragraphes, les listes ou encore les tableaux, ainsi que d'autres options de formatage.
- Texte structuré avec formatage de base : Comme ci-dessus, mais des attributs comme gras ou souligné sont également appliqués.
- Texte structuré avec formatage complet : En plus des options précédentes, Dreamweaver retient les mises en forme créées par les feuilles de style de programmes tels que Microsoft Word.

Deux autres options servent à affiner le collage :

- Conserver les sauts de ligne : Les sauts de ligne seront préservés, et ce même si vous ne gardez pas les autres options de formatage.
- Nettoyage des espaces inter-paragraphes de Word : Ce choix permet de résoudre un problème courant lié à la manière dont l'espacement d'un paragraphe Word est converti lorsque son contenu est collé dans Dreamweaver.

Ajouter des images

Passons à des choses plus amusantes. L'insertion d'une image dans une page Web s'opère très simplement avec Dreamweaver. C'est même un peu magique. Le challenge avec les images Web n'est pas leur incorporation dans les pages, mais la création de graphismes gardant une bonne qualité visuelle tout en étant rapides à charger dans la fenêtre du navigateur. Pour créer, convertir et modifier vos images, un autre programme est nécessaire tel que Photoshop ou Fireworks. Dreamweaver sert juste à placer les images dans vos pages.

Pour en savoir plus sur la recherche et la création d'images, et l'obtention de faibles tailles de fichiers, voyez le Chapitre 3. Pour l'instant, je considère que vous disposez d'un fichier GIF ou JPEG, prêt à être inséré dans votre page. Les deux formats d'image les plus courants dans les pages Web sont GIF et JPEG (souvent raccourci en JPG). Vous disposez également du format PNG, supérieur au GIF, mais qui n'est pas pleinement supporté par les anciennes versions d'Internet Explorer.

Si vous n'avez pas d'image sous la main pour le prochain exercice, téléchargez une JPEG sur mon site Web `www.DigitalFamily.com/free` (vous trouverez des instructions sur la procédure à suivre sur le site lui-même).

Deux choses fondamentales doivent être accomplies avant d'insérer une image dans une page Web. D'abord, enregistrez votre page HTML dans le dossier de votre site défini sur votre disque dur. Cette étape est importante, car Dreamweaver ne peut pas indiquer le chemin d'accès correct à votre page tant qu'il est incapable d'identifier les emplacements relatifs de la page HTML et de l'image. Cette identification intervient au moment de l'enregistrement de votre page. C'est en oubliant ce genre de détail capital que l'on se retrouve avec des liens brisés une fois le site publié sur un serveur. Si l'image que vous ajoutez n'est pas sauvegardée dans votre dossier racine local, Dreamweaver affichera un message d'avertissement et vous proposera de copier le fichier au bon endroit avant de le placer sur la page.

La plupart des concepteurs Web créent un dossier appelé *images*. Ils y placent toutes les images du site. Si vous travaillez sur un très gros site, vous pouvez définir un dossier *images* dans chaque sous-dossier principal de celui-ci. Il est important de se souvenir que, si vous déplacez une page ou une image vers un autre dossier après avoir inséré cette dernière sur la page, vous risquez de briser le lien entre ces deux éléments.

Pour éviter de rompre des liens ou des références à des images, utilisez toujours le panneau Fichiers pour déplacer ou renommer des éléments. Dans ce cas, Dreamweaver corrige automatiquement vos liens. Si vous déplacez ou renommez un fichier ou un dossier en dehors de Dreamweaver, les liens seront perdus. Vous trouverez des instructions plus détaillées sur la gestion et la réparation des liens dans le Chapitre 4.

Supposons donc que vous avez sauvegardé votre page et l'image que vous voulez y insérer dans le dossier principal de votre site Web (ou que vous êtes décidé à laisser Dreamweaver s'en charger à votre place). Suivez alors ces étapes pour placer l'image dans votre page Web :

1. Cliquez à l'endroit où voulez ajouter l'image afin d'y placer votre curseur.

Pour cet exemple, j'ai cliqué au début du premier paragraphe, juste après le titre principal.

Vous ne pouvez pas vous contenter de placer votre curseur n'importe où dans une page vierge pour placer une image là où vous le voulez. Il ne s'agit pas d'une limitation de Dreamweaver, mais d'une restriction imposée par la manière dont HTML affiche le contenu d'une page Web. Par défaut, toutes les images, les textes et les autres éléments sont insérés en partant du coin supérieur gauche. Pour créer des dispositions plus complexes, vous devez faire appel à CSS pour positionner les objets (c'est l'option la plus hautement recommandée ; elle est traitée dans le Chapitre 6), voire vous contenter de classiques tableaux HTML (nous y reviendrons dans le Chapitre 7) ou bien encore utiliser des calques (voyez à ce sujet le Chapitre 6).

2. Cliquez sur le bouton Image dans le panneau Commun, situé en haut de l'espace de travail (il contient un arbre sur fond de ciel bleu). Dans la liste déroulante qui apparaît, sélectionnez l'option Image.

La boîte de dialogue Sélectionnez la source de l'image apparaît. Elle affiche une liste de dossiers et de fichiers présents sur votre disque dur.

3. Naviguez vers le dossier où se trouve l'image à insérer. Double-cliquez sur ce fichier pour le sélectionner.

Si les options d'accessibilité sont activées dans vos Préférences (ce qui est le cas par défaut), la boîte de dialogue Attributs d'accessibilité des balises d'image apparaît. Définir ici un texte alternatif est *toujours* une bonne idée. Pour cela, il vous suffit de saisir un commentaire dans le champ Texte secondaire. Il est évidemment préférable de fournir une description qui se rapporte au contenu de l'image. Ce texte alternatif n'apparaîtra dans le navigateur que si l'image n'est pas visible. Par contre, Internet Explorer l'affichera dans une bulle si l'utilisateur place le curseur au-dessus. Ce texte est aussi important pour un public malvoyant qui utilisent des navigateurs qui "lisent" le contenu des pages Web. Il est d'ailleurs généralement obligatoire (tout en devant rester court) dans les développements qui imposent des procédures strictes en termes d'accessibilité. Il est aussi possible d'ajouter ou d'éditer ce texte secondaire dans l'inspecteur Propriétés.

4. **Cliquez sur OK.**

   L'image apparaît automatiquement sur votre page Web.

5. **Cliquez sur l'image que vous venez d'insérer dans votre page Web.**

   Les options disponibles sont automatiquement présentées dans l'inspecteur Propriétés, en bas de l'espace de travail.

6. **Utilisez l'inspecteur Propriétés pour définir les attributs de l'image (l'alignement, l'espacement horizontal ou vertical, le texte secondaire, etc.).**

   Dans l'exemple illustré sur la Figure 2.8, j'ai choisi une disposition à gauche, en sélectionnant cette option dans la ligne Aligner, tout en bas de l'inspecteur Propriétés. C'est ce qui permet au texte de venir se placer sur la droite de l'image. J'ai également affecté la valeur 10 au champ Espace H afin de créer une marge entre l'image et le texte.

Figure 2.8 : Le panneau Propriétés donne accès aux attributs communs des images comme l'alignement et l'espacement.

Si vous utilisez CSS, vous pouvez définir des options de mise en forme plus précises. Par exemple, le champ Espace H ajoute un espacement identique à gauche comme à droite de l'image. Avec CSS, il est possible de définir un style qui applique un tel espacement sur n'importe quel bord de l'objet.

Le panneau Propriétés vous permet de spécifier de nombreux attributs pour les images de votre site Web. Le Tableau 2.1 décrit ces attributs. Si vous ne voyez pas sur votre écran tous les attributs de ce tableau, cliquez sur le triangle dans le coin inférieur droit du panneau afin de faire apparaître la totalité des options pour les images.

Tableau 2.1 : Attributs des images dans l'inspecteur Propriétés.

Abréviation	Attributs	Fonction
Image	N/A	Spécifie la taille du fichier.
Nom de l'image	Nom	Identifie l'image de manière unique dans la page. Il s'agit d'un détail important si vous utilisez des comportements ou d'autres scripts qui sont déclenchés par cette image.
Carte	Nom de la carte	Affecte le nom saisi ici à une carte graphique (appelée aussi *carte image*). Toutes les cartes graphiques doivent posséder un nom.
Outils zone réactive	Coordonnées des zones réactives	Les trois boutons qui se trouvent au-dessous du champ Carte vous permettent de dessiner les zones rectangulaires, ovales ou polygonales d'une carte graphique que vous allez associer à des liens. (Vous trouverez au Chapitre 5 les instructions qui vous permettront de créer des cartes graphiques.)
L	Largeur	Dreamweaver spécifie automatiquement la largeur d'une image en se fondant sur sa taille réelle.
H	Hauteur	Dreamweaver spécifie automatiquement la hauteur d'une image en se fondant sur sa taille réelle.
Src	Source	Obligatoire. La *source* est le chemin d'accès complet au nom du fichier image. Dreamweaver définit automatiquement cette information quand vous insérez l'image.
Lien	Hyperlien	Ce champ affiche l'adresse ou le chemin d'accès de la page à laquelle renvoie éventuellement l'image. (Pour plus d'informations sur les liens, lisez la section "Définir des liens", plus loin dans ce chapitre.)

Abréviation	Attributs	Fonction
Sec	Texte de substitution	Les mots que vous saisissez ici s'affichent si l'image n'apparaît pas dans le navigateur de l'internaute. Cela se produit si l'utilisateur a désactivé l'option d'affichage des images dans les préférences de son navigateur. Le texte secondaire est particulièrement important pour les moteurs de recherche et pour les navigateurs utilisés par des personnes malvoyantes pour lire le contenu des pages Web.
Modifier	Icônes Edition (dans Fireworks), Optimiser, Recadrer, Rééchantillonner, Luminosité et contraste, Accentuer	Le bouton Modifier permet de lancer un éditeur graphique comme Fireworks, mais vous devez commencer par spécifier celui choisi dans la boîte de dialogue Préférences de Dreamweaver. Pour cela, sélectionnez Edition, puis Préférences, et cliquez sur la catégorie Types de fichiers/Editeurs. Servez-vous des autres icônes pour apporter des réglages mineurs à votre image.
Espace V	Espace vertical	Mesuré en pixels, ce paramètre insère un espace vierge au-dessus et en dessous de l'image.
Espace H	Espace horizontal	Mesuré en pixels, ce paramètre insère un espace vierge à gauche et à droite de l'image.
Cible	Cadre cible	Utilisez cette option quand l'image apparaît sur une page qui est un élément d'un jeu de cadres HTML, ou si vous voulez qu'un lien ouvre une nouvelle fenêtre. La *cible* spécifie le cadre dans lequel la page liée doit s'ouvrir. (Je traite des cadres et du paramétrage des liens au Chapitre 7.)
Src faible	Source faible	Cette option permet de lier deux images à la même place sur une même page. L'image Source faible se charge en premier. Elle est ensuite remplacée par l'image prioritaire une fois la page entièrement chargée. Cette option est très utile quand vous placez une image de grande taille dont la lecture prend du temps. L'internaute voit alors un équivalent dont la taille est réduite pourquoi pas en niveaux de gris. La combinaison de ces deux images donne l'illusion d'une animation. Efficace et idéal pour faire patienter l'utilisateur.

Abréviation	Attributs	Fonction
Bordure	Bordure de l'image	Exprimé en pixels, cet attribut permet de définir un contour pour l'image. Quand j'utilise l'image comme lien, je fixe généralement une valeur de 0 pour me débarrasser de la bordure colorée qui apparaît automatiquement autour de cette image au moment où elle est survolée par le pointeur.
Aligner	Alignement	Cette option permet d'aligner l'image. Le texte "encadre" automatiquement les images qui sont alignées à droite ou à gauche. Les autres options, comme Ligne de base, Haut et Milieu, contrôlent la manière dont les textes et les autres objets sont "calés" à proximité de l'image. Les icônes d'alignement concernent l'ensemble du paragraphe qui contient l'image, afin de justifier le texte à gauche, à droite ou au centre.
Classe	Paramètre CSS	La champ Classe vous permet d'appliquer n'importe quel style de classe défini dans Dreamweaver. Pour utiliser cette option, sélectionnez un élément dans l'espace de travail, et choisissez un style de classe dans cette liste déroulante.

Pour changer les dimensions d'une image, vous avez la possibilité d'exploiter la fonction de recadrage de Dreamweaver, mais cela modifie du même coup le fichier de manière permanente. Pour disposer d'options plus fines, il vaut mieux passer par un programme de retouche d'image tel que Fireworks ou Photoshop. Vous trouverez dans le Chapitre 3 des instructions sur l'optimisation des images pour le Web sous Photoshop.

Définir des liens

Définir des liens dans Dreamweaver est un véritable enchantement. Le plus important à garder à l'esprit est qu'un *lien* est essentiellement une adresse (URL) indiquant au navigateur la page qu'il doit atteindre quand l'internaute clique dessus.

Si la page que vous voulez lier se trouve à l'intérieur de votre site Web, vous pouvez créer un *lien relatif* contenant un chemin qui décrive le trajet permettant de se rendre de la page active à celle qui lui est liée.

Créer plusieurs pages pour définir des liens

La création d'une nouvelle page pour démarrer un site Web peut sembler assez évidente. Mais envisagez aussi ceci : il est judicieux de créer directement un lot de nouvelles pages avant d'aller trop loin dans le développement de votre projet, et même de commencer à organiser ces nouvelles pages en sous-dossiers avant d'y insérer quoi que ce soit. Cela vous permet de disposer de la structure du site avant de commencer à définir des liens. Il est en effet impossible de créer un lien vers une page qui n'existe pas. Si vous comptez avoir sur votre page d'accueil cinq liens vers d'autres pages de votre site, créez ces autres pages, même si vous n'allez pas y insérer tout de suite du contenu.

Supposons par exemple que vous réalisiez un site pour le service où vous travaillez. Vous allez créer quelques pages principales, par exemple une page sur votre équipe, une autre sur l'activité de votre société, une troisième avec des informations et ressources générales. À ce stade initial, vous pouvez créer quatre pages - une pour la page d'accueil du site et trois autres pour les sous-sections. Vous appellerez la première `index.html`, et les suivantes `equipe.html`, `apropos.html` et `general.html`. Ces pages initiales en place, vous bénéficiez tout de suite d'un plan pour organiser le site, et vous pouvez commencer facilement et immédiatement à définir des liens entre les pages principales. Pour plus de conseils sur la planification et l'organisation des sites Web, reportez-vous au Chapitre 4.

Un lien relatif n'a pas besoin de contenir le nom de domaine du site, mais uniquement des instructions qui permettent aux navigateurs d'ouvrir une nouvelle page à l'intérieur de celui-ci. Voici un exemple qui vous montre à quoi ressemble le lien relatif qui permet d'accéder à la section consacrée aux livres (elle est enregistrée dans un sous-dossier appelé `books`) depuis la page principale de mon propre site (`www.JCWarner.com`) :

```
<A HREF="books/index.html">Janine's Books </A>
```

Comme mon serveur Web est configuré pour délivrer en premier les pages appelées `index.html`, quels que soient les dossiers dans lesquels elles se trouvent, j'ai évidemment intérêt à employer systématiquement ce nom. L'avantage que procure cette méthode se comprend facilement. Si j'ai appelé cette page `books.html`, vous devriez saisir dans votre navigateur le lien `www.JCWarner.com/books/books.html` pour y accéder. Mais avec la syntaxe `index.html`, il vous suffit d'entrer `www.JCWarner.com/books` pour obtenir le même résultat. (Si le serveur était configuré pour afficher par défaut la page `default.html`, le principe resterait le même, au nom de la page près).

Si vous voulez pointer vers une page qui se trouve sur un autre site Web, vous devez créer un *lien absolu* ou *externe* qui contienne l'adresse Internet complète de l'autre site. Supposons ainsi que vous vouliez proposer sur votre site un lien vers ma boutique de livres (ce dont je vous remercie par avance). Il devrait alors ressembler à ceci :

```
<A HREF="www.jcwarner.com/books/index.html">Les livres de Janine </A>
```

Selon le même principe que ci-dessus, il est possible de raccourcir ce lien, puisqu'il renvoie à la page d'index par défaut de mon serveur. La balise suivante donnerait donc ici exactement le même résultat :

```
<A HREF="www.jcwarner.com/books">Les livres de Janine </A>
```

Si tout ce discours sur les balises HREF vous fait le même effet que du chinois, ne vous inquiétez pas. Dans la section qui suit, vous allez découvrir comment Dreamweaver se charge de définir de tels liens sans même que vous ayez à vous préoccuper du code correspondant (mais je pense qu'il est toujours utile d'avoir certaines notions sur ce qui se passe en coulisse).

Lier des pages au sein de votre site Web

Il est facile de créer un *lien interne* qui renvoie une page de votre site vers une autre page de ce même site. Le plus important à se rappeler est d'enregistrer vos pages dans des dossiers dont vous ne modifierez pas le chemin d'accès, et de vous assurer que tous vos fichiers sont bien dans le dossier racine du site, comme nous l'avons dit dans la section "Définir un site", plus haut dans ce chapitre.

Voici comment créer un lien entre deux pages de votre site Web :

1. **Dans Dreamweaver, ouvrez la page dans laquelle vous souhaitez créer un lien.**

2. **Sélectionnez le texte ou l'image qui réagira en tant que lien (c'est-à-dire l'élément sur lequel devra cliquer l'utilisateur pour ouvrir la page voulue).**

   Cliquez et faites glisser pour sélectionner un texte, ou encore cliquez une fois sur une image pour l'activer. Dans cet exemple, j'ai sélectionné le texte *héron blanc* pour le lier à la page `herons.html` située dans le même dossier.

3. **Cliquez sur l'icône Hyperlien, à gauche de la barre d'outils Commun, sous les menus.**

Vous pouvez tout aussi bien utiliser le champ Lien dans l'inspecteur Propriétés.

4. **Dans la boîte de dialogue Hyperlien, cliquez sur le bouton Parcourir, à droite du champ Lien (voir la Figure 2.9).**

   La boîte de dialogue Sélectionner un fichier apparaît.

Figure 2.9 : La boîte de dialogue Hyperlien propose plusieurs options pour définir un lien, y compris un choix de cibles.

5. **Cliquez sur le nom du fichier voulu afin de sélectionner la page que vous désirez lier. Cliquez sur OK (Windows) ou sur Choisir (Mac).**

   Le lien est automatiquement défini, la boîte de dialogue se referme. Le cas échant, un message vous avertit que vous ne pouvez créer un lien relatif qu'après avoir enregistré la page. Il est toujours préférable de sauvegarder les pages sur lesquelles vous travaillez *avant* de définir un lien relatif. N'oubliez pas en particulier que vous devrez visualiser votre page dans un navigateur afin de tester vos liens. Nous y reviendrons à la fin de ce chapitre.

Vous pouvez vous servir du champ Cible de la boîte de dialogue Hyperlien pour "viser" une position précise sur la page liée. Par exemple, l'option `_top` provoque l'ouverture de la page dans une nouvelle fenêtre de navigation. Les autres options concernent essentiellement le travail avec les cadres. Nous y reviendrons dans le Chapitre 8.

Définir des liens vers des ancres nommées à l'intérieur d'une page

Si vous aimez créer de très longues pages, utilisez des liens ancrés pour scinder la navigation au sein de celles-ci. Un *lien d'ancre nommée* (également appelé *saut*) permet d'accéder directement à une partie spécifique d'une page Web. Vous pouvez définir une ancre nommée pour placer un lien depuis une image ou une chaîne de texte adressant un autre emplacement de la même page. Pour créer un tel lien, il faut préalablement définir une ancre nommée à l'emplacement exact où ce lien doit renvoyer. Vous emploierez ensuite cette ancre pour diriger le navigateur vers une partie spécifique de la page.

Supposons que vous vouliez définir un lien partant du mot *Décapotables*, en haut de la page, et renvoyant au sous-titre *Voitures de sport décapotables*, toujours sur la même page. Vous devez préalablement insérer une ancre nommée sur cet en-tête pour ensuite y associer un lien partant du mot *Décapotables*.

Voici comment parvenir à vos fins :

1. **Ouvrez la page sur laquelle vous souhaitez insérer une ancre nommée.**
2. **Cliquez à côté du mot ou de l'image que vous souhaitez lier.**

   Inutile de sélectionner le mot ou l'image ; tout ce que vous voulez c'est un point de référence qui s'affiche quand le lien est cliqué. Pour cet exemple, vous placerez le point d'insertion à gauche de l'en-tête *Voitures de sport décapotables*.
3. **Choisissez l'option Ancre nommée dans le menu Insertion (ou cliquez sur la troisième icône de la barre d'outils Commun).**

   La boîte de dialogue Ancre nommée apparaît.
4. **Saisissez un nom d'identification pour l'ancre.**

   Vous pouvez assigner le nom qui vous convient (sans espaces ni caractères spéciaux). Il suffit simplement de s'assurer que votre objet ne porte pas le nom d'une ancre existante. Souvenez-vous du nom ainsi attribué, car il faudra l'indiquer au moment de la définition du lien. (Contrairement à d'autres programmes de conception Web, Dreamweaver n'assigne pas automatiquement un nom d'ancre.) Dans cet exemple, je choisirai le mot *decapotable*, car il évoque sans ambiguïté l'en-tête auquel l'ancre est attachée.
5. **Cliquez sur OK.**

La boîte de dialogue se ferme, et une petite icône représentant une ancre marine apparaît sur la page Web à l'endroit du point d'insertion. Vous pouvez déplacer cette icône en cliquant dessus et en la faisant glisser vers un autre emplacement.

Si l'équivalent HTML de cette ancre vous intéresse, voici le code qui apparaît devant l'en-tête de mon exemple :

```
<A NAME=decapotables></A>
```

6. **Pour définir un lien qui renvoie à l'ancre nommée, sélectionnez le texte ou l'image qui servira de lien hypertexte.**

   Vous pouvez établir un lien vers une ancre nommée qui se trouve n'importe où sur la même page ou sur une autre page. Dans mon exemple, je crée un lien depuis le mot *Décapotables* qui apparaît en haut de la page, vers l'ancre que j'ai définie à côté de mon sous-titre.

7. **Dans la barre d'outils Commun, cliquez comme précédemment sur l'icône Hyperlien. Servez-vous de la flèche qui suit le champ Lien pour ouvrir une liste dans laquelle vous allez retrouver votre ancre nommée.**

   Une autre méthode consiste à saisir le signe # suivi du nom de l'ancre dans le champ Lien du panneau Propriétés.

   Vous pouvez aussi sélectionner le texte et tirer un trait à partir de l'icône "Pointer vers un fichier" (qui se trouve à côté du champ Lien) jusqu'à l'icône de l'ancre. Le nom de l'ancre apparaît alors automatiquement dans le champ Lien.

   Dans mon exemple, je saisis **#decapotables** dans le champ en question. Le code HTML correspondant est semblable à ceci :

```
<A HREF="#decapotables">Décapotables</A>
```

   Si vous voulez placer un lien vers une ancre nommée *décapotables* qui se trouve dans une autre page appelée `voitures.html`, saisissez dans le champ Lien **voitures.html#décapotables**.

Lier vers des pages situées sur d'autres sites Web

Établir un lien vers une page d'un autre site Web se fait par la définition d'un *lien externe*. C'est au moins aussi simple que pour créer un lien interne. Tout ce que vous avez à faire est d'indiquer l'URL exacte de la page vers laquelle vous souhaitez créer le lien.

Voici comment procéder :

1. **Dans Dreamweaver, ouvrez la page dans laquelle vous voulez créer le lien.**

2. **Sélectionnez le texte ou l'image qui servira de lien.**

3. **Dans le champ Lien de l'inspecteur Propriétés, saisissez l'URL de la page à atteindre (voir la Figure 2.10).**

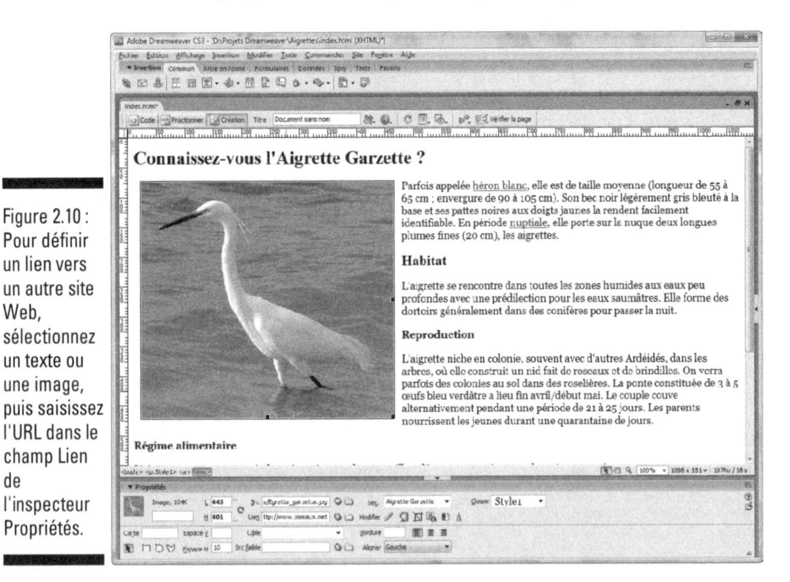

Figure 2.10 : Pour définir un lien vers un autre site Web, sélectionnez un texte ou une image, puis saisissez l'URL dans le champ Lien de l'inspecteur Propriétés.

Le lien est automatiquement défini. Sur l'exemple de la Figure 2.10, j'ai créé un lien associé à la photographie de l'aigrette et qui renvoie vers un très bon site consacré aux oiseaux (`www.oiseaux.net`).

Bien que dans la plupart des navigateurs Web il ne soit pas nécessaire de saisir la partie `http://` de l'adresse de la page que l'on veut charger (voire même les fameux `www.`), vous devez saisir l'URL complète, y compris cette première partie, lorsque vous créez un lien externe. Si vous l'omettez, le navigateur pourrait croire que le `www.quelquechose.com` est le nom d'un dossier sur votre serveur Web, ce qui produirait une erreur de type "Serveur introuvable" ou "Page introuvable".

Définir un lien vers une adresse e-mail

Pour créer un lien vers une adresse de messagerie, sélectionnez le texte voulu (ou une image), puis cliquez sur la seconde icône de la barre d'outils Commun (*Lien de messagerie*). Dans la boîte de dialogue qui s'affiche, entrez l'adresse électronique cible et cliquez sur OK. Si vous voulez utiliser une image, le principe reste sensiblement le même, si ce n'est que vous allez saisir l'adresse e-mail dans le champ Lien de l'inspecteur Propriétés.

Lorsque vous créez un lien de messagerie en utilisant le champ Lien de l'inspecteur Propriétés, cette définition doit commencer par le code `mailto:` (n'ajoutez pas les caractères //). Si vous voulez par exemple que vos visiteurs puissent m'écrire, vous n'avez pas besoin de taper **mailto:janine@jcwarner.com**. L'adresse proprement dite suffit. La ligne de code HTML qui sera automatiquement créée par Dreamweaver va alors se présenter ainsi :

```
<A HREF="mailto:janine@jcwarner.com">Envoyer un message à Janine</A>
```

Lorsqu'un visiteur de votre site Web clique sur un tel lien, son navigateur lance automatiquement son programme de messagerie par défaut, et celui-ci ouvre un message électronique vierge à destination de l'adresse électronique spécifiée. Cela peut être déconcertant si l'utilisateur ne s'y attend pas, et évidemment inopérant s'il ne possède pas de programme de messagerie. C'est pourquoi j'essaie toujours de le signaler, en indiquant clairement que le lien va vers une adresse électronique et pas une autre page Web. Par exemple, il vaut mieux écrire *Envoyer à Janine* que *Contacter Janine*, qui est plus vague. Dans certains cas, il est même préférable d'écrire dans le texte l'adresse de destination elle-même, sans la camoufler derrière une quelconque explication.

Lorsque vous créez un lien de messagerie dans une page Web publiée sur l'Internet, vous ouvrez la porte aux *spammers*, dont certains utilisent des logiciels qui scrutent automatiquement le Web pour détecter la présence de ces adresses. C'est pourquoi nombreux sont ceux qui utilisent une autre technique qui consiste à ne pas insérer ce genre de lien, mais à placer une phrase explicite du style *Envoyez un message à Janine à l'adresse jcwarner.com*. A charge pour le visiteur de reconstituer le lien complet. En construisant un formulaire associé à un script chargé de délivrer le contenu de celui-ci à une certaine adresse électronique, vous protégez votre messagerie contre les attaques de spammers tout en fournissant à vos visiteurs un moyen simple de vous contacter. Vous trouverez des instructions sur la création de formulaires dans le Chapitre 12.

Changer les propriétés de la page

De nombreux éléments de la page sont modifiables dans l'inspecteur Propriétés. Cependant, si vous désirez opérer des changements affectant la totalité de la page, comme modifier les couleurs de l'arrière-plan, des liens ou du texte, il faut travailler avec la boîte de dialogue Propriétés de la page.

Remarquez sur la Figure 2.11 que la boîte de dialogue Propriétés de la page dispose sur sa gauche d'une liste Catégorie. Chaque catégorie donne accès à différentes options de page. Certaines de ces options sont étudiées dans d'autres parties du livre, comme la fonction Tracé de l'image (voyez le Chapitre 4) et la fonction Image d'arrière-plan (voyez le Chapitre 3). Pour l'instant, nous n'aborderons dans cette section que la modification des couleurs d'arrière-plan et du texte, via la catégorie Aspect et les options de la catégorie Liens.

Figure 2.11 : La catégorie Aspect de la boîte de dialogue Propriétés de la page permet de changer la couleur du texte, la police, la taille de caractère, l'arrière-plan ou encore les marges.

Vous pouvez apporter des modifications globales dans la boîte de dialogue Propriétés de la page, tout en gardant la faculté de surcharger ces réglages dans la page via les options de formatage local. Par exemple, vous définissez tout le texte en violet dans la boîte de dialogue Propriétés de la page, puis vous modifiez la couleur de certains passages de texte en rouge dans la case de nuance Couleur du texte dans l'inspecteur Propriétés.

Pour changer la couleur d'arrière-plan, celle du texte et la police principale sur une page, suivez ces étapes :

1. **Dans le menu Modifier, choisissez Propriétés de la page.**

   La catégorie Aspect de la boîte de dialogue Propriétés de la page apparaît (elle est illustrée sur la Figure 2.11).

2. **Dans la liste Police de la page, spécifiez les polices désirées pour le texte.**

   Lorsque vous ne choisissez pas de police, le texte est composé dans la police spécifiée dans le navigateur de l'utilisateur (Times habituellement). Pour cet exemple, j'ai défini la police comme appartenant à une collection commençant par Georgia.

3. **Cliquez sur le B ou le I à droite de la liste Police de la page si vous désirez que tout le texte de la page soit en gras ou en italique.**

   Lorsque vous sélectionnez une de ces options, tout le texte apparaît en gras ou en italique, sauf si vous spécifiez d'autres réglages à l'aide des options de formatage local du texte.

4. **Dans la liste Taille, spécifiez la taille de police pour le texte de votre page.**

   De nouveau, vous pourrez écraser ces paramètres en changeant la taille de texte à l'aide des options de formatage local de l'inspecteur Propriétés.

5. **Cliquez sur la case qui suit l'intitulé Couleur du texte pour afficher la palette Couleurs. Choisissez une nuance.**

   La couleur choisie remplit la case de nuance de couleur, mais n'affecte pas la couleur du texte sur la page tant que vous ne cliquez pas sur le bouton Appliquer ou OK.

6. **Cliquez sur la case de nuance Couleur d'arrière-plan pour afficher la palette Couleurs. Choisissez une teinte.**

   La couleur choisie apparaît dans la case de nuance de couleur. Elle ne remplit pas l'arrière-plan tant que vous ne cliquez pas sur le bouton Appliquer ou OK.

7. **Pour insérer une image ou une photographie sur l'arrière-plan de votre page, cliquez sur le bouton Parcourir, à côté de l'intitulé Image d'arrière-plan.**

   Une image d'arrière-plan est automatiquement répétée pour remplir toute la page, à moins que vous choisissiez l'option Pas de répétition dans la liste Répétition (ou que vous utilisiez CSS pour affiner l'affichage).

8. **Servez-vous des options proposées en bas de la boîte de dialogue, pour modifier les marges gauche, droite, supérieure et inférieure de la page.**

   En entrant la valeur 0 dans ces quatre champs, vous supprimez les valeurs de marges par défaut qui ajoutent automatiquement un certain espace à gauche et en haut d'une page Web, ce qui vous permet de créer des mises en page partant du bord de la fenêtre du navigateur.

9. **Cliquez sur le bouton Appliquer pour voir l'impact de vos choix sur la page.**

10. **Cliquez sur OK pour terminer et fermer la boîte de dialogue Propriétés de la page.**

Lorsque vous changez les couleurs d'arrière-plan, du texte ou des liens, veillez à une harmonie des teintes et à une bonne lisibilité du texte. En règle générale, un arrière-plan de couleur claire convient mieux à du texte de couleur foncée, et vice versa.

Pour changer la couleur de lien et les options de soulignement, suivez ces étapes :

1. **Ouvrez le menu Modifier et choisissez l'option Propriétés de la page.**

   La boîte de dialogue Propriétés de la page apparaît.

2. **Sélectionnez l'option Liens dans la liste Catégorie.**

   La page Liens s'ouvre (voir la Figure 2.12).

3. **Indiquez les polices à exploiter pour les liens, via la liste Police des liens.**

   Si vous ne spécifiez rien ici, les liens sont composés dans la police choisie pour le texte général du document ou, si elle n'est pas définie, dans la police spécifiée dans le navigateur de l'utilisateur (habituellement Times).

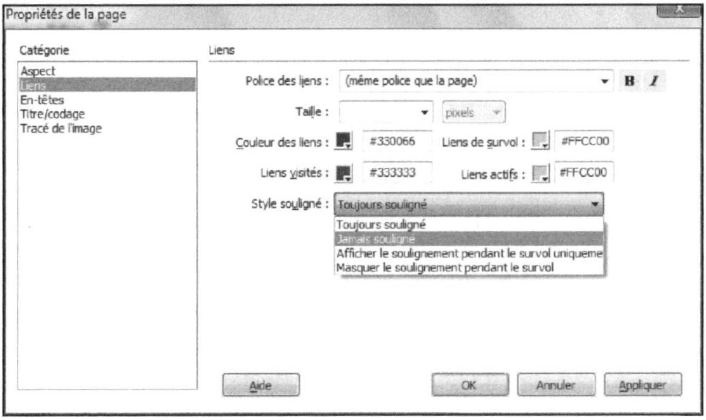

Figure 2.12 : La catégorie Liens de la boîte de dialogue Propriétés de la page vous permet de changer la couleur des liens et d'indiquer s'ils doivent être soulignés.

4. **Si vous désirez que tous les liens de la page soient en gras ou en italique, cliquez sur le B ou le I à droite de la liste Police des liens.**

   Lorsque vous sélectionnez une de ces options, tous les liens sont affichés en gras ou en italique, à moins de spécifier d'autres options dans l'inspecteur Propriétés.

5. **Indiquez dans la liste Taille la taille de police pour les liens.**

   De nouveau, vous pourrez écraser ces paramètres en changeant la taille du texte à l'aide des options de formatage local du texte.

6. **Cliquez sur la case de nuance Couleur des liens pour afficher la palette de couleurs. Choisissez une couleur.**

   La couleur choisie est appliquée aux liens de la page. Il existe quatre options de couleur de lien :

   Couleur des liens : Indique la couleur d'un lien dont l'utilisateur n'a pas encore visité la page de destination.

   Liens visités : Couleur utilisée pour les liens pointant vers des pages déjà visitées par l'internaute.

   Liens de survol : Le lien prend cette couleur lorsqu'un utilisateur place le pointeur au-dessus.

   Liens actifs : Le lien prend brièvement cette couleur lorsque l'utilisateur clique dessus.

7. **Dans la liste Style souligné, spécifiez si les liens seront soulignés.**

   Par défaut, tous les liens d'une page Web sont soulignés dans le navigateur. Mais de nombreux concepteurs trouvent que cela perturbe l'attention, et désactivent ce mode en sélectionnant Jamais souligné. Vous disposez aussi d'Afficher le soulignement pendant le survol uniquement, pour que le souligné apparaisse lorsque l'utilisateur place le pointeur sur le lien, ou Masquer le soulignement pendant le survol, pour que le souligné disparaisse lorsque l'utilisateur place le pointeur au-dessus du lien.

8. **Cliquez sur le bouton Appliquer pour voir l'impact de vos modifications de couleurs dans la page. Cliquez sur OK pour terminer et fermer la boîte de dialogue Propriétés de la page.**

Ajout de balises Méta pour les moteurs de recherche

Certains moteurs de recherche lisent deux balises Méta courantes : celle des mots clés et celle de description. La première sert au concepteur du site à inclure une liste de mots clés à comparer avec les recherches des internautes dans les moteurs qu'ils utilisent. Malheureusement, il y a eu un tel dérapage dans l'usage des mots clés, notamment pour abuser les visiteurs, que la plupart des moteurs de recherche les ignorent totalement. Mais il existe encore quelques moteurs qui continuent à s'y intéresser. Vous ne nuirez certainement pas à votre classement en les utilisant, mais ils n'ont plus la même importance qu'autrefois.

La balise Méta de description reste en revanche plus largement employée et vaut donc la peine d'y passer du temps. Cette balise est conçue pour insérer une description de votre site Web. Elle est souvent utilisée par les moteurs pour fournir la brève description affichée dans les résultats des pages de recherche. Lorsque vous n'insérez pas de texte dans la balise Méta de description, la plupart des moteurs de recherche se servent du début de votre page d'accueil. Or, ces premiers mots ne seront pas forcément les mieux adaptés pour décrire votre site. Il vaut donc mieux fournir vous-même une description adaptée.

Suivez ces étapes pour définir le contenu de la balise Méta de description :

1. **Ouvrez la page dans laquelle vous voulez ajouter une description Méta.**

   Les descriptions Méta sont utilisables dans tout ou partie des pages de votre site Web (de nombreux moteurs de recherche établissent des liens directs vers les pages internes de votre site lorsqu'elles correspondent à la recherche). Pour autant, le plus important est d'ajouter une description à la page principale du site.

2. **Ouvrez le menu Insertion, puis choisissez successivement HTML, Balises d'en-tête, et enfin Description.**

   Si la barre Insertion s'affiche sous forme d'onglets, cliquez sur l'onglet HTML.

3. **Saisissez le texte de description de la page dans le champ Description de la boîte de dialogue.**

   N'utilisez pas de code HTML dans cette case.

4. **Cliquez sur OK.**

   Le texte de description entré est inséré dans la zone d'en-tête (`<Head>`) en haut du code HTML. Le contenu de cette balise n'apparaît pas dans le corps de la page.

Pour ajouter des mots clés, répétez les étapes 1 à 4, en sélectionnant simplement l'option Mots-clés au lieu de Description lors de l'étape 2.

Prévisualiser une page dans un navigateur

Bien que Dreamweaver affiche les pages Web à peu près comme un navigateur Web, il ne permet pas d'en tester toutes les fonctionnalités interactives. Pour vérifier les liens, par exemple, vous devez afficher votre travail dans un navigateur Web.

La méthode la plus simple pour prévisualiser votre travail consiste à sauvegarder la page, puis à choisir l'une des options d'aperçu dans l'icône Aperçu/Débogage dans le navigateur. Vous la trouverez en haut de l'espace de travail (elle ressemble à un globe terrestre). Vous pouvez aussi ouvrir le menu Fichier et cliquer sur Aperçu dans le navigateur.

Pour ajouter de nouvelles références à celles qui ont été détectées par Dreamweaver, choisissez dans le menu Edition (ou Dreamweaver sur Mac) la commande Préférences. Dans la boîte de dialogue Préférences, activez la catégorie Aperçu dans le navigateur. Cliquez sur le bouton +

de la section Navigateurs pour ajouter à la liste un nouveau navigateur installé sur votre ordinateur. Vous pouvez également cliquer sur l'icône Aperçu/Débogage dans le navigateur (le globe) et sélectionner Modifier liste des navigateurs.

Chapitre 3

Ajouter des images

Dans ce chapitre :

- Créer et optimiser des images pour le Web.
- Aligner les images.
- Editer les images.
- Inclure une image d'arrière-plan.

Si vos images sont déjà au format GIF ou JPEG et prêtes à être publiées, vous pouvez passer directement à la section "Insérer des images dans Dreamweaver". Vous y apprendrez à placer et à aligner des images, à créer des images réactives ou encore à définir une image d'arrière-plan. Vous découvrirez également certaines des fonctionnalités propres à Dreamweaver, afin par exemple de recadrer vos illustrations ou d'en ajuster les contraste et la luminosité sans avoir à faire appel à un programme de retouche externe.

Créer et optimiser des images pour le Web

Rappelez-vous, lorsque vous créez des images pour le Web, que le plus important est de les *optimiser*, autrement dit d'obtenir une taille de fichier aussi petite que possible. Vous pouvez optimiser les images en utilisant des techniques de compression ou de réduction de couleurs.

La manière de procéder dépend de celle dont l'image a été créée ainsi que du format d'enregistrement que vous allez choisir (GIF ou JPEG essentiellement). Vous trouverez dans la prochaine section des instructions concernant l'optimisation des fichiers GIF et JPEG sous Photoshop. Mais quel que soit le programme, le format ou la technique d'optimisation que vous choisissiez, le principal défi consiste à trouver le meilleur équilibre possible entre taille du fichier et qualité visuelle. Pour l'essentiel, retenez que plus vous réduisez le nombre de couleurs et/ou compressez une image, pire est son apparence et plus vite elle se charge.

Choisir le meilleur format graphique

Une des questions récurrentes sur les images est de savoir quand employer les formats GIF ou JPEG (voire PNG). Le Tableau 3.1 fournit une réponse simple.

Tableau 3.1 : Formats d'images pour le Web.

Format	Pour
GIF	Des dessins comme des logos contenant une ou deux couleurs, des animations, des images contenant un faible nombre de couleurs, sans dégradés. Il s'agit également du meilleur format pour l'affichage d'images devant comporter des zones transparentes.
PNG	Dans le cas d'images relativement simples, PNG permet généralement d'obtenir des résultats meilleurs que le GIF pour une taille de fichier inférieure. Signalons cependant que les anciens navigateurs ne reconnaissent pas ce format, et que même les plus récents ont des problèmes avec le support des couches de transparence (ou *couches alpha*) des images PNG.
JPEG	Les images complexes affichant des millions de couleurs (comme les photographies), celles qui comportent des dégradés ou des transitions complexes entre les couleurs.

Sauvegarder des images pour le Web

Vous pouvez convertir des images possédant pratiquement n'importe quel format (TIF, BMP, PSD, etc.) en fichiers GIF, PNG ou JPEG destinés au Web. De même, vous pouvez optimiser des images déjà enregistrées dans ces formats afin de réduire davantage encore la taille de leurs fichiers, et donc d'accélérer leur téléchargement.

Les programmes proposant de créer des graphismes pour le Web ne manquent pas, mais l'un des meilleurs et des plus simples à utiliser reste l'éternel Photoshop. Dans le menu Fichier de celui-ci (comme d'ailleurs de Photoshop Elements), vous trouverez une option intitulée Enregistrer pour le Web et les périphériques. Fireworks propose une fonctionnalité semblable. Pour vous aider à apprécier le genre de procédure qui permet de convertir les fichiers graphiques, je vous propose ci-dessous des instructions concernant l'optimisation des images GIF ou JPEG sous Photoshop. Evidemment, les boîtes de dialogue varient d'un programme à l'autre, mais les options de base restent les mêmes.

Il est toujours préférable d'utiliser la meilleure qualité graphique possible pour le travail d'édition. Si vous devez redimensionner ou retoucher une image, faites-le avant de l'optimiser pour le Web. Et si vous devez apporter par la suite d'autres corrections, revenez à la source, autrement dit à l'image possédant la plus haute résolution.

Dans la boîte de dialogue Enregistrer pour le Web, vous pouvez prévisualiser votre image et sélectionner des options d'optimisation, choisir le format, le degré de compression, ainsi que le traitement des couleurs. Il est possible d'afficher la même image dans plusieurs panneaux, ce qui permet de mieux juger de l'impact de différentes séries de réglages.

Sous l'image d'origine, vous allez voir le nom de fichier et la taille de l'image source. Sous chaque aperçu optimisé, vous trouverez également une série d'informations utiles : format, paramètres d'optimisation, nouvelle taille de fichier, durée de chargement estimée. Cette dernière est évaluée en fonction d'un débit Internet théorique. Vous pouvez modifier le réglage en cliquant droit (Option+clic sur un Mac) sur le texte qui indique la taille de fichier ainsi que la durée de téléchargement.

Lorsque vous faites appel à la fonction d'enregistrement pour le Web, Photoshop crée une nouvelle copie de votre image en partant des paramètres que vous spécifiez. L'original reste inchangé dans son espace de travail.

Optimiser des images JPEG pour le Web

Le format JPEG est le meilleur choix possible pour optimiser des images en ton continu comme des photographies ou des graphismes comportant de multiples couleurs ou des dégradés. Lorsque vous optimisez une image JPEG, vous spécifiez un niveau de compression, ce qui permet de jouer à la fois sur la taille et la qualité du résultat.

Si vous avez une photographie numérique ou une autre image que vous désirez préparer pour le Web, suivez ces étapes afin de l'optimiser et de l'enregistrer sous Photoshop. Si vous vous servez d'un autre programme, les étapes seront bien sûr différentes, mais le processus sera sensiblement le même.

1. **L'image étant ouverte dans Photoshop, choisissez dans le menu Fichier la commande Enregistrer pour le Web et les périphériques (ou simplement Enregistrer pour le Web si vous n'avez pas Photoshop CS3).**

   La boîte de dialogue Enregistrer pour le Web et les périphériques s'affiche.

2. **Ouvrez la liste des formats optimisés qui se trouve sous l'intitulé Paramètres prédéfinis (à droite de la fenêtre). Choisissez alors JPEG (voir la Figure 3.1).**

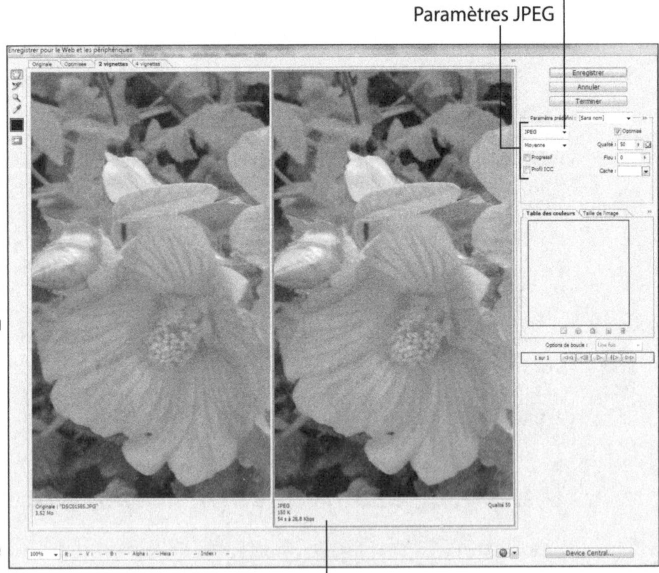

Figure 3.1 : Le format JPEG est le meilleur pour les photographies ou toute image en millions de couleurs.

3. **Sélectionnez la qualité de compression.**

   La liste déroulante propose plusieurs options : Faible, Moyenne, Elevée, Supérieure et Maximum. Vous pouvez également utiliser le curseur qui se trouve en face de l'intitulé Qualité pour opérer un réglage plus fin. Réduire cette qualité diminue la taille du fichier, et rend donc son téléchargement plus rapide. En revanche, en baissant trop cette valeur, l'image perdra de sa finesse et deviendra floue et zigzagante.

Dans le cas du format JPEG, Photoshop utilise une échelle allant de 0 (la plus mauvaise qualité pour la plus petite taille de fichier) à 100 (la meilleure qualité pour le poids de fichier le plus lourd). Les valeurs Faible, Moyenne et Elevée correspondent respectivement à des taux de compression de 10, 30 et 60.

4. **Si vous voulez lisser ou adoucir l'image, servez-vous du champ (ou du curseur) Flou.**

5. **Cliquez sur Enregistrer.**

   La boîte de dialogue Enregistrer une copie optimisée sous va s'ouvrir.

6. **Donnez un nom à votre image et sauvegardez-la dans le dossier de votre site Web précisément dédié aux images.**

   Photoshop enregistre la version optimisée en créant une copie de l'original. Celui-ci reste inchangé dans l'espace de travail de Photoshop.

7. **Répétez ces étapes pour chaque image à optimiser au format JPEG.**

Si vous devez enregistrer à nouveau votre image d'origine, faites-le de préférence dans un format non destructif (TIF ou PSD par exemple). Sinon, vous risquez d'ajouter de la compression à la compression, c'est-à-dire de baisser la qualité de l'image chaque fois que vous la sauvegarderez.

Optimiser les images GIF dans Photoshop

Si vous travaillez avec un graphisme tel qu'un logo, un personnage de bande dessinée ou bien un dessin qui peut être afficher avec 256 couleurs ou moins, vous devriez utiliser le format GIF afin de réduire le plus possible le nombre de couleurs utilisées dans l'image, et donc la taille du fichier correspondant. Pour vous aider à obtenir ce résultat avec un minimum de dégradations quant à la qualité de l'image, le format GIF se sert d'une astuce que l'on appelle *tramage*. Le *tramage* consiste à créer des blocs de pixels adjacents afin de former une sorte de mosaïque de couleurs, ce qui permet d'obtenir des variations de teintes subtiles, même avec une palette réduite. Le résultat est un graphisme plus lisse, et qui semble posséder plus de couleurs qu'il n'en a en réalité.

Pour convertir sous Photoshop une image au format GIF, suivez ces étapes :

1. **L'image étant ouverte dans Photoshop, choisissez dans le menu Fichier la commande Enregistrer pour le Web et les périphériques (ou simplement Enregistrer pour le Web si vous n'avez pas Photoshop CS3).**

   La boîte de dialogue Enregistrer pour le Web et les périphériques s'affiche.

2. **Ouvrez la liste des formats optimisés qui se trouve sous l'intitulé Paramètres prédéfinis (à droite de la fenêtre). Choisissez alors JPEG (voir la Figure 3.2).**

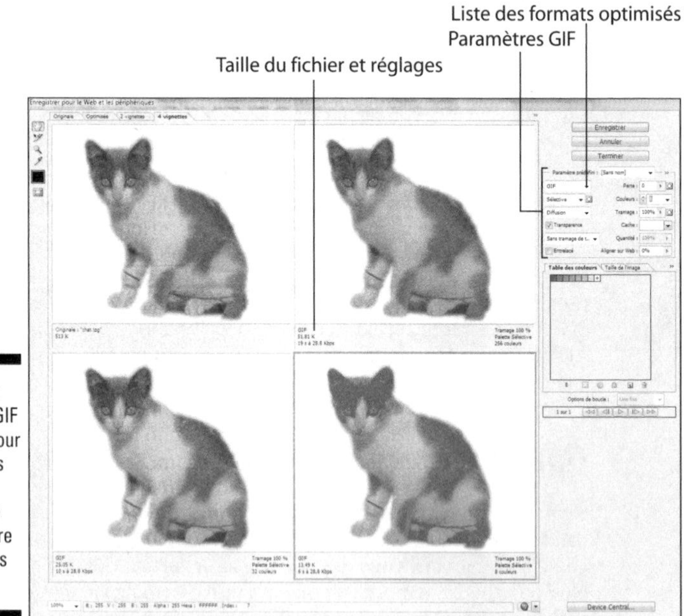

Figure 3.2 : Le format GIF est idéal pour des images qui n'ont besoin que d'un nombre de couleurs limité.

3. **Sélectionnez le nombre de couleurs dans la liste de même nom, à droite de la fenêtre.**

   Moins vous utilisez de couleurs, plus la taille du fichier sera réduite, et plus son téléchargement sera rapide. Le nombre idéal dépend de votre image. Comme l'illustre la dernière valeur de la Figure 3.2, une trop forte réduction peut faire perdre beaucoup de détails et rendre le résultat affreux.

Trouver des cliparts et des photos libres de droits

Si vous ne voulez pas vous donner la peine de créer vos propres images (ou si, comme moi, vous n'en avez pas le talent), vous serez sans doute heureux d'apprendre qu'il existe de nombreuses sources de cliparts. Les images libres de droits (cliparts et photos) sont généralement proposées pour un prix modique. Vous disposez ainsi de tous les droits d'utilisation, ou presque (lisez soigneusement les indications contractuelles qui accompagnent toutes les images que vous achetez pour connaître les éventuelles limites à leur emploi). Vous trouverez dans le commerce un large choix de CD-ROM et sur Internet de nombreux sites Web proposant en abondance des cliparts et photos, et même des animations que vous pourrez utiliser sur votre site Web. On trouve aujourd'hui des sites Web qui vendent des fichiers Flash, des animations, des boutons et autres éléments artistiques que vous pouvez modifier afin de les intégrer dans votre site. Pour en savoir plus sur la création d'un site Web multimédia, reportez-vous au Chapitre 11. Beaucoup de créateurs professionnels achètent des cliparts et se servent d'un programme graphique (comme Fireworks, Illustrator ou Photoshop) pour les modifier en fonction de leurs besoins.

Voici quelques sites sur lesquels vous pourrez trouver des cliparts :

- Getty Images, Inc. (`www.gettyimages.com`) : Getty Images est le plus gros fournisseur d'images numériques libres de droits du Web. Cette société est spécialisée dans les photographies et les illustrations couvrant un grand nombre de sujets. Cela inclut également des vidéos. Pour utiliser ces éléments, vous devez au préalable les acheter.
- Photos.com (`www.photos.com`) : Il s'agit d'un site fondé sur un principe de souscription. Il permet d'obtenir des photographies libres de droits. En contrepartie d'un abonnement pouvant aller de un à douze mois, vous accédez à une collection illimitée d'éléments graphiques.
- iStockPhoto.com (`www.istockphoto.com`) : Variante originale basée sur le principe de la participation donnant droit à utilisation, ce site vous permet également de proposer vos propres photographies aux autres créateurs.
- Web Promotion (`www.webpromotion.com`) : Une ressource providentielle pour trouver des GIF animés et des graphiques Web. Les œuvres proposées ici sont libres de droits si vous créez un lien sur votre site renvoyant à Web Promotion. Sinon, vous devez les acheter pour pouvoir les utiliser.

4. **Si vous voulez que votre image comporte une zone transparente, cochez cette case dans les options du format GIF.**

Toute partie de l'image qui était transparente dans l'éditeur conservera cette propriété dans la fenêtre d'aperçu. Si l'image ne comportait aucune transparence, ce réglage n'aura aucun effet.

5. **Laissez les autres réglages inchangés.**

   Les autres paramètres de cette boîte de dialogue peuvent généralement conserver les valeurs par défaut de Photoshop.

6. **Cliquez sur Enregistrer.**

   La boîte de dialogue Enregistrer une copie optimisée sous s'affiche.

7. **Donnez un nom à votre image et sauvegardez-la dans le dossier de votre site Web précisément dédié aux images.**

   Photoshop enregistre la version optimisée en créant une copie de l'original. Celui-ci reste inchangé dans l'espace de travail de Photoshop.

8. **Répétez ces étapes pour chaque image à optimiser au format GIF.**

Procéder par essais et erreurs est une excellente technique pour travailler avec la boîte de dialogue Enregistrer pour le Web et les périphériques. Dans chacun des aperçus des versions optimisées illustrés sur la Figure 3.2, j'ai réduit de plus en plus le nombre de couleurs, et donc la taille du fichier. L'original, en haut et à gauche, pèse 513 Ko (vous constaterez qu'il ne s'agit pas d'une image à priori favorable au GIF, mais que l'on peut tout de même obtenir de très bons résultats sur un tel sujet). En choisissant une palette sur 256 couleurs (en haut et à gauche), la taille chute des neuf dixièmes, à moins de 52 Ko, sans perte évidente de qualité. En bas et à gauche, le passage à 32 couleurs reste acceptable, tout en compressant encore le fichier de moitié. Enfin, même la reproduction en noir et blanc de ce livre montre bien que 8 couleurs ne sont pas supportables. Dans un tel cas, il est clair que le gain de taille ne justifie pas une telle réduction (d'autant que, avec une connexion ADSL quelconque, le temps de chargement ne devrait pas beaucoup changer entre les deux dernières variantes).

Petit, c'est grand comment ?

Une fois que vous savez comment optimiser vos images aux formats GIF ou JPEG, et comprenez le but à atteindre (rendre leur chargement aussi rapide que possible en diminuant la taille des fichiers), vous allez certainement vous demander : "Quand petit est assez petit ?" La réponse est éminemment subjective. Souvenez-vous que plus vos graphismes sont volumineux, plus vos visiteurs devront attendre avant de pouvoir les visualiser. Même si vous placez sur la page d'accueil de votre site Web la plus belle photographie au monde du mont Fuji, si elle prend une minute pour se charger, personne n'aura assez de patience pour attendre jusque-là. De plus, il est rare qu'une page contienne une seule image. Aussi, devez-vous additionner la durée nécessaire à la lecture de tous vos objets graphiques pour apprécier le temps de réponse réel. Même si chaque fichier pris individuellement est de petite taille, le cumul de tous ces éléments peut devenir insupportable. Contrairement à la vraie vie, plus petit est définitivement meilleur sur le Web.

La plupart des professionnels considèrent que la taille *cumulée* de tous les éléments d'une page donnée devrait se situer entre 75 et 150 Ko. Avec la diffusion de plus en plus large de l'ADSL et du câble, de nombreux sites Web sont devenus plus graphiques, plus multimédias, et donc plus lourds en termes de taille. Pour autant, les possesseurs d'accès bas débit ne doivent pas être oubliés, et donc tout ce qui dépasse 150 Ko risque d'excéder les limites admissibles par tout un public potentiel.

Pour que vous puissez facilement déterminer la taille totale des images de votre page, Dreamweaver affiche cette information dans la barre d'état de la fenêtre de document courante (voir la Figure 3.3). Vous pouvez y voir le "poids" de la page, y compris le code sous-jacent, ainsi que le temps de chargement estimé pour une vitesse de connexion donnée. Vous pouvez redéfinir cette vitesse en ouvrant le menu Edition (ou Dreamweaver sur Mac), puis en choisissant Préférences, puis Barre d'état (à gauche), et enfin une valeur dans la liste Vitesse de connexion (elle est par défaut de 56 Kbps, ce qui correspond à une connexion par ligne classique).

Insérer des images dans Dreamweaver

Dreamweaver facilite le placement des images sur vos pages Web. Il propose à cet effet différentes méthodes, qu'il s'agisse de la commande Image du menu Insertion, de l'icône Image de la barre d'outils Commun, ou bien encore de cliquer sur un graphisme dans le panneau Fichiers puis de le faire glisser sur la page.

Voici comment insérer une image dans un nouveau fichier :

1. **Ouvrez une page existante, ou choisissez la commande Nouveau dans le menu Fichier pour créer une nouvelle page.**

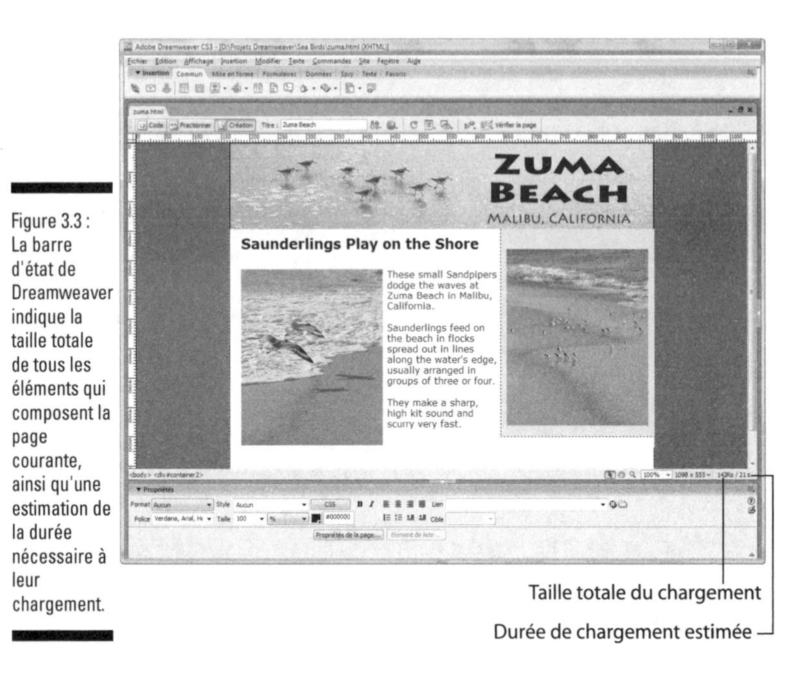

Figure 3.3 : La barre d'état de Dreamweaver indique la taille totale de tous les éléments qui composent la page courante, ainsi qu'une estimation de la durée nécessaire à leur chargement.

2. **Enregistrez votre page avant toute insertion d'image, en choisissant Fichier puis Enregistrer. Stockez la page dans le dossier principal du site.**

3. **Cliquez dans votre page à l'emplacement où vous voulez insérer l'image.**

4. **Cliquez sur l'icône Image du panneau Commun (elle ressemble à un petit arbre). Vous pouvez également utiliser la commande Image du menu Insertion.**

   La boîte de dialogue Sélectionnez la source de l'image apparaît.

5. **Parcourez les dossiers de votre disque dur pour localiser l'image que vous voulez insérer.**

   Choisissez dans le menu Affichage le mode Grandes icônes (ou Très grandes icônes) pour obtenir des vignettes plus grandes, et donc mieux visibles (voir la Figure 3.4). Sous Windows, la partie droite de la boîte de dialogue propose également un aperçu bien utile (mais qui n'est pas disponible sur Mac).

Figure 3.4 : Vous pouvez localiser et prévisualiser l'image à importer.

6. **Sélectionnez l'image à insérer. Double-cliquez dessus pour valider votre choix, ou bien cliquez sur le bouton OK.**

   L'image apparaît automatiquement sur votre page.

Lorsque vous insérez une image dans une page, vous créez en réalité dans la page une référence, un lien vers cette image. Le code sous-jacent se présente donc comme lorsque vous créez un lien d'une page vers une autre, en tenant compte du chemin d'accès associé à ce lien. Si les images et les pages liées ne sont pas aux mêmes emplacements relatifs sur votre disque dur et sur votre serveur, vous brisez les liens, en conséquence de quoi les images ne seront pas visibles dans les pages (vous aurez à la place une vilaine icône d'image absente). Le meilleur moyen de s'assurer que les images et autres fichiers restent correctement liés les uns les autres est de les enregistrer sous le dossier principal du site, ou dans un sous-dossier de celui-ci, et de vous assurer que cette disposition sera bien conservée une fois le site placé sur le serveur. Vous trouverez des informations plus précises sur ce point essentiel au début du Chapitre 2.

Aligner des images sur une page

Après avoir placé une image sur votre page Web, vous voudrez certainement la centrer ou l'aligner de manière que le texte "épouse" ses contours. Nous allons voir cela dans les deux prochaines sections en nous limitant à l'utilisation des fonctions de base du HTML. Dans les Chapitres 5 et 6, vous trouverez des instructions pour positionner vos images en faisant appel à CSS, qui propose des fonctions plus précises pour opérer ce travail.

Centrer une image

Voici comment centrer une image sur une page :

1. **Cliquez pour sélectionner l'image que vous voulez centrer.**

   L'inspecteur Propriétés affiche les propriétés de l'image active.

2. **Parmi les icônes d'alignement du panneau Propriétés, cliquez sur Centrer (voir la Figure 3.5).**

Figure 3.5 : Pour centrer une image, utilisez les boutons d'alignement du panneau Propriétés.

L'image se place automatiquement au centre de la page.

Aligner une image et l'habiller avec du texte

Pour aligner une image sur le bord droit de la page et l'habiller avec du texte du côté droit, suivez ces étapes :

1. **Insérez l'image immédiatement à gauche de la première ligne de texte (voir la Figure 3.6).**

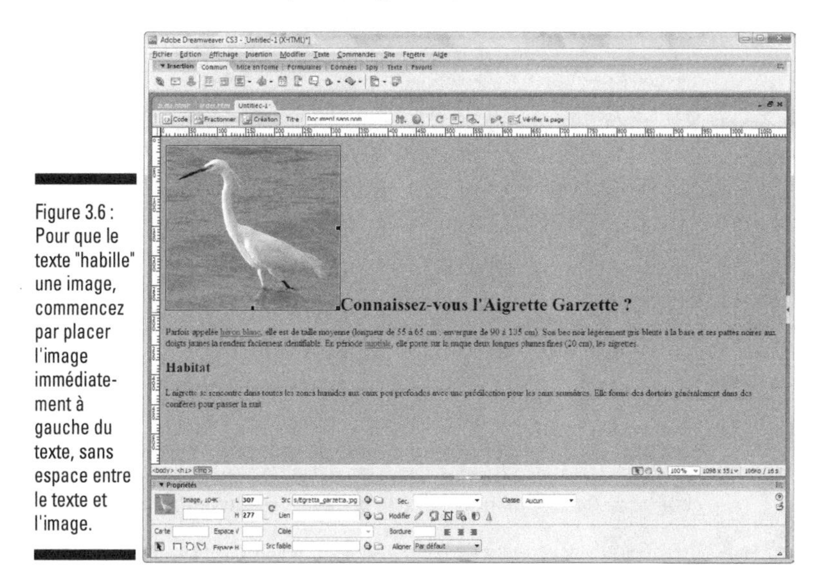

Figure 3.6 : Pour que le texte "habille" une image, commencez par placer l'image immédiatement à gauche du texte, sans espace entre le texte et l'image.

   La méthode la plus simple consiste à placer le point d'insertion avant la première lettre du texte, et à choisir ensuite Image dans le menu Insertion, ou encore à cliquer sur l'icône de même nom dans la barre d'outils Commun.

   Si vous voulez que le texte enveloppe l'image, ne placez pas d'espace ou de saut de ligne entre celle-ci et le texte.

2. **Sélectionnez l'image.**

   L'inspecteur Propriétés affiche les attributs actuels de l'image.

3. **Choisissez Droite dans la liste Aligner de l'inspecteur Propriétés.**

L'image s'aligne sur le bord droit de la page, et le texte se place correctement autour (voir la Figure 3.7).

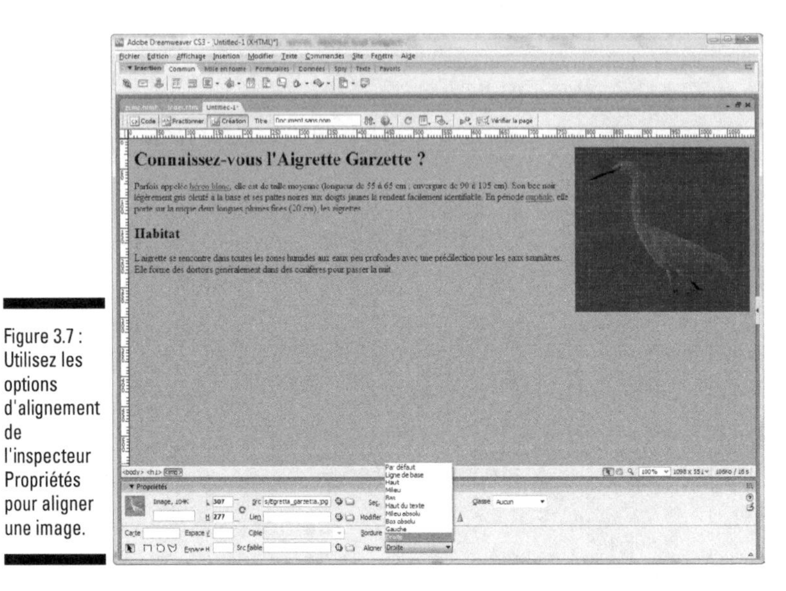

Figure 3.7 : Utilisez les options d'alignement de l'inspecteur Propriétés pour aligner une image.

Pour aligner l'image sur le bord gauche de la page et l'habiller avec le texte du côté droit, reprenez les étapes 1 et 2. Lors de l'étape 3, choisissez Gauche dans la liste Aligner de l'inspecteur Propriétés.

Pour éviter que le texte ne colle à l'image, sélectionnez-la et localisez les champs Espace V et H dans l'inspecteur Propriétés. Saisissez une valeur exprimée en pixels. Cinq à dix pixels suffisent habituellement pour ménager de l'espace autour de l'image et empêcher le texte de venir la toucher. Pour ajouter de l'espace sur un seul côté de l'image, exploitez les styles CSS (voir les Chapitres 5 et 6). Vous pouvez aussi vous servir d'un programme de retouche d'image pour ajouter une bordure transparente à un fichier GIF, ou quelques pixels d'arrière-plan à un fichier JPEG.

Modifier des images dans Dreamweaver

Les fonctions d'édition de Dreamweaver permettent d'apporter des modifications mineures aux images sans ouvrir Fireworks, Photoshop ou un autre programme d'édition graphique. Ces outils sont disponibles dans l'inspecteur Propriétés lorsqu'une image est sélectionnée (voir la Figure 3.8).

Figure 3.8 : L'inspecteur Propriétés propose des fonctions de modifications des images au sein même de Dreamweaver.

Optimiser
Edition
Recadrer
Luminosité et contraste
Accentuer

Vous trouverez également deux boutons qui permettent de modifier les images dans Fireworks. Le bouton Edition lance Fireworks et ouvre l'image sélectionnée dans la zone de travail du logiciel. L'intégration des programmes est telle que toute modification apportée dans Fireworks se répercute automatiquement dans Dreamweaver. À droite du bouton Edition, se trouve le bouton Optimiser. L'*optimisation* est une technique qui permet de diminuer la taille des images pour en accélérer le téléchargement depuis un site Web. Ces fonctions de Fireworks sont traitées en détail au Chapitre 10.

N'oubliez jamais que Dreamweaver est avant tout un logiciel de création de pages Web. Il ne prétend pas avoir la puissance d'applications graphiques comme Photoshop. Bien que ces petits outils soient ponctuellement utiles, vous devrez recourir à des programmes plus puissants pour réaliser des modifications efficaces.

Lorsque vous utilisez les outils de recadrage, de réglage de la luminosité, du contraste et de la netteté, sachez que les modifications affectent l'image en cours. Il ne s'agit pas simplement de la modification d'une copie. Par conséquent, vérifiez que le résultat vous convient avant d'enregistrer votre travail. À tout moment, vous pouvez utiliser les fonctions d'annulation de Dreamweaver pour remonter dans l'historique de vos modifications. Par contre, il n'est plus possible de remonter le cours du temps lorsque vous sauvegardez la page. Pour préserver l'image d'origine, je vous conseille donc de travailler sur une copie.

Recadrer une image

Le recadrage d'une image consiste à en supprimer certaines parties. Voici comment recadrer une image ou une photo dans Dreamweaver :

1. **Dans la fenêtre Document, sélectionnez l'image à recadrer.**

   L'inspecteur Propriétés affiche les propriétés de l'image.

2. **Parmi les icônes d'édition, cliquez sur l'outil Recadrer.**

   Un message vous avertit que le recadrage modifiera l'image d'origine.

   Si vous souhaitez conserver un exemplaire intact de l'image d'origine, faites-en une copie et appliquez-lui le recadrage.

3. **Cliquez sur OK.**

   Un cadre de sélection apparaît autour de l'image (voir la Figure 3.9.

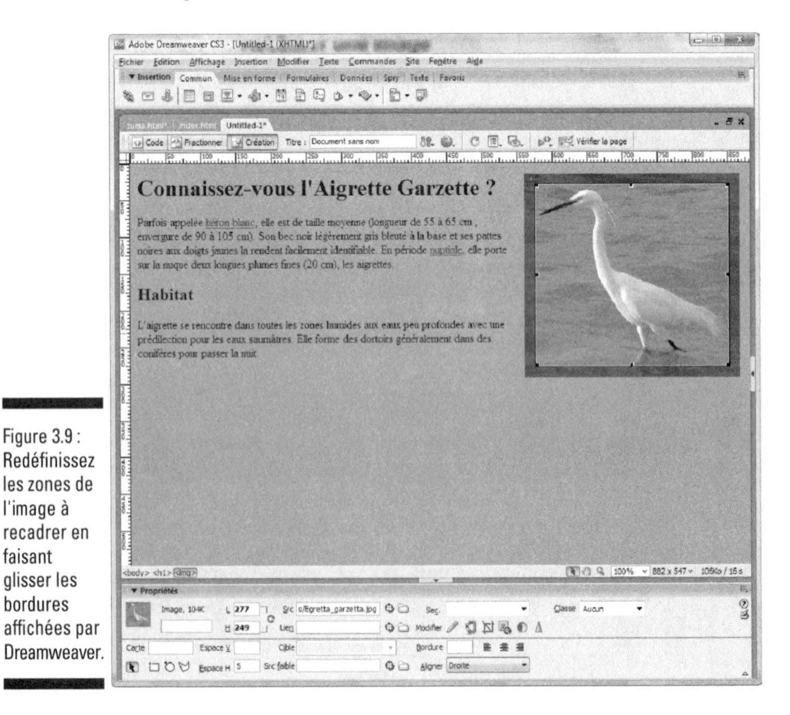

Figure 3.9 : Redéfinissez les zones de l'image à recadrer en faisant glisser les bordures affichées par Dreamweaver.

4. **Faites glisser les poignées du cadre pour définir la partie de l'image à conserver.**

   Toutes les parties obscures de l'image seront supprimées.

5. **Double-cliquez dans la sélection ou appuyez sur la touche Entrée (Retour sur un Mac).**

   L'image est recadrée.

Vous pouvez annuler le recadrage en cliquant sur Edition puis sur Annuler. Mais n'oubliez jamais que les modifications apportées à l'image sont définitives lorsque vous enregistrez la page.

Ajuster la luminosité et le contraste

Le réglage de la *luminosité* et du contraste permet de contrôler la quantité de lumière dans une image. Le *contraste* établit la différence entre les zones les plus claires et les plus foncées de l'image.

Les outils d'édition de Dreamweaver altèrent définitivement l'image une fois la page enregistrée. Le mieux est donc d'en faire une copie et d'y réaliser les ajustements voulus.

Voici comment ajuster la luminosité et le contraste dans Dreamweaver :

1. **Dans la fenêtre Document, sélectionnez l'image à modifier.**

   L'inspecteur Propriétés affiche les propriétés de l'image.

2. **Parmi les outils d'édition, cliquez sur l'icône Luminosité et contraste. Elle est symbolisée par un cercle noir et clair.**

   Un message vous informe que la modification va altérer l'image d'origine.

3. **Cliquez sur OK.**

   La boîte de dialogue Luminosité/Contraste apparaît.

4. **À l'aide des curseurs, modifiez la luminosité et le contraste de l'image.**

   Vérifiez vos modifications en cochant l'option Aperçu.

5. **Cliquez sur OK pour valider vos réglages.**

   Les modifications affectent l'image de manière permanente lorsque vous enregistrez la page.

Optimiser les images dans Dreamweaver

Dreamweaver CS3 contient une icône Optimiser que vous pouvez utiliser pour convertir une image au format GIF, JPEG ou PNG, et en réduire le nombre de couleurs ou encore augmenter sa compression, à peu près comme dans Photoshop ou Fireworks. Pour utiliser cette fonctionnalité, sélectionnez une image, puis cliquez sur le bouton Optimiser de l'inspecteur Propriétés.

Les outils d'édition de Dreamweaver altèrent définitivement l'image une fois la page enregistrée. Le mieux est donc d'en faire une copie et d'y réaliser les ajustements voulus.

Pour optimiser une image, suivez ces étapes :

1. **Dans la fenêtre Document, sélectionnez l'image que vous souhaitez optimiser.**

   L'inspecteur Propriétés affiche les propriétés de l'image.

2. **Parmi les outils d'édition, cliquez sur l'icône Optimiser.**

   Un message vous indique une nouvelle fois que la modification affectera le fichier d'origine.

3. **Cliquez sur OK.**

   La boîte de dialogue Aperçu de l'image apparaît (voir la Figure 3.10).

4. **Dans la liste déroulante Format, sélectionnez le type de format voulu.**

   Dreamweaver vous propose les formats GIF, JPEG et PNG.

5. **Si vous choisissez JPEG, servez-vous du curseur Qualité pour sélectionner le niveau de compression. Pour les formats GIF et PNG, choisissez le nombre de couleurs désiré.**

   L'image est recalculée à partir des réglages que vous spécifiez.

Créer des images réactives

Les images réactives sont très répandues sur le Web. Elles modifient l'âme intrinsèque d'une image en la définissant comme un lien sur lequel il est possible de cliquer pour atteindre une nouvelle URL. Les images réactives sont souvent représentées sous forme de zones. L'exemple type est la carte d'un pays dont les différentes régions sont "découpées" en zones réactives. Chaque zone renvoie à une URL

Figure 3.10 : Cette boîte de dialogue permet d'optimiser une image.

spécifique (par exemple, à une liste des restaurants de qualité dans la région ainsi sélectionnée).

Voici comment créer une image réactive :

1. **Placez sur votre page le graphisme à transformer en image réactive.**

2. **Sélectionnez l'image.**

   L'inspecteur Propriétés affiche les propriétés de l'image.

3. **Dessinez votre zone réactive avec l'un des outils Zone réactive qui apparaissent dans la partie inférieure gauche de l'inspecteur Propriétés quand l'image est sélectionnée.**

   Parmi ces outils, vous disposez d'un rectangle, d'un ovale et d'un polygone irrégulier. Ils vous permettent de définir sur votre image des régions que l'on appelle "points chauds", chacune d'elles pouvant être associée à un lien qui lui est propre.

4. **Avec l'outil Zone réactive choisi, dessinez les contours de la partie de l'image qui deviendra réactive.**

Voici comment employer ces outils :

Rectangle : Lorsque vous cliquez avec cet outil, un contour bleu permet de bien définir la zone réactive. Si cette zone est mal placée, il suffit de cliquer sur l'outil Zone réactive pointeur, et de faire glisser le rectangle vers un nouvel emplacement. Vous pouvez également vous servir des touches directionnelles du pavé numérique de votre clavier. Cet outil spécifique se trouve dans le coin inférieur gauche de l'inspecteur Propriétés. Pour modifier la taille du rectangle, faites glisser ses poignées de redimensionnement. Il s'agit des petits carrés bleus situés dans les angles du rectangle.

Ovale : L'outil Zone réactive Ovale fonctionne comme l'outil Rectangle. Pour redimensionner une zone ovale, sélectionnez l'outil Zone réactive pointeur, puis faites glisser ses poignées de redimensionnement.

Polygone : Il permet de définir une zone réactive irrégulière, comme un département sur une carte géographique. Cliquez simplement là où vous voulez placer un sommet. Pour fermer une zone polygonale, il suffit de cliquer sur le premier point défini ou en dehors de l'image, ou encore de choisir un autre outil. Pour modifier la forme du polygone, déplacez ses sommets à l'aide de l'outil Zone réactive pointeur.

5. **Pour lier une zone réactive, cliquez sur l'icône de dossier, à droite du champ Lien.**

   La boîte de dialogue Sélectionner un fichier apparaît.

6. **Parcourez votre disque dur à la recherche du fichier HTML vers lequel vous voulez faire pointer le lien de la zone réactive.**

7. **Double-cliquez sur le nom du fichier à lier.**

   La zone réactive est liée à la page ainsi sélectionnée. La boîte de dialogue Sélectionner un fichier se ferme automatiquement. Vous pouvez également saisir le chemin d'accès dans le champ Lien.

8. **Si vous voulez ajouter d'autres zones réactives, choisissez un outil de forme, et répétez les étapes 4 à 7.**

9. **Pour donner un nom à votre zone, saisissez-le dans le champ Carte du panneau Propriétés.**

   Attribuer un nom permet de distinguer les événements lorsque plusieurs images réactives se trouvent sur une même page Web.

Assignez le nom que vous voulez (sans espaces ni signes de ponctuation).

Dès que vous avez terminé, les zones réactives de vos images sont reconnaissables à leur couleur bleu clair qui s'affiche en surbrillance.

Vous pouvez modifier à tout moment vos zones réactives. Sélectionnez-les, puis redimensionnez-les ou saisissez une nouvelle URL pour modifier leur lien.

Chapitre 4

Gérer, tester et publier un site

Dans ce chapitre :

- Tester votre site dans différents navigateurs Web.
- Tester votre site avec la fonction Rapports de Dreamweaver.
- Réparer les liens brisés.
- Configurer FTP et autres options de transfert de fichier.
- Publier votre site sur le Web.
- Utiliser les fonctions de gestion de site de Dreamweaver.

Une fois votre site construit, vous allez probablement vouloir le publier sur le Web. Mais avant cela, je vous recommande de prendre un peu de temps pour tester vos pages en utilisant les nombreuses fonctions de test que propose Dreamweaver. C'est par cela que nous allons entamer ce chapitre.

Si vous brûlez d'impatience de voir votre site en ligne, sautez au milieu de ce chapitre. Vous y trouverez des instructions pour utiliser les fonctions de publication vers un serveur Web de Dreamweaver.

Tester votre site dans différents navigateurs

Aujourd'hui, il existe des dizaines de navigateurs Web, sans compter leurs différentes versions. Par exemple, la dernière mouture du produit phare de Microsoft est Internet Explorer 7 (à la date de sortie de ce livre). Pour autant, de nombreux utilisateurs en sont restés à la version 6, voire à une version plus ancienne. Et il en va de même pour d'autres programmes populaires comme Firefox ou Safari.

Ajoutons dans la balance les différences entre ordinateurs sous Windows et Macintosh. Ainsi, une même taille de caractères peut apparaître plus petite sur Mac que sur PC, et le rendu des couleurs varie couramment d'un ordinateur à un autre. De surcroît, la même page Web risque fort de ne pas donner le même résultat sur un écran plat 21 pouces et sur un moniteur à tube de 15 pouces.

En résumé, tous les visiteurs ne voient pas forcément la même chose lorsqu'ils visitent un certain site, par exemple le vôtre. Ainsi, les Figures 4.1 et 4.2 montrent une page Web affichée dans les dernières versions en date respectivement d'Internet Explorer et de Firefox. Certes, l'écart n'est pas considérable, mais le décalage du texte dans la colonne de droite (ce n'est pas la seule différence) n'est pas normal pour une mise en page aussi simple. Et les variations pourraient être bien plus évidentes avec des navigateurs plus anciens ou des écrans de taille variable.

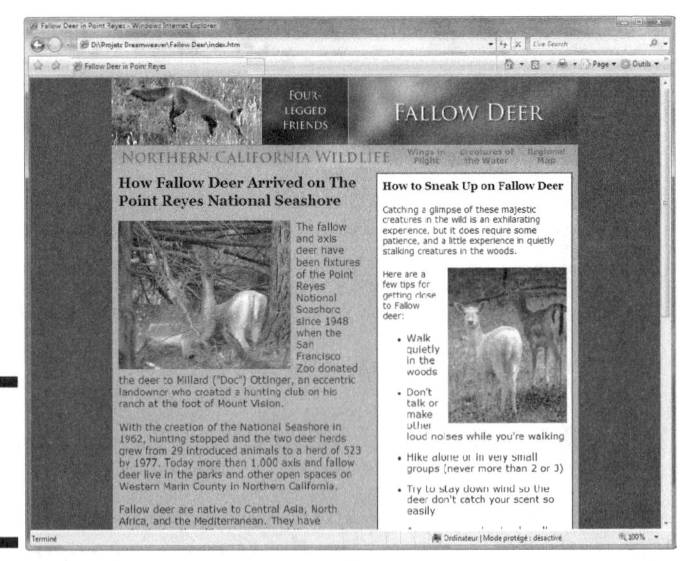

Figure 4.1 : Une page Web dans Internet Explorer.

Ce véritable défi du Web est à la base de la plupart des limitations et des complications rencontrées pour créer de bons sites. Mais avec de la patience, des batteries de tests et une compréhension suffisante des balises et styles les plus problématiques, vous arriverez à bâtir de beaux sites Web que pourront apprécier la plupart des personnes (si ce n'est toutes) qui les visiteront.

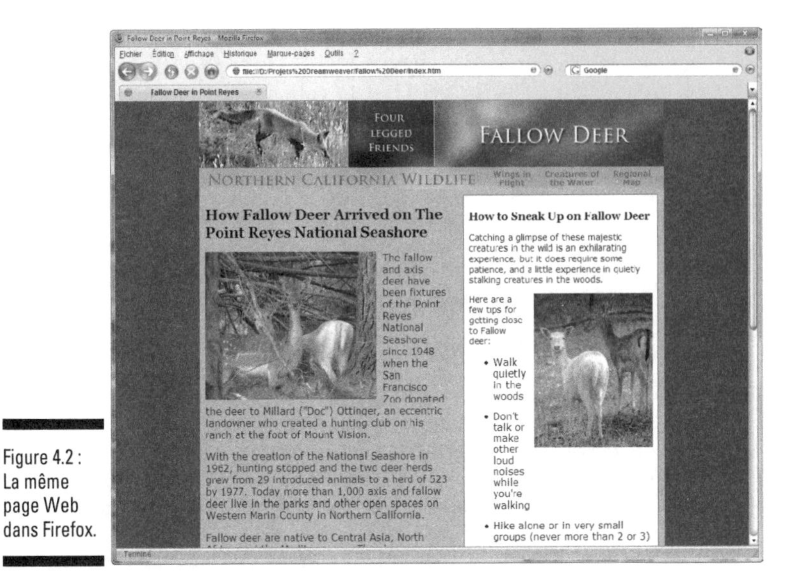

Figure 4.2 : La même page Web dans Firefox.

Comprendre les différences entre navigateurs

Le choix des navigateurs dont vous avez à vous soucier le plus dépend du public que vous visez. Si vous pouvez vous offrir le luxe d'obtenir des statistiques sur vos visiteurs, vous serez à même de savoir quels programmes ils utilisent (et même quelles versions de ces programmes). Supposons par exemple que vous constatiez que la moitié de votre audience utilise Firefox, 40 pour 100 Internet Explorer et 10 pour 100 Safari. Sachant cela, vous déciderez vraisemblablement que vous devez optimiser vos pages pour Firefox, vous assurer qu'elles seront traitées presque à l'identique par Internet Explorer, et qu'elles seront au moins lisibles et accessibles sous Safari.

Si vous voulez créer des structures de pages complexes avec CSS, et qu'en même temps elles soient rendues aussi bien que possible par la plupart des navigateurs du moment, sachez que de nombreux trucs, astuces, routes de contournement et autres techniques ont été développés par des spécialistes de la question. Certaines de ces astuces sont relativement simples, tandis que d'autres au contraire sont extraordinairement complexes.

Si vous savez que vos visiteurs se servent du même navigateur (cela peut être le cas pour un intranet où chaque employé dispose des mêmes outils), votre travail de conception sera évidemment plus simple. Certains créateurs prennent également la précaution d'afficher sur la page d'accueil de leur site une note prévenant que l'affichage est optimisé pour un certain navigateur. Certes, cela peut être utile dans certains cas, mais ce n'est pas un procédé que je recommande, car il peut faire perdre de nombreux visiteurs potentiels.

Utiliser les fonctions de vérification de la compatibilité

Pour vous aider à tester vos pages afin de détecter de possibles problèmes avec différents navigateurs, Dreamweaver inclut une fonction de vérification de la compatibilité. Pour tester une page, ouvrez-la dans Dreamweaver et choisissez dans le menu Fichier successivement Vérifier la page, puis Vérifier la compatibilité avec les navigateurs. Vous pouvez aussi accéder à cette fonctionnalité depuis le menu Vérifier la page, en haut et à droite de l'espace de travail. Tous les conflits reconnus sont alors affichés dans un rapport présenté en bas de la fenêtre.

Vous pouvez spécifier quels navigateurs et quelles versions de ceux-ci vous voulez cibler. Pour cela, cliquez sur le menu Vérifier la page et choisissez la commande Paramètres, ou encore cliquez sur l'icône qui se trouve à droite de la barre de titre du panneau Résultats et sélectionnez la même commande (voir la Figure 4.3). Il ne vous reste plus qu'à définir les navigateurs cibles et leurs versions minimales.

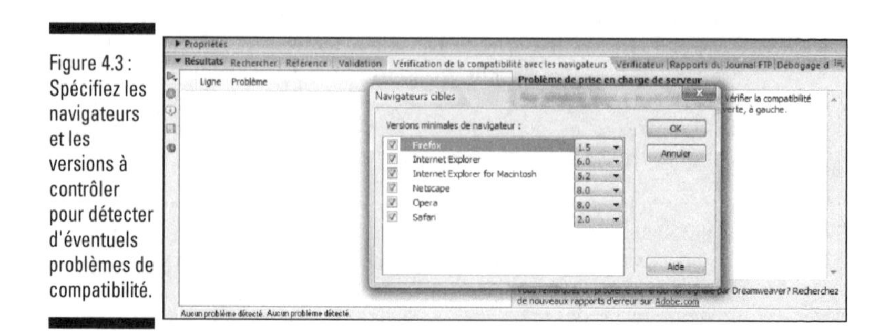

Figure 4.3 : Spécifiez les navigateurs et les versions à contrôler pour détecter d'éventuels problèmes de compatibilité.

Tester votre travail avec la fonction Rapports de Dreamweaver

Avant de publier votre site Web, utilisez la fonction Rapports de Dreamweaver pour tester votre travail. Vous pouvez créer une multitude de rapports, personnalisés ou non, qui identifient des problèmes de liens externes, des balises vides ou redondantes, des documents sans titre et du texte alternatif manquant. Lorsqu'on travaille sur un site avec des délais de construction relativement courts, l'oubli de certains éléments n'épargne parfois même pas les meilleurs de la profession.

Grâce à ce rapport, vous connaîtrez immédiatement les lacunes de votre site. Il sera alors facile d'y remédier dans les meilleurs délais. Et grâce à un simple clic, vous pourrez demander à Dreamweaver de réparer les erreurs qu'il rencontre sur les pages de votre site.

Les étapes suivantes expliquent comment produire un rapport pour l'ensemble de votre site Web :

1. **En haut du panneau Fichiers, sélectionnez le nom du site voulu.**

   Si nécessaire, consultez le Chapitre 2 pour des instructions supplémentaires sur le processus de configuration des sites.

2. **Assurez-vous que tous vos documents ouverts sont bien enregistrés en choisissant Enregistrer tout dans le menu Fichier.**

3. **Ouvrez le menu Site et sélectionnez la commande Rapports.**

   La boîte de dialogue Rapports apparaît (voir la Figure 4.4).

4. **Dans la liste Rapport sur, choisissez Site local en cours entier.**

   Rien ne vous empêche de vérifier une page. Il suffit de l'ouvrir dans Dreamweaver. Ensuite, dans la liste Rapport sur, choisissez Document courant. La vérification peut également être lancée sur des fichiers sélectionnés ou sur un répertoire particulier. Dans le cas de fichiers, vous devrez les avoir sélectionnés au préalable dans le panneau Fichiers.

5. **Sélectionnez le type de rapport à générer. Il suffit pour cela de cocher les options du rapport dans la zone Sélectionner les rapports de la boîte de dialogue Rapports.**

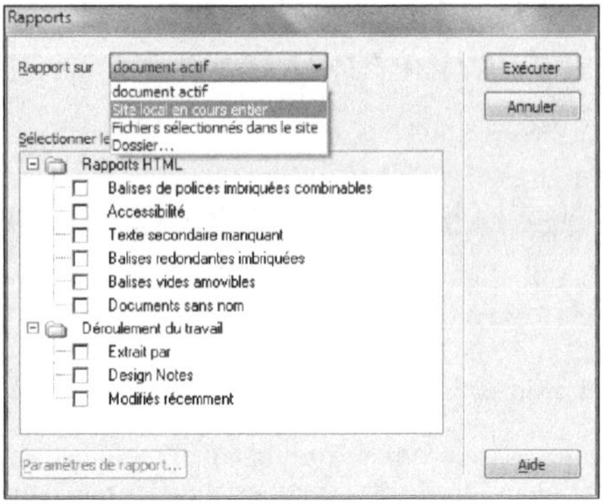

Figure 4.4 : La boîte de dialogue Rapports vous permet de sélectionner de nombreuses options pour obtenir un rapport sur une page ou sur un site entier.

Le Tableau 4.1 présente les différents types de rapports générés par chaque option. Vous pouvez en sélectionner autant que vous le souhaitez.

Tableau 4.1 : Les options de la boîte de dialogue Rapports.

Nom du rapport	Résultats
Accessibilité	Génère une liste de problèmes potentiels relatifs à l'accessibilité dans une grande variété de catégories. Pour définir les catégories de rapports, cliquez sur le bouton Paramètres de rapports, en bas de la boîte de dialogue Rapports.
Balises de polices imbriquées combinables	Génère une liste de toutes les occurrences où des balises imbriquées peuvent être combinées. Par exemple `<font color="#00000"><font size="2">Visitez le plus grand des sites Web</font></font>` sera identifié dans le rapport, car vous pouvez plus simplement écrire : `<font color="#00000" size="2"> Visitez le plus grand des sites Web </font>`.
Texte secondaire manquant	Génère une liste de toutes les balises images qui n'incluent pas de texte alternatif. Ce type de texte s'affiche lorsqu'un navigateur Web ne peut pas afficher une image. Cela provient généralement d'un acte volontaire de l'internaute. Mais ce texte alternatif est également important pour toutes les

	personnes se servant d'un navigateur spécial qui "lit" les pages Web.
Balises redondantes imbriquées	Génère une liste de tous les emplacements où il y a des balises redondantes imbriquées. Par exemple <center>Des en-têtes géniaux<center>sont plus difficiles à élaborer</center>que vous ne le pensez</center> sera identifié, car il est plus simple de l'écrire comme ceci : <center>Des en-têtes géniaux sont plus difficiles à élaborer que vous ne le pensez </center>.
Balises vides amovibles	Génère une liste de toutes les balises vides de votre site. Elles existent notamment lorsque vous supprimez une image ou du texte sans effacer les balises qui y sont associées.
Documents sans nom	Génère une liste des noms de fichiers qui n'ont pas de titre ou dont les titres sont dupliqués. Il est très facile d'oublier une balise title (titre), car son contenu ne s'affiche pas sur la page. Cette balise contient un texte qui apparaît dans la barre de titre des navigateurs ainsi que dans la liste des favoris. N'oubliez donc pas de saisir cette légende dans le champ Titre, en haut de la fenêtre du document, ou encore dans la boîte de dialogue Propriétés de la page.
Extrait par	Génère une liste des fichiers qui ont été extraits du site, et identifie la personne qui a procédé à cette extraction.
Design Notes	Génère une liste de notes de conception utilisées dans le site.
Modifiés récemment	Génère une liste des fichiers récemment mis à jour ou modifiés. Vous pouvez définir la période de modification en cochant cette case, puis en cliquant sur le bouton Paramètres de rapports.

Il se peut que les options Déroulement du travail ne soient pas disponibles. Dans ce cas, cochez la case Activer l'archivage et l'extraction de fichier, dans la section Infos distantes de la boîte de dialogue Définition du site, ainsi que la case Gérer les Design Notes, dans la section Design Notes de cette même boîte de dialogue. Pour plus d'informations sur la boîte de dialogue Définition du site, reportez-vous au Chapitre 2.

6. **Cliquez sur Exécuter pour créer les rapports.**

   Un message vous invite à enregistrer votre travail si vous ne l'avez pas encore fait. Il peut également vous être demandé de définir votre site ou de sélectionner un répertoire. (Référez-vous au Chapitre 2 pour plus d'informations sur la définition des sites dans Dreamweaver.)

   Le panneau Résultats affiche l'onglet Rapports du site (voir la Figure 4.5). Vous pouvez trier la liste par catégories, noms de fichiers, numéros de lignes et descriptions en cliquant sur l'en-tête d'une colonne. Si vous générez plusieurs rapports simultanément, laissez toutes les fenêtres de résultats ouvertes.

Figure 4.5 : Le panneau Résultats affiche une liste des problèmes trouvés sur votre site.

7. **Double-cliquez sur n'importe quel élément pour ouvrir le fichier correspondant dans la fenêtre du document.**

   Il est aussi possible de cliquer du bouton droit (Windows) ou de Contrôle+cliquer (Mac) sur toute ligne du rapport, puis de choisir Plus d'infos pour afficher des détails sur l'erreur ou la situation. Les explications livrées par Dreamweaver sont généralement complètes, et il est même possible d'y sélectionner d'un seul clic des exemples de code qu'il suffit ensuite de copier, coller et adapter.

8. **Grâce à l'inspecteur Propriétés (ou à toute autre fonction de Dreamweaver), réglez le problème ainsi identifié dans le rapport, puis enregistrez le fichier.**

   N'oubliez pas que ces modifications ne prendront effet en ligne qu'après avoir actualisé les fichiers qui se trouvent sur le serveur. Utilisez alors la fonction Synchroniser pour que vos modifications locales soient prises en compte par le serveur.

Détecter et réparer les liens brisés

Si vous tentez de rétablir un site Web chaotique ou que vous êtes anxieux de nature au point de vérifier la validité de vos liens tous les matins, vous saurez tirer parti de la fonction Vérifier tous les liens du site de Dreamweaver. Utilisez cette fonction pour vérifier les liens d'un fichier unique ou d'un site entier. Vous pourrez alors corriger automatiquement tous les liens en une seule opération.

Voici un exemple des capacités de la fonction Vérifier tous les liens du site. Supposons qu'un membre de votre équipe (car vous ne feriez jamais une chose pareille) modifie le nom d'un fichier, disons de `nouvelle.html` en `ancienne.html`, sans passer par le panneau Fichiers ou toute autre fonction de mise à jour automatique des liens de Dreamweaver. Tous les liens se rapportant à `nouvelle.html` se trouvent alors brisés (et votre cœur avec !). Nous pourrions même supposer que, dans un moment de pure folie, cette personne soit passée par l'Explorateur Windows ou le Finder de Mac OS pour modifier le nom de ce fichier. Crime de lèse-majesté ! Voici un site qui vient de perdre l'un des plus beaux fleurons de la dynastie des liens. Pas de panique, tout n'est pas perdu...

Si ce lien ne concernait qu'une seule page, il est assez facile de le rétablir manuellement. Ouvrez le panneau Propriétés et réinitialisez le lien en définissant le bon chemin d'accès dans le champ Lien (à condition bien sûr de savoir quelle page est concernée). Les notions de base pour la définition des liens sont traitées dans le Chapitre 2.

Mais bien souvent on peut accéder à une seule page Web par le biais de différents liens disséminés dans toutes les autres pages du site. Cette fois, rétablir tous les liens peut être un véritable pensum, une épreuve de force pour vos nerfs déjà à vif. Plus il y a de liens renvoyant vers une même page, plus il est facile d'en oublier un au passage. C'est ici que la fonction Vérifier tous les liens du site peut être d'une aide extrêmement appréciable. Tout d'abord, elle sert à établir un diagnostic pour identifier l'ensemble des liens brisés (ce qui peut vous éviter d'avoir à extorquer par la violence les informations voulues auprès du coupable). Ensuite, elle sert d'outil global pour réparer les fractures. Vous pouvez utiliser le Vérificateur de lien pour identifier la page vers laquelle un lien brisé devrait pointer, et Dreamweaver se chargera automatiquement de réparer toutes les références correspondantes. La section suivante montre le déroulement de cette procédure.

Vérifier les liens brisés

Voici comment vérifier les liens brisés d'un site :

1. **Dans la liste déroulante située en haut du panneau Fichiers, sélectionnez le site sur lequel vous souhaitez travailler.**

   La vérification des liens ne peut se faire que pour les sites présents dans le panneau Fichiers de Dreamweaver. Pour plus d'informations sur ce panneau et la configuration des sites, reportez-vous au Chapitre 2.

2. **Ouvrez le menu Site et cliquez sur Vérifier tous les liens du site.**

   Le panneau Résultats, avec au premier plan l'onglet Vérificateur de lien, apparaît en bas de la page, juste au-dessous de l'inspecteur Propriétés (voir la Figure 4.6). Il affiche les noms des fichiers dont les liens internes ou externes sont brisés, ainsi que toutes les pages, images ou autres éléments qui ne sont pas liés à une autre page du site. C'est très pratique si vous voulez vous débarrasser de divers éléments que vous n'utilisez plus dans votre site, ce qui libérera autant d'espace sur votre serveur.

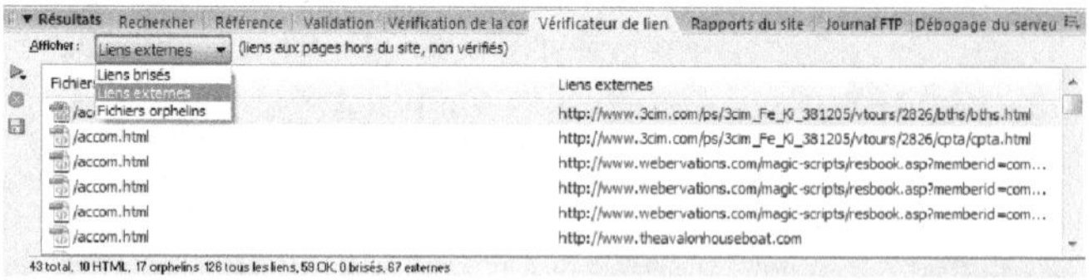

Figure 4.6 : Le panneau Résultats et son onglet Vérificateur de liens contiennent la liste des liens brisés et des éléments orphelins (qui ne sont liés à rien) dans votre site.

Réparer des liens brisés

Les liens brisés sont un des problèmes récurrents de la vie d'un site Web. Dès que vous trouvez un lien brisé, il faut immédiatement le réparer.

Il n'y a rien de plus pénible pour un internaute que de cliquer sur un lien qui renvoie... à rien ! Heureusement, Dreamweaver simplifie la procédure de réparation des liens en fournissant un accès rapide aux fichiers dont les liens sont corrompus.

Après avoir utilisé le Vérificateur de lien pour identifier tous ceux qui sont brisés, conformez-vous aux étapes suivantes :

1. **Le panneau Résultats étant ouvert, double-cliquez sur l'un des noms de fichiers pour lesquels Dreamweaver a identifié un lien brisé.**

   La page et l'inspecteur Propriétés correspondant s'ouvrent. Le panneau Résultats reste ouvert.

2. **Dans la page ainsi ouverte, sélectionnez le lien brisé ou l'image absente.**

   Sur la Figure 4.7, j'ai sélectionné une image brisée, et je me sers du champ Src de l'inspecteur Propriétés pour retrouver le fichier qui convient.

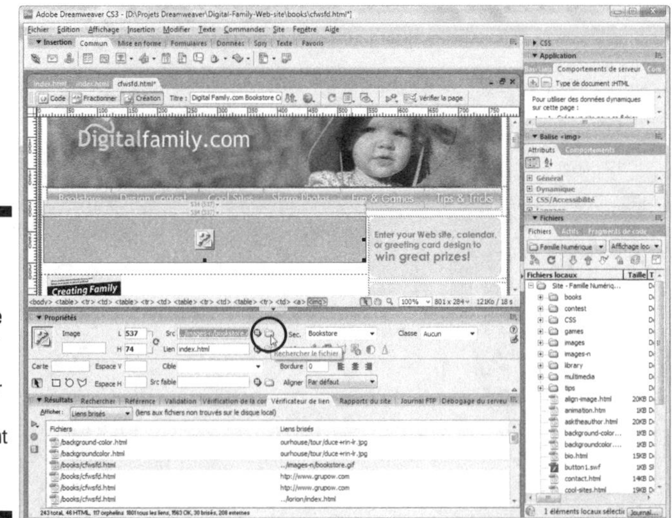

Figure 4.7 : Utilisez le bouton Parcourir de l'inspecteur Propriétés pour rétablir le lien brisé en identifiant le fichier correct.

3. **Dans l'inspecteur Propriétés, cliquez sur l'icône du dossier qui se trouve à droite du texte Src pour réparer un lien renvoyant à une image.**

La boîte de dialogue Sélectionner la source de l'image apparaît. Si vous connaissez parfaitement le chemin d'accès à l'image ou à la page, saisissez-le dans le champ adéquat de l'inspecteur Propriétés.

Vous réparez les liens brisés vers des pages de la même manière que vous rétablissez les liens vers les images. La seule différence est que vous devez saisir le nom du fichier dans le champ Lien, ou cliquer sur l'icône Parcourir correspondante pour redéfinir le chemin d'accès au fichier.

Rechercher des fichiers par leur adresse

Lorsque vous ne savez plus où vous avez enregistré un fichier ou quel nom vous lui avez attribué, mais que vous pouvez afficher la page dans votre navigateur, regardez l'URL dans la barre d'adresse de celui-ci. L'arborescence de dossiers menant à une page Web est incluse dans l'adresse de la page. Les noms de dossiers sont séparés par un slash (/). Le nom de fichier est reconnaissable, car il porte une extension. Par exemple, l'adresse de la page affichée sur la figure (elle provient de mon site Digital Family) indique que le fichier s'appelle `dwcs3fd.html` et qu'il est situé dans un dossier nommé `books`.

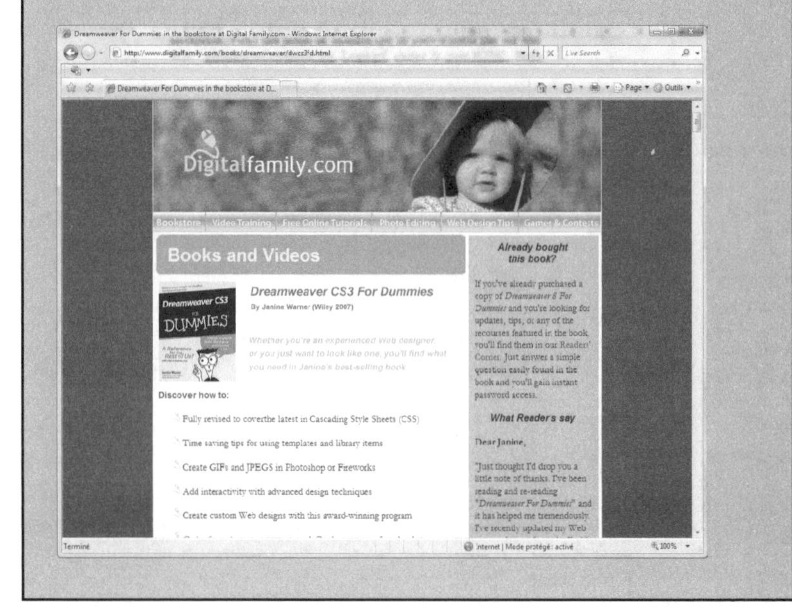

De même, vous pouvez identifier le nom et l'emplacement de toute image visible dans une page Web. Si vous utilisez Internet Explorer, placez votre pointeur sur l'image, cliquez du bouton droit (Windows), puis choisissez Propriétés. La boîte de dialogue Propriétés indique l'URL de l'image, fournissant ainsi le nom et le dossier (chemin d'accès). Dans cet exemple, l'image est nommée `logo-hat.jpg` et elle est stockée dans un dossier appelé `Images`. Si vous utilisez le navigateur Safari sur Mac, cela fonctionne de façon un peu différente. Contrôle+cliquez sur une image et choisissez Ouvrir l'image dans une nouvelle fenêtre. Dans la nouvelle fenêtre, l'URL de l'image apparaît dans la barre d'adresse.

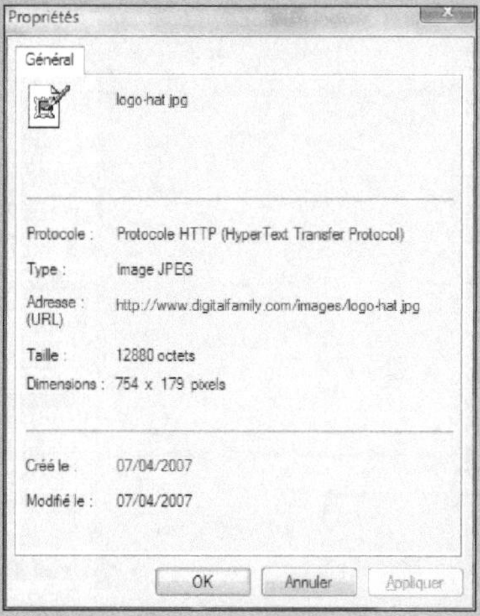

Propriétés
Général
logo-hat.jpg
Protocole : Protocole HTTP (HyperText Transfer Protocol)
Type : Image JPEG
Adresse : (URL) http://www.digitalfamily.com/images/logo-hat.jpg
Taille : 12880 octets
Dimensions : 754 x 179 pixels
Créé le : 07/04/2007
Modifié le : 07/04/2007
OK Annuler Appliquer

4. **Cliquez sur le nom du fichier, puis sur le bouton Sélectionner. Ensuite, cliquez sur OK.**

   Le lien change automatiquement pour refléter le nouveau nom de fichier et son emplacement. Si vous rétablissez un lien avec une image, cette dernière apparaît instantanément sur la page Web.

Si le lien que vous corrigez à partir du panneau Résultats s'affiche sur plusieurs pages, Dreamweaver vous demande si vous voulez réparer tous les autres liens faisant référence au fichier manquant. Cliquez sur Oui pour effectuer une mise à jour automatique des liens. Cliquez sur Non pour laisser les autres fichiers inchangés.

Modifier et déplacer des fichiers sans briser les liens

Pour renommer ou réorganiser les fichiers, suivez ces étapes :

1. **S'il n'est pas déjà actif, sélectionnez dans le panneau Fichiers le site sur lequel vous voulez travailler (voir la Figure 4.8).**

   Lorsque vous sélectionnez un site en cliquant sur son nom, ses dossiers et fichiers apparaissent dans le panneau Fichiers situé sur le côté droit de l'interface de Dreamweaver.

Figure 4.8 : Vous pouvez sélectionner dans le panneau Fichiers n'importe quel site préalablement défini.

2. **Utilisez les signes plus (+) et moins (–) pour ouvrir et fermer des dossiers du site dans le panneau Fichiers.**

3. **Cliquez pour sélectionner un fichier ou un dossier à déplacer, renommer ou les deux.**

4. **Pour déplacer le fichier ou le dossier sélectionné :**

a. **Faites glisser le fichier ou le groupe de fichiers sur un dossier.**

Dreamweaver modifie automatiquement les liens existants. Le panneau Fichiers fonctionne comme l'Explorateur Windows sur un PC ou le Finder du Mac, si ce n'est que Dreamweaver se charge alors d'actualiser les liens du site. Par contraste, la même opération réalisée depuis l'Explorateur Windows ou le Finder du Mac brisera net tous les liens partant de ou définis vers ce(s) fichier(s).

Lorsque vous déplacez un fichier lié vers un autre emplacement, la boîte de dialogue Mettre à jour les fichiers vous demande si vous souhaitez actualiser les liens lors du déplacement (voir la Figure 4.9).

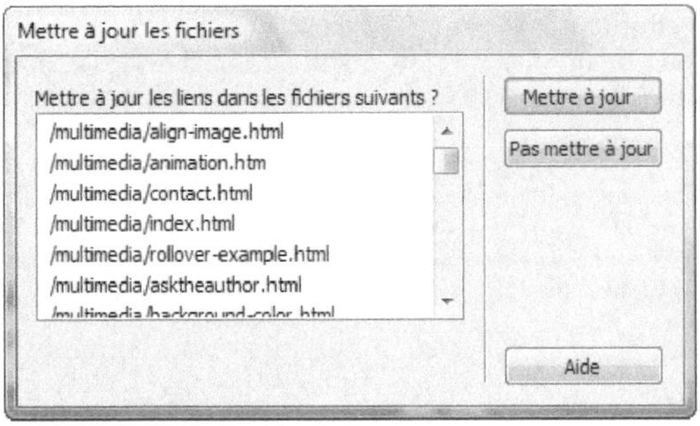

Figure 4.9 : La boîte de dialogue Mettre à jour les fichiers vous montre tous les fichiers qui devraient être actualisés lors du déplacement.

b. **Pour actualiser les liens, cliquez sur Mettre à jour. Si vous choisissez l'option Pas mettre à jour, les liens partant de ou à destination du ou des fichiers resteront intacts.**

5. **Pour renommer un fichier sélectionné :**

a. **Cliquez deux fois de suite sur son nom.**

b. **Lorsqu'une boîte d'édition apparaît autour du nom, modifiez celui-ci exactement comme vous le feriez dans l'Explorateur Windows ou le Finder du Mac. Appuyez sur Entrée (ou Retour sur un Mac) quand vous avez terminé.**

A nouveau, la boîte de dialogue Mettre à jour les fichiers va vous demander si vous voulez actualiser les liens affectés par cette modification.

c. **Choisissez Mettre à jour pour corriger les liens.**

Opérer des modifications globales dans les liens

Pour modifier tous les liens d'une page de votre site vers une autre, procédez comme suit :

1. **Dans le panneau Fichiers, sélectionnez le site pour lequel vous voulez modifier un lien globalement.**
2. **Dans le menu Site, choisissez la commande Modifier le lien au niveau du site.**

   La boîte de dialogue portant le même nom apparaît.

3. **Cliquez sur le bouton Parcourir pour naviguer jusqu'au fichier voulu, ou saisissez les modifications dans les champs Modifier tous les liens et En liens à.**

   Cette boîte de dialogue vous permet de saisir l'URL ou encore l'adresse de messagerie voulue pour apporter rapidement une modification globale à votre site

4. **Cliquez sur OK.**

   Dreamweaver met à jour tous les liens de votre site qui correspondent à ce que vous venez de spécifier.

Publier votre site sur un serveur Web

Une fois que vous avez créé votre site Web, que vous l'avez testé et que vous êtes prêt à le rendre public sur le Web, il est temps de mettre au travail les outils de publication de Dreamweaver. Les fonctionnalités à utiliser dépendent du type de serveur Web auquel vous avez affaire. Si vous passez par un fournisseur de services du commerce, vous aurez très probablement besoin des fonctions FTP de Dreamweaver (elles sont traitées en détail dans la prochaine section).

Pour accéder aux outils de publication de Dreamweaver :

1. **Ouvrez le menu Site et choisissez la commande Gérer les sites.**

   La boîte de dialogue de même nom s'affiche.

2. **Dans la liste des sites définis, sélectionnez celui que vous voulez publier. Cliquez ensuite sur le bouton Modifier.**

   La boîte de dialogue Définition du site s'affiche. Si vous n'avez pas encore configuré votre site, référez-vous aux instructions données au début du Chapitre 2 afin de réaliser cet important processus initial.

3. **Sélectionnez l'onglet Avancé, en haut de la boîte de dialogue.**

   Les options avancées apparaissent à la place de l'assistant Elémentaire.

4. **Dans la liste des catégories, sélectionnez la ligne Infos distantes.**

5. **Cliquez sur la liste déroulante qui se trouve à la suite de l'intitulé Accès (voir la Figure 4.10). Sélectionnez alors le mode de publication qui correspond à votre serveur Web et à votre environnement de développement.**

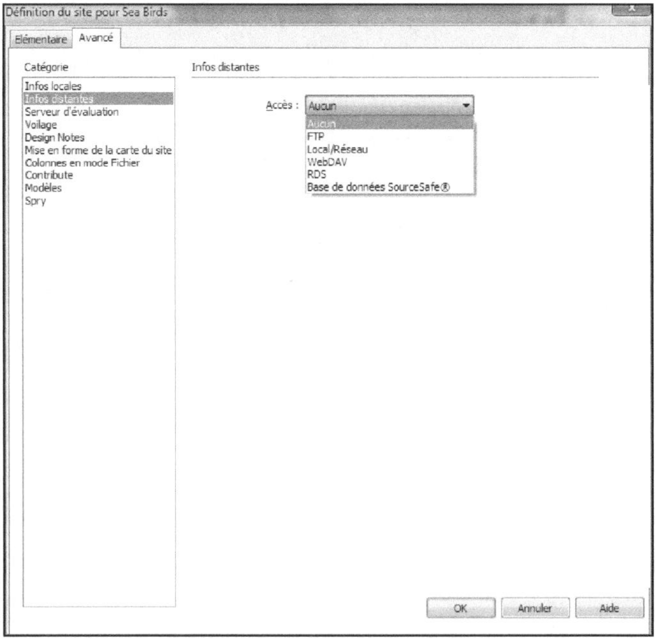

Figure 4.10 : La catégorie Infos distantes propose plusieurs options pour publier un site sur le Web.

Dreamweaver vous propose cinq options :

- **Aucun :** Sélectionnez cette option si vous n'envoyez pas votre site vers un serveur Web ou si vous n'êtes pas encore prêt à effectuer cette manipulation.
- **FTP :** Sélectionnez cette option pour utiliser les fonctionnalités FTP de Dreamweaver (elles sont traitées en détail dans la prochaine section). Il s'agit du choix le plus probable si vous faites appel aux services d'un hébergeur commercial.
- **Local/Réseau :** Choisissez cette option si vous utilisez un serveur Web sur un réseau local, tel celui qui peut être mis à votre disposition sur un intranet d'entreprise ou d'université. Pour ce qui concerne la configuration et les réglages dont vous pouvez alors avoir besoin, consultez votre administrateur système.
- **WebDAV (Web-based Distributed Authoring and Versioning) :** Sélectionnez cette option si vous utilisez un serveur fonctionnant sous le protocole WebDAV, comme par exemple Microsoft IIS.
- **RDS (Rapid Development Services) :** Sélectionnez cette option si vous utilisez ColdFusion sur un serveur distant.
- **Base de données SourceSafe :** Sélectionnez cette option si vous utilisez Microsoft Visual SourceSafe. Notez bien que ce choix n'est disponible que sous Windows.

Configurer l'accès FTP à un serveur Web

Pour vous simplifier la vie, Dreamweaver dispose de fonctions dites FTP. Elles permettent de télécharger facilement vos pages sur un serveur Web distant. Cette fonction est d'une utilité sans équivalent. En effet, vous pouvez surveiller les modifications apportées aux fichiers de votre disque dur, tout en assurant la mise à jour de leur pendant sur votre serveur Web.

Si vous téléchargez votre site en utilisant FTP, vous avez besoin des informations suivantes (votre prestataire de services devrait vous les fournir) :

- Le nom de l'hôte FTP.
- Le chemin d'accès au répertoire hôte (facultatif, mais utile).
- Le nom d'utilisateur FTP.

- Le mot de passe FTP.

Pour accéder aux fonctionnalités FTP de Dreamweaver :

1. **Suivez les étapes de la section précédente, et sélectionnez FTP lors de l'étape 5.**

   La boîte de dialogue illustrée Figure 4.11 devrait apparaître.

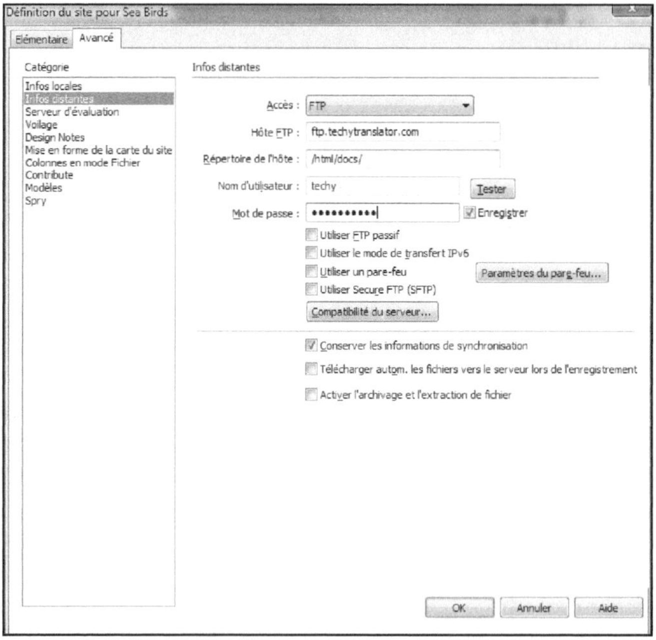

Figure 4.11 : Si vous passez par les services d'un hébergeur professionnel, vous devrez saisir les paramètres FTP pour télécharger votre site via Dreamweaver.

2. **Dans le champ Hôte FTP, saisissez le nom du serveur FTP.**

   Ce peut être `ftp.host.com`, `shell.host.com` ou encore `www.host.com`, selon le serveur FTP de votre fournisseur d'accès. Ce nom est une identification propre au serveur sur le Net. Son accès est réservé aux abonnés du FAI, d'où quelques restrictions d'accès que nous verrons ci-après.

3. **Dans le champ Répertoire de l'hôte, saisissez le répertoire du site distant où vos documents sont stockés.**

   Dans la majorité des cas, il s'agit de `public/html` ou de `www/public/docs/`. En revanche, il peut arriver que l'accès FTP associé à votre nom d'utilisateur vous place directement dans le répertoire racine du serveur qui vous est destiné. Dans ce cas, vous n'avez rien à saisir dans ce champ, ou simplement une barre oblique (/).

4. **Dans les champs Nom d'utilisateur et Mot de passe, saisissez le nom et le mot de passe qui vous ont été transmis par votre FAI. C'est généralement ceux qui vous permettent de vous connecter à l'Internet. Si vous cochez la case Enregistrer, Dreamweaver mémorise ces informations fastidieuses à saisir. Il les transmet automatiquement au serveur au moment de votre connexion à sa section FTP.**

   Ce nom d'utilisateur et ce mot de passe vous sont personnels ; ils vous donnent accès à votre serveur.

   Cliquez sur le bouton Test pour vous assurer que vous avez tout entré correctement. Si aucun problème ne se présente, Dreamweaver indique qu'il s'est connecté avec succès à votre serveur Web.

5. **Ne cochez les cases Utiliser FTP passif ou Utiliser un pare-feu que si votre fournisseur d'accès ou votre administrateur réseau vous le demande.**

   Si vous ne travaillez pas en réseau et passez par les services d'un fournisseur, vous ne devriez pas avoir besoin de cocher ces options.

6. **Une fois que vous avez terminé, cliquez sur OK pour enregistrer les paramètres de connexion au serveur et fermer la boîte de dialogue Définition du site.**

Télécharger un site Web existant

Si vous voulez travailler sur un site Web existant qui n'est pas stocké sur le disque dur local de votre ordinateur, vous pouvez utiliser Dreamweaver pour télécharger tout ou partie des fichiers de ce site, de manière à modifier des pages, en ajouter de nouvelles ou utiliser d'autres fonctions de Dreamweaver, par exemple pour vérifier les liens et/ou gérer le développement ultérieur du site. La première étape consiste à obtenir une copie du site distant sur votre disque dur en le téléchargeant à partir du serveur.

Pour télécharger un site Web existant, suivez ces étapes :

1. Créez sur votre ordinateur un nouveau dossier pour stocker le site existant.

2. À l'aide des fonctions de configuration de site de Dreamweaver décrites dans le Chapitre 2, définissez ce dossier en tant que dossier racine local pour le site.
3. Dans la page Infos distantes de la boîte de dialogue Définition du site, spécifiez les paramètres comme nous l'avons expliqué à la section "Configurer l'accès FTP à un serveur Web", plus haut dans ce chapitre.
4. Connectez-vous au site distant en cliquant sur le bouton Connecter à un hôte distant, dans le panneau Fichiers (il représente deux câbles prêts à être reliés).
5. Cliquez sur Acquérir les fichiers pour télécharger tout le site sur votre disque dur local.

   Si vous ne voulez télécharger que certains fichiers ou dossiers du site, sélectionnez Affichage distant dans la deuxième liste déroulante du panneau Fichiers. Choisissez les fichiers voulus parmi ceux qui apparaissent, et cliquez sur Acquérir les fichiers. Dreamweaver télécharge les éléments que vous avez sélectionnés en respectant la structure source et les place aux endroits appropriés dans la hiérarchie du site. Il est important que la structure du dossier du site soit recréée sur votre ordinateur, car Dreamweaver a besoin de connaître l'emplacement des fichiers qui sont en relation avec d'autres éléments du site afin d'établir les liens correctement. Le procédé le plus sûr consiste à télécharger la totalité du site, si celui-ci est de petite taille.

   Si vous ne travaillez que sur une page (ou une section) d'un site, il est généralement préférable de télécharger aussi tous les fichiers qui sont en relation avec celle-ci (fichiers *dépendants*), afin de garantir que les liens seront correctement traités lorsque vous ferez des modifications.
6. Après avoir téléchargé le site ou uniquement certains fichiers et dossiers, vous pouvez les éditer comme vous le feriez avec n'importe quel autre fichier dans Dreamweaver.

Placer votre site Web en ligne

Maintenant que votre site est totalement configuré, il est temps d'expédier vos pages Web vers votre serveur et de les retrouver en faisant appel aux fonctionnalités FTP de Dreamweaver.

Pour transférer les fichiers de votre disque dur local vers celui du serveur, conformez-vous aux étapes suivantes :

1. **Pour commencer, assurez-vous que vous avez bien défini votre site conformément aux instructions données dans le Chapitre 2. Ouvrez ce site via le panneau Fichiers et configurez les paramètres de transfert FTP en suivant les indications données dans la section précédente.**

2. **Dans le panneau Fichiers, cliquez sur le bouton Connecter à un hôte distant.**

   Si vous n'êtes pas déjà connecté à l'Internet, cliquer sur ce bouton lance la connexion à distance avec votre serveur. Si cela ne fonctionne pas, connectez-vous comme vous avez l'habitude de le faire pour récupérer vos e-mails ou surfer sur le Web. Ensuite, revenez dans Dreamweaver et cliquez sur Connecter à un hôte distant. Dès que vous êtes en ligne, il ne devrait plus y avoir de problème pour établir automatiquement une connexion FTP avec votre serveur hôte.

   Si vous ne parvenez pas à établir une connexion au serveur distant, relisez la section "Configurer l'accès FTP à un serveur Web", plus haut dans ce chapitre. Vérifiez que les informations fournies sont correctes. Si cela ne marche toujours pas, contactez votre fournisseur de services Internet ou votre administrateur système pour vous assurer que les données dont vous disposez sont les bonnes. Chaque fournisseur de services Internet est différent, et il n'est pas forcément évident de paramétrer correctement ces informations du premier coup. Heureusement, une fois que vous avez fait tout cela, Dreamweaver mémorise vos paramètres pour se connecter automatiquement chaque fois que nécessaire.

   Une fois la connexion établie, les répertoires de votre serveur apparaissent dans le panneau Fichiers. Vous pouvez vous déplacer entre les vues à l'aide de la liste proposée en haut et à droite du volet (voir la Figure 4.12). Les principales options sont Affichage local, qui montre les fichiers enregistrés sur votre disque dur, et Affichage distant, qui affiche les fichiers situés sur le serveur.

3. **Pour télécharger des fichiers (*upload*) de votre disque dur vers votre serveur Web, sélectionnez-les dans la vue Affichage local (qui affiche les fichiers stockés sur votre disque dur local), et cliquez sur le bouton Placer les fichiers (la flèche pointant vers le haut), en haut du panneau Fichiers.**

   Les fichiers sont automatiquement copiés sur le serveur lors de ce transfert. Vous pouvez sélectionner tous les fichiers et

Figure 4.12 : La rangée d'icônes, en haut du panneau Fichiers, contrôle les fonctions FTP.

dossiers que vous voulez pour qu'ils soient copiés simultanément.

Une fois les fichiers transférés, testez le résultat dans un navigateur Web en vous connectant au site sur le serveur. Il arrive parfois que des éléments qui réagissent parfaitement sur votre ordinateur (par exemple des liens) ne fonctionnent plus une fois placés en ligne.

4. **Pour récupérer des fichiers et des dossiers, c'est-à-dire les transférer du serveur vers votre disque dur (*download*), sélectionnez-les dans la vue Affichage distant (qui montre les objets situés sur le serveur), et cliquez sur le bouton Acquérir les fichiers (la flèche pointant vers le bas), en haut du panneau Fichiers.**

   Les fichiers sont automatiquement copiés sur votre disque dur local lors de ce transfert. Attention ! Lorsque vous copiez des éléments vers ou à partir de votre serveur, les fichiers transférés écrasent ceux qui existent déjà (sur le serveur dans un sens, sur votre disque dur dans l'autre). Dreamweaver vous signale en principe que vous allez remplacer un nouveau fichier par un autre plus ancien, mais il n'est pas toujours capable d'estimer correctement les bonnes différences dans les dates de création. Une fois le transfert terminé, vous pouvez ouvrir les fichiers sur votre disque dur.

Pour disposer simultanément des affichages distant et local, cliquez sur le bouton Développer/Réduire, complètement à droite en haut du panneau Fichiers. Pour revenir à l'affichage habituel, cliquez de nouveau sur ce bouton.

Synchroniser les sites locaux et distants

Une des fonctions les plus intéressantes des options FTP de Dreamweaver est la capacité de synchroniser automatiquement les fichiers de votre disque dur avec ceux qui se trouvent sur le serveur. Vous avez ainsi l'assurance que les pages que vous modifiez en local seront bien actualisées sur le serveur. Cela n'a pas réellement d'importance la première fois que vous téléchargez votre site ou si celui-ci ne contient que quelques pages, mais lorsqu'il prend de l'ampleur et que vous opérez de fréquentes mises à jour, cette fonction est un formidable moyen de s'assurer que tous les changements apportés sont correctement reflétés sur le serveur. Une fois la synchronisation terminée, Dreamweaver indique quels fichiers ont été actualisés.

Suivez ces étapes pour synchroniser votre site Web :

1. **Assurez-vous que le site avec lequel vous voulez travailler est sélectionné et affiché dans le panneau Fichiers.**

2. **Cliquez sur le bouton Connecter à un hôte distant pour établir la liaison avec le site (ou au serveur) distant.**

3. **Cliquez sur le bouton Développer/Réduire, situé en haut et à droite du panneau Fichiers.**

   La fenêtre du site occupe alors tout l'espace de travail. Pour revenir à l'affichage habituel, cliquez à nouveau sur le bouton Développer/Réduire.

4. **Dans le menu Site, cliquez sur la commande Synchroniser.**

   La boîte de dialogue Synchroniser les fichiers apparaît.

5. **Dans la liste Synchroniser de la boîte de dialogue, choisissez Tout le site ou Fichiers locaux sélectionnés seulement.**

6. **Dans la liste Direction de la boîte de dialogue Synchroniser les fichiers, choisissez l'une des options suivantes :**

   - **Placer les fichiers les plus récents sur l'hôte distant :** Cette option copie les fichiers les plus récemment modifiés de votre site local vers votre site distant. Si vous voulez opérer un "nettoyage" de celui-ci en supprimant les éléments inutiles, cochez l'option Supprimer les fichiers distants qui ne figurent pas sur le disque local.
   - **Obtenir les fichiers les plus récents depuis l'hôte distant :** Cette option copie les fichiers les plus récemment modifiés de votre site distant vers votre site local. Si vous voulez opérer un "nettoyage" de votre disque dur en supprimant les éléments inutiles, cochez l'option Supprimer les fichiers locaux qui ne figurent pas sur le serveur distant.
   - **Placer et obtenir les fichiers plus récents :** Cette option actualise à la fois le site distant et le site local, en copiant les versions les plus récentes de tous les fichiers.

7. **Assurez-vous que la case Supprimer les fichiers distants qui ne figurent pas sur le disque local n'est pas cochée.**

   Attention à cette fonction. En règle générale, je recommande de la laisser non cochée, car vous pouvez avoir des dossiers et fichiers sur le serveur, tels que des fichiers journaux, qui n'existent pas sur votre disque dur et qu'il ne faut pas supprimer par inadvertance.

8. **Cliquez sur le bouton Aperçu.**

   La boîte de dialogue Synchroniser va lister les fichiers qui doivent être mis à jour.

   A ce stade, vous pouvez vérifier les fichiers que vous voulez supprimer, placer et extraire. Désélectionnez les fichiers que vous ne souhaitez pas transférer, ou acceptez de vivre avec les conséquences de vos actes.

9. **Cliquez sur OK.**

   Toutes les modifications voulues et validées sont automatiquement exécutées. Dreamweaver actualise ensuite l'état de la boîte de dialogue affichée.

10. **Quand la synchronisation est terminée, vous avez la possibilité d'enregistrer les informations de vérification dans un fichier local.**

Je vous recommande d'enregistrer les informations de vérification, elles peuvent se révéler pratiques pour revoir les changements une fois la synchronisation terminée.

Attention à l'option Supprimer les fichiers distants qui ne figurent pas sur le disque local, en particulier si vous avez des pages spéciales d'administration, telles que des fichiers de statistiques, qui sont souvent ajoutées sur votre espace serveur par votre hébergeur afin de pister le trafic sur votre site.

Exploiter les fonctions de gestion de sites

Dans les sections qui suivent, vous trouverez des descriptions et des instructions pour utiliser les options disponibles dans la boîte de dialogue Gérer les sites, y compris la catégorie Design Notes, l'archivage et l'extraction, et le courrier électronique intégré. Si vous êtes la seule personne travaillant sur le site, vous n'aurez probablement pas besoin des caractéristiques décrites dans cette section, car elles sont conçues pour les sites développés par des équipes de personnes qui ont besoin de communiquer et de s'assurer qu'elles ne détruisent pas les efforts des autres.

Utiliser un serveur d'évaluation

La catégorie Serveur d'évaluation de la boîte de dialogue Définition du site vous permet de spécifier un serveur utilisé uniquement pour le développement, ce qui est une étape nécessaire si vous créez un site Web dynamique en exploitant les fonctionnalités de Dreamweaver avec PHP, ASP ou ColdFusion.

Archiver/Extraire

Cette fonctionnalité évite d'écraser le travail de quelqu'un lorsque plusieurs personnes travaillent sur un même site Web. Ainsi, chaque intervenant peut s'adonner à son art sans crainte. Quand une personne travaille sur un fichier "archivé", les autres développeurs ne peuvent pas altérer la page en question. Lorsque vous archivez un fichier, une coche verte apparaît à côté de son nom. Si quelqu'un d'autre a archivé un fichier, vous voyez une coche rouge.

Pour utiliser cette fonction, cochez la case Activer l'archivage et l'extraction de fichier dans la page Infos distantes de la boîte de dialogue Définition du site. De nouvelles options font alors leur apparition. Si vous voulez que les fichiers soient archivés dès qu'ils sont ouverts, cochez la case Extraire les fichiers à l'ouverture.

Grâce à cette fonction, vous pouvez savoir quelle personne travaille sur des fichiers spécifiques. Pour cela, cochez la case Extraire les fichiers à l'ouverture, puis indiquez dans le champ Nom d'extraction le nom associé aux fichiers que vous manipulez, ainsi que votre adresse de messagerie dans le champ Adresse électronique. L'adresse de messagerie est nécessaire à Dreamweaver pour son intégration au courrier électronique. Cela facilite la communication entre les différents développeurs d'un site. (La section suivante vous en dit plus sur l'intégration du courrier électronique.)

Travailler en paix avec le contrôle de version

Les systèmes de contrôle de version autorisent une meilleure gestion des modifications apportées par tous les membres de votre équipe. C'est un moyen idéal pour prévenir l'altération inopportune du travail de chacun. Si vous avez déjà recours à ces programmes, vous serez content d'apprendre qu'il est possible d'intégrer dans Dreamweaver Visual SourceSafe ainsi que des systèmes qui utilisent le protocole WebDAV. Vous pouvez alors tirer profit des fonctions de gestion des sites de Dreamweaver tout en protégeant le code en cours de développement. Si vous ne connaissez pas ces programmes, visitez le site de Microsoft (`www.microsoft.com/france/ssafe/`) pour plus d'informations sur Visual SourceSafe, ou le site `www.webdav.org/` pour tout savoir sur le protocole WebDAV.

Activer la carte du site

Si vous rencontrez des problèmes dans le suivi de vos fichiers et dans la manière dont ils sont liés à votre site, vous n'êtes plus seul au monde face à cette angoisse légitime. Plus un site Web devient important (et ils le deviennent tous), plus les tâches de maintenance sont complexes. Dreamweaver inclut la fonction Mise en forme de la carte du site qui donne un aperçu global et simple des différentes pages constituant votre site. Il ne s'agit pas d'une carte comme vous en rencontrez sur de nombreux sites Web. Elle n'est en effet pas consultable par vos visiteurs. Il s'agit d'un outil de maintenance des fichiers et des dossiers qui structurent votre site.

Pour créer une carte du site, procédez de la manière suivante :

1. **Dans le menu Site, choisissez la commande Gérer les sites.**

   La boîte de dialogue Gérer les sites s'ouvre.

2. **Sélectionnez le nom du site sur lequel vous désirez travailler.**

3. **Cliquez sur le bouton Modifier.**

   La boîte de dialogue Définition du site s'ouvre.

4. **Affichez l'onglet Avancé de la boîte de dialogue Définition du site.**

5. **Dans la liste Catégorie, sélectionnez l'option Mise en forme de la carte du site.**

   Les options de mise en forme de la carte du site apparaissent sur le côté droit de la boîte de dialogue.

6. **Dans le champ Page d'accueil, saisissez le chemin d'accès vers la page principale de votre site. Si vous ne connaissez pas ce chemin par cœur, cliquez sur l'icône du dossier (Parcourir). Parcourez vos différents lecteurs pour localiser le fichier HTML de votre page d'accueil (généralement,** `index.html` **ou** `index.htm`**). Si vous avez déjà rempli le champ Dossier racine local de la catégorie Infos locales, la page d'accueil devrait automatiquement être indiquée ici.**

   Grâce à cette identification, Dreamweaver sait où commence votre site Web. Cette information est essentielle, car elle indique à Dreamweaver d'où part votre site Web et où il se termine.

7. **Définissez le nombre de colonnes pour afficher un certain nombre de pages par ligne dans la carte du site.**

   Pour le moment, vous pouvez conserver les valeurs par défaut (soit 200 colonnes). Vous pourrez toujours les modifier par la suite si vous n'aimez pas l'agencement des icônes dans la carte de votre site.

8. **Définissez la largeur de colonne en pixels.**

   Encore une fois, conservez la valeur par défaut (125) si vous ne savez quoi définir.

9. **Dans la section Étiquettes des icônes, activez soit l'option Noms de fichier, soit l'option Titres de page, en fonction de ce que vous souhaitez afficher sous les icônes de la carte du site.**

   Vous pouvez modifier manuellement n'importe quel nom de fichier ou titre de page après avoir créé la carte du site.

10. **Dans la section Options, vous pouvez choisir de masquer certains fichiers. Cela signifie qu'ils ne seront pas visibles dans la fenêtre de la carte du site.**

    Si vous activez l'option Afficher les fichiers identifiés comme masqués, ceux-ci apparaîtront en italique dans la carte du site. Si vous choisissez l'option Afficher les fichiers dépendants, tous les fichiers dépendants de la hiérarchie de la carte du site seront visibles. Un *fichier dépendant* est une image ou tout autre contenu non HTML que le navigateur charge en même temps que la page principale.

11. **Une fois vos paramètres définis, cliquez sur OK.**

    La carte du site est automatiquement générée.

12. **Pour voir la carte du site, ouvrez le panneau Fichiers et sélectionnez Affichage de la carte dans la liste déroulante qui se trouve dans l'angle supérieur droit (voir la Figure 4.13).**

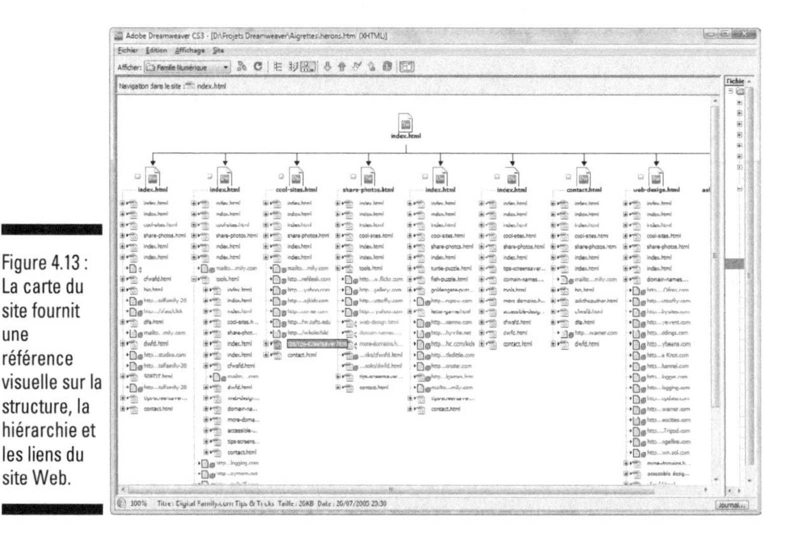

Figure 4.13 : La carte du site fournit une référence visuelle sur la structure, la hiérarchie et les liens du site Web.

La carte du site s'affiche dans le panneau Fichiers. Des icônes représentent chaque fichier et lien du site. Sur la Figure 4.18, la vue de la carte a été agrandie sur la totalité de la zone de travail en cliquant sur le bouton Développer pour afficher les sites locaux et distants (cliquez sur le bouton Réduire pour revenir à la vue habituelle).

Option Colonnes en mode Fichier

La catégorie Colonnes en mode Fichier de la boîte de dialogue Définition du site permet de personnaliser l'affichage des colonnes de fichiers et dossiers dans le panneau Fichiers étendu. Cela peut être utile pour trier ou grouper les fichiers sous de nouvelles formes, par exemple en ajoutant une colonne *section*, *service*, *saison*, *version*.

Il est possible de personnaliser l'affichage des colonnes en mode Fichiers de la manière suivante :

- Vous pouvez ajouter jusqu'à 10 nouvelles colonnes en cliquant sur le petit signe plus en haut de la boîte de dialogue, puis en entrant le nom, l'association et l'alignement de chaque nouvelle colonne.
- Il est possible de réorganiser l'ordre des colonnes, en sélectionnant le nom de la colonne, puis en cliquant sur les flèches vers le haut ou vers le bas dans la partie supérieure droite de la boîte de dialogue.
- Pour masquer des colonnes (sauf la colonne de nom de fichier), sélectionnez leur nom, puis supprimez la marque de coche dans la case Afficher.
- Vous pouvez indiquer les colonnes partagées avec les autres développeurs ayant accès au site en sélectionnant leur nom, puis en activant ou désactivant l'option Activer le partage des colonnes.
- Pour supprimer une colonne personnalisée (pas les colonnes d'origine), sélectionnez son nom et cliquez sur le signe moins en haut de la boîte de dialogue.
- Pour renommer une colonne personnalisée, procédez comme pour un nom de fichier.
- Il est possible d'affecter des Design Notes à des colonnes personnalisées en sélectionnant leur nom, puis en utilisant la liste déroulante à côté d'Associer à Design Notes.

Activer les fonctions Contribute

Le programme Adobe Contribute a été conçu pour que des non-techniciens du Web puissent facilement contribuer à un site Web. Songez à Contribute comme à une version allégée de Dreamweaver, hormis qu'il ne fonctionne pas très bien en tant que programme autonome. Contribute a été conçu pour travailler sur des sites construits avec Dreamweaver. Certaines fonctions ont été soigneusement intégrées pour rendre cette collaboration fluide. Si vous travaillez sur un site avec d'autres développeurs qui utilisent Contribute, cochez la case Activer la compatibilité avec Contribute, dans la catégorie Contribute de la boîte de dialogue Définition du site.

Deuxième partie

Concevoir pour le Web

"Comment mon site Web pourrait-il refléter exactement l'organisation de mon bureau ?"

Dans cette partie...

Le meilleur moyen de créer des pages Web conformes aux standards actuels, évolutives et accessibles, est de faire appel à CSS, c'est-à-dire aux feuilles de style en cascade. Dans cette partie, vous découvrirez la puissance et les avantages de CSS. Mais vous y trouverez également des instructions pour travailler avec les tableaux et les cadres, qui restent encore une approche viable en termes de conception Web.

Le Chapitre 5 vous propose une introduction à CSS ainsi qu'à son implémentation dans Dreamweaver. Le Chapitre 6 vous permettra d'aller plus loin en créant des mises en page basées sur CSS, en utilisant la balise `<div>`, ainsi que d'autres éléments de construction de blocs qui vous apportent souplesse, efficacité et puissance.

Nous étudierons la création de tableaux dans le Chapitre 7. Nous y verrons comment scinder et fusionner des cellules, et comment définir des attributs personnalisés. Le Chapitre 8 vous présentera les cadres, qui permettent notamment d'ouvrir un lien dans une partie spécifique de la page. Enfin, le Chapitre 9 vous expliquera en quoi les modèles de Dreamweaver peuvent accélérer la création de vos pages Web, et même vous faire gagner encore plus de temps le jour où vous aurez à les faire évoluer.

Chapitre 5

Créer des feuilles de style en cascade

Dans ce chapitre :

- Introduction aux feuilles de style en cascade (CSS).
- Utiliser les fonctionnalités CSS de Dreamweaver.
- Comparer les feuilles de style internes et externes.
- Travailler avec les balises, les classes et autres outils avancés.

Si vous n'avez pas encore sauté dans le wagon CSS, ce chapitre devrait vous aider à en apprécier les bénéfices. Il va vous introduire aux fonctionnalités CSS de Dreamweaver et vous montrer comment créer et appliquer des styles. Dans le Chapitre 6, vous trouverez des instructions sur l'utilisation de CSS pour contrôler la position des éléments et créer des mises en page qui combinent styles et balise HTML `<div>`.

Introduction aux feuilles de style en cascade

L'un des aspects les plus puissants de CSS est la manière dont vous pouvez l'utiliser pour apporter des modifications globales de style dans un site Web tout entier. Supposons par exemple que vous ayez créé un style pour vos titres en redéfinissant la balise `<h1>` afin d'obtenir des en-têtes de grande taille, bleues et soulignées. Un beau jour, vous décidez que tous vos titres devraient être affichés en rouge et non plus en bleu. Sans CSS, vous seriez face à une lourde tâche, puisqu'il vous faudrait ouvrir une par une toutes les pages du site et adapter les attributs de chaque balise de titre. Mais avec CSS, il vous suffit de mettre à jour la feuille de style, et c'est parti ! Tous vos titres sont comme par miracle affichés en rouge. Et si vous devez par la suite faire évoluer la conception de votre site (croyez-moi, tous les bons sites doivent évoluer périodiquement), vous pouvez gagner des heures, si ce n'est des jours, de travail grâce à CSS.

CSS offre bien d'autres avantages, et la portée des feuilles de style en cascade est remarquablement étendue. Voici une liste partielle de ce que vous pouvez faire avec CSS :

- Apporter des modifications globales partout où un style est appliqué, simplement en redéfinissant ses valeurs d'origine.
- Créer de multiples styles pour une même page. Vous pouvez par exemple définir un style pour la majorité des utilisateurs, et un autre qui utilise des caractères plus grands pour les personnes ayant des difficultés de lecture.
- Créer des styles pour des éléments courants comme les titres, les légendes ou encore les panneaux verticaux afin d'obtenir une conception plus cohérente et d'accélérer le processus de développement.
- Définir des styles qui alignent et positionnent des éléments, qu'il s'agisse d'images, de tableaux ou encore de balises `<div>`.
- Définir des polices de caractères ayant une taille fixe ou relative en utilisant des pourcentages, des pixels, des picas, des points, des millimètres, des pouces, des ems et des exs (nous reviendrons un peu plus loin sur ces choses barbares dans l'encadré "Comprendre les options de taille CSS").
- Ajouter et supprimer des encadrements autour des images, des tableaux, des balises <div> et autres éléments.
- Altérer l'affichage de balises HTML existantes, par exemple une liste non ordonnée que vous pouvez redéfinir pour qu'elle apparaisse dans le navigateur sous forme d'une liste horizontale ou verticale avec ou sans puces. Il est également possible de remplacer les puces HTML standard par d'autres caractères ou par des images.
- Changer la couleur des liens, en supprimer le soulignement et créer des effets lors de leur survol par le pointeur de la souris.

Comprendre les styles

Lorsque vous créez une règle CSS, vous définissez pour l'essentiel un élément soit en modifiant une balise HTML existante, soit en configurant et nommant un nouveau style. Vous pouvez attribuer à un style un nom quelconque, à condition toutefois de n'utiliser ni espaces ni caractères spéciaux et de suivre quelques règles simples concernant la manière dont différents types de sélecteurs sont créés.

Une fois que vous avez configuré une définition CSS, comme `.imagecaption`, vous pouvez appliquer ce style à un élément de votre page Web, par exemple une légende de photographie. Le navigateur formatera alors cet objet en lui appliquant la définition enregistrée dans la feuille de style.

De nombreuses personnes sont déroutées lorsqu'elles découvrent CSS. Si vous êtes déjà au bord de l'apoplexie, respirez un bon coup et accrochez-vous. Lorsque vous aurez lu ce qui concerne les concepts de base et que vous commencerez à créer et appliquer des styles personnels, toutes ces choses en apparence si rébarbatives prendront tout leur sens.

Observer le code qui travaille dans les coulisses

Si le code HTML et CSS ne suscite en vous aucun enthousiasme, vous apprendrez avec plaisir que vous n'êtes *jamais* obligé de vous en soucier. Cela étant dit, je pense qu'il peut être utile d'avoir une idée générale de ce qu'est ce code pour mieux comprendre pourquoi et comment CSS agit dans l'ombre d'une certaine manière.

Les exemples qui suivent montrent à quoi le code CSS ressemblerait dans Dreamweaver pour un style de classe appelé `.imagecaption` (défini comme étant affiché dans la police Times, avec des caractères petits, gras et italiques) et une balise HTML redéfinie `H1` (police Arial, caractères grands et gras).

```
.imagecaption {
    font-family: "Times New Roman", Times, serif;
    font-size: small;
    font-style: italic;
    font-weight: bold;
}
H1 {
    font-family: Arial, Helvetica, sans-serif;
    font-size: large;
    font-weight: bold;
}
```

Lorsque vous appliquez un style (disons `.imagecaption`) à un élément de votre page, tel que la légende d'une photographie, le code HTML correspondant ressemble à ceci :

```
<p class="imagecaption">Ce texte est format&eacute; avec le style
.imagecaption.</p>
```

Dans cet exemple, le style `.imagecaption` a été appliqué à la balise de paragraphe `<p>` qui encadrait déjà la légende. Mais le même style aurait tout aussi bien pu être utilisé avec une balise `<div>` ou encore `<span>`, de même qu'avec toute autre balise HTML préalablement associée au texte.

Lorsque vous redéfinissez un style, disons `<h1>`, vous utilisez simplement cette balise existante pour appliquer une nouvelle mise en forme. Dans ce cas, il suffit de formater le texte avec la balise `<h1>` pour appliquer la définition modifiée à un titre. En effet, le navigateur va lire cette nouvelle configuration pour H1 dans la feuille de style, et appliquer ces règles à tout ce qui est encadré par des balises `<h1>` dans la page. Le code HTML correspondant ressemblerait en tout état de cause à ce qui suit, que la balise `<h1>` ait ou non été redéfinie via une règle CSS :

```
<h1>Ce texte est format&eacute; avec le style H1.</h1>
```

Créer des styles dans Dreamweaver

Lorsque vous commencez à créer et utiliser des feuilles de style en cascade, vous faites appel à l'une des fonctionnalités les plus complexes et les plus avancées de Dreamweaver. Par voie de conséquence, ce travail prend plus de temps qu'insérer des balises HTML de base et modifier leurs attributs. Pour autant, les outils proposés par Dreamweaver rendent la définition des styles bien plus facile à réaliser que tout coder à la main.

Pour vous aider à maîtriser ces outils, vous trouverez une description des panneaux et boîtes de dialogue qui servent à définir les règles CSS dans la section "Utiliser le panneau CSS", plus loin dans ce chapitre.

Définir un nouveau style

Avec Dreamweaver, utiliser des styles pour formater du texte est un processus relativement simple. Vous commencez par définir un style puis vous l'appliquez à un élément de la page. Dans ce premier exercice, vous allez apprendre à créer un style de classe servant à mettre en forme du texte. Dans la section suivante, nous nous en servirons pour personnaliser l'affichage d'une légende placée sous une photographie.

En suivant les étapes de création d'un nouveau style, vous serez sans doute surpris par le nombre des options proposées dans les nombreux panneaux et autres boîtes de dialogue proposés par Dreamweaver. Tout en explorant ces possibilités, n'oubliez pas que vous pouvez parfaitement ne rien spécifier pour un attribut si vous ne voulez pas l'utiliser. Si, par exemple, vous créez un style pour vos titres et que vous ne choisissez pas de police de caractères, le navigateur se servira de la police par défaut de la page.

Pour définir un nouveau style, créez une page vierge ou ouvrez un document HTML existant et suivez ces étapes :

1. **Dans le menu Texte, choisissez Styles CSS puis Nouveau.**

   La boîte de dialogue Nouvelle règle de CSS apparaît (voir la Figure 5.1).

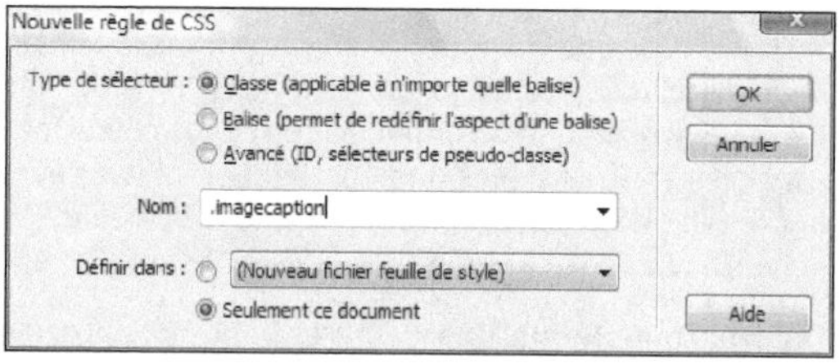

Figure 5.1 : La boîte de dialogue Nouvelle règle de CSS.

2. **Dans les options Type de sélecteur, choisissez Classe.**

   Lorsque vous créez un nouveau style, vous devez commencer par spécifier son type. Sélectionnez le bouton radio qui correspond à ce que vous voulez définir. Vous disposez de trois options :

   - **Classe :** Crée un style de classe qui peut être appliqué à n'importe quel élément d'une page, et de multiples fois sur la même page. Vous pouvez donner un nom quelconque à un style de classe, à condition de n'utiliser ni espaces ni signes de ponctuation. Ce nom doit commencer par un point, mais Dreamweaver l'ajoutera automatiquement si vous l'oubliez. Ces styles sont disponibles dans la liste Classe de l'inspecteur Propriétés.

- **Balise :** Redéfinit une balise HTML *existante*. Dans ce cas, vous créez un nouveau style qui vient soit remplacer les règles pour la balise choisie, soit y ajouter des options de formatage supplémentaires. Lorsque vous altérez une balise existante, vous modifiez la manière dont toutes ses occurrences apparaissent dans la page, à moins d'utiliser le mode Avancé pour redéfinir une balise à l'intérieur d'un autre style.
- **Avancé :** Crée un style ID, un style contextuel ou une autre option de style avancée. Les styles ID doivent commencer par le caractère # et ne peuvent être employés qu'une seule fois par page. Les styles contextuels spécifient que l'affichage d'un style nécessite le contexte d'un autre (voyez le Chapitre 6 pour plus de précisions sur les styles contextuels).

3. **Dans le champ Nom, sélectionnez dans la liste déroulante une balise HTML existante ou saisissez le nom de votre style.**

   Pour cet exemple, saisissez **.imagecaption**.

   L'intitulé que vous entrez dépend de l'option sélectionnée lors de l'étape 2. La liste déroulante fournit une collection de balises HTML, ce qui vous permet de redéfinir celles-ci. Si vous avez activé le type de sélecteur Balise, choisissez la balise à redéfinir dans cette liste. Si vous avez opté pour le type de sélecteur Classe, entrez un nom commençant par un point (mais sans espaces ni autres signes de ponctuation). Si vous avez sélectionnez le type de sélecteur Avancé et que vous voulez créer un style ID, placez le caractère # au début du nom.

4. **Dans la zone Définir dans, activez l'option Seulement ce document pour créer une feuille de style interne.**

   Une feuille de style interne ne concerne que la page courante. Dans ce cas, votre nouveau style sera inséré vers le début du code HTML de la page, dans la section `<head>`. Si vous activez le premier bouton radio, vous pouvez sélectionner dans la liste déroulante une feuille de style externe déjà associée au site, ou en créer une nouvelle en choisissant dans la liste le mode (Nouveau fichier feuille de style).

5. **Cliquez sur OK.**

   La boîte de dialogue Définition des règles de CSS apparaît.

6. **Choisissez une catégorie dans la liste affichée à gauche de la boîte de dialogue.**

Pour cet exemple, activez la catégorie Type (voir la Figure 5.2). Pour une description détaillée de chacune des catégories proposées, voyez plus loin dans ce chapitre la section "Comparer les options des règles CSS".

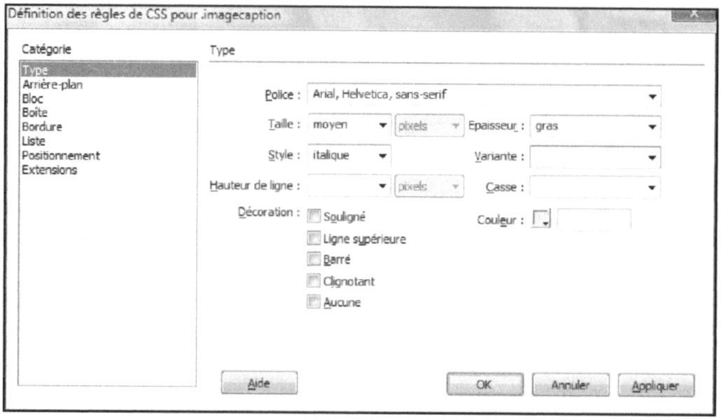

Figure 5.2 : La catégorie Type de la boîte de dialogue Définition des règles de CSS.

7. **Dans le champ Police, sélectionnez une collection à l'aide de la liste déroulante, ou bien entrez le nom d'une police de caractères.**

   Pour cet exemple, j'ai choisi la collection appelée Arial, Helvetica, sans-serif. Pour utiliser une police qui n'est pas proposée ici, cliquez sur l'option Modifier la liste des polices. Définissez alors une nouvelle liste en utilisant vos propres polices.

8. **Dans la liste Taille, choisissez une taille pour votre style.**

   Pour cet exemple, j'ai choisi *moyen*. Vous pouvez spécifier les tailles de texte en pixels, en picas, en mm, ainsi que dans plusieurs autres unités. Pour en apprendre plus sur ces options, voyez plus loin dans ce chapitre la section "Comprendre les options de taille CSS".

9. **Dans la liste Style, choisissez un style de caractères.**

   Ici, j'ai sélectionné *italique*.

10. **Dans la liste Epaisseur, choisissez un enrichissement pour les caractères.**

    Dans cet exemple, j'ai sélectionné *gras*.

11. **Cliquez sur le nuancier Couleur et sélectionnez une couleur pour le style.**

    Je vous recommande de choisir la couleur dans le nuancier proposé par Dreamweaver. Il s'agit en effet de la palette compatible Web. Pour définir une couleur personnalisée, il suffit de cliquer sur l'icône multicolore, en haut et à droite du nuancier. Pour cet exemple, j'ai laissé cette option à sa valeur par défaut, c'est-à-dire le noir pour la plupart des navigateurs.

12. **Cliquez sur OK une fois que vous avez terminé.**

    Votre style est automatiquement ajouté au panneau CSS (voir la Figure 5.3). Si nécessaire, il suffit de cliquer sur le signe + à gauche de la balise `<style>` pour en afficher les règles.

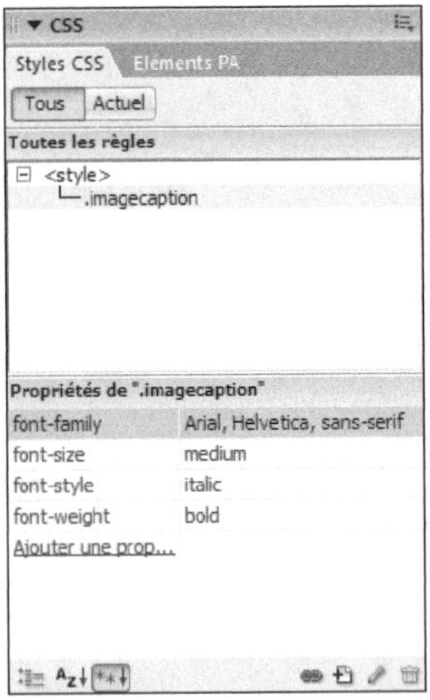

Figure 5.3 : Le panneau Styles CSS affiche le nouveau style de classe que vous venez de créer.

Lorsque vous créez un style de classe (tel que `.imagecaption`), il est également ajouté à la liste déroulante Classe de l'inspecteur Propriétés. C'est ce que nous allons découvrir dans la prochaine section.

Appliquer des styles dans Dreamweaver

Définir des styles est la phase la plus complexe. Les appliquer est un jeu d'enfant. La manière de procéder dépend du type de style que vous avez créé. Si vous avez redéfini une balise HTML, il vous suffit simplement de formater l'élément voulu avec cette balise. Le nouveau style s'y appliquera automatiquement. Si vous avez créé un style de classe (comme dans l'exercice précédent), sélectionnez le texte ou l'élément voulu, et choisissez le style dans la liste Classe de l'inspecteur Propriétés.

Pour appliquer un style dans Dreamweaver, suivez ces étapes :

1. **Ouvrez un document existant ou créez une nouvelle page. Ajoutez-y du texte et/ou une image. Mettez en surbrillance l'élément auquel vous voulez appliquer le style.**

2. **Dans l'inspecteur Propriétés, déroulez la liste Style puis choisissez celui que vous voulez utiliser.**

   Remarquez que Dreamweaver prévisualise le style en formatant son nom dans la liste à partir des options définies pour celui-ci. Une fois le style choisi, le texte ou l'élément sélectionné prend immédiatement une nouvelle apparence. Sur la Figure 5.4, le style créé dans l'exercice précédent a été appliqué à la légende qui se trouve sous la photographie.

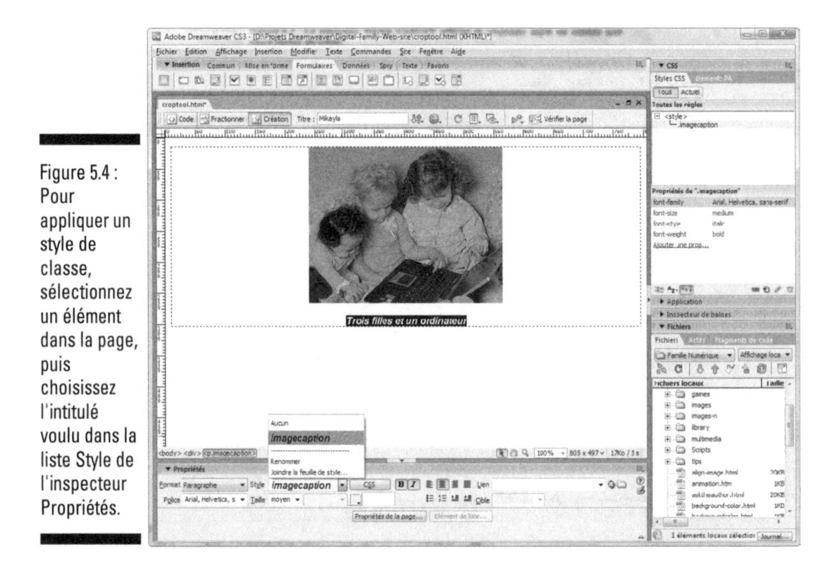

Figure 5.4 : Pour appliquer un style de classe, sélectionnez un élément dans la page, puis choisissez l'intitulé voulu dans la liste Style de l'inspecteur Propriétés.

Supprimer des styles dans Dreamweaver

Pour annuler le style appliqué à un bloc de texte ou à un autre élément, choisissez Aucun dans la liste Style de l'inspecteur Propriétés. Vous pouvez également cliquer droit (ou Contrôle+cliquer sur Mac) sur le nom de la balise, en bas de la fenêtre du document, et sélectionner Définir classe, puis Aucune (voir la Figure 5.5).

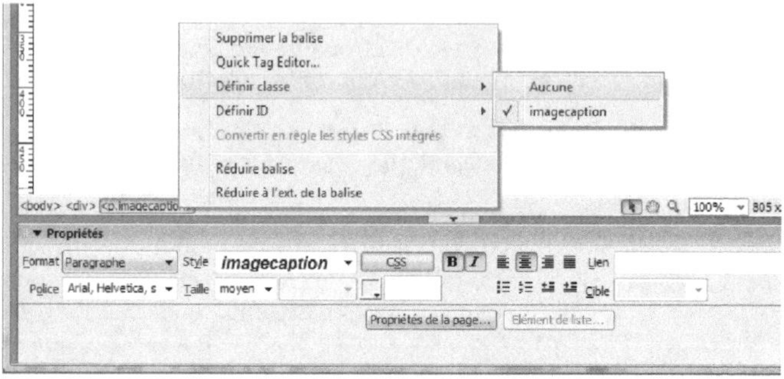

Figure 5.5 : Annuler l'application d'un style dans Dreamweaver.

Redéfinir des balises HTML

Quand vous créez un style de classe, comme nous l'avons vu dans la section précédente, vous définissez un style totalement nouveau, avec un nom unique et un ensemble de règles.

A l'inverse, lorsque vous redéfinissez une balise HTML, vous commencez avec une balise existante, comme <B> (gras), <HR> (règle horizontale) ou <TABLE> (tableau), et vous modifiez les attributs associés à cette balise. N'importe quel nouvel attribut appliqué par l'intermédiaire d'une feuille de style en cascade complète ou remplace les valeurs par défaut. Dans l'exercice qui suit, je vais modifier la balise <h1> en remplaçant la police par défaut du navigateur par Garamond. Il n'est pas nécessaire de spécifier l'épaisseur dans la définition du style, un titre étant déjà affiché en caractères gras, attribut que je veux conserver.

Lorsque vous redéfinissez une balise HTML existante, vous n'avez pas besoin d'appliquer spécifiquement le style pour modifier le formatage. Il vous suffit d'insérer la balise HTML voulue, et les nouveaux attributs sont automatiquement pris en compte.

Vous pouvez vous demander pourquoi redéfinir la balise <h1> au lieu de créer tout simplement un nouveau style de classe pour les titres. La réponse est assez évidente. Dans la section précédente, vous avez appris à fabriquer un style de classe que vous pouvez ensuite appliquer *sélectivement* à n'importe quel bloc de texte de votre page. Par contre, dans certains cas, l'emploi d'une balise HTML est mieux adapté. Avoir un style cohérent pour les titres est particulièrement important, car ceux-ci sont considérés sur le Web comme indiquant les principaux textes de la page.

De nombreux moteurs de recherche donnent une priorité supérieure aux mots clés qui apparaissent dans les balises <h1>. Vous pouvez donc améliorer vos chances d'être repéré en vous servant judicieusement de celles-ci. En redéfinissant le style de la balise <h1>, vous avez donc la possibilité d'améliorer la présentation de vos pages sans rien perdre de l'efficacité que cette balise peut apporter à votre visibilité sur le Web.

Pour redéfinir une balise HTML telle que <h1>, suivez ces étapes :

1. **Créez un nouveau style CSS.**

   Il existe plusieurs méthodes de création d'un style CSS ; essayez cette fois de cliquer sur le bouton Nouvelle règle de CSS, en bas à droite de l'onglet Style CSS, dans le panneau Styles CSS.

2. **Dans la section Type de sélecteur, activez l'option Balise.**

   Vous observez alors que la première liste de la boîte de dialogue se nomme désormais Balise à la place de Nom.

3. **Ouvrez la liste déroulante Balise pour afficher une liste des balises HTML complète et compréhensible, où vous sélectionnerez la balise de votre choix (voir la Figure 5.6).**

   Si certaines balises HTML vous laissent rêveur, choisissez l'option Référence dans le menu Fenêtre de Dreamweaver pour en apprendre plus à leur sujet.

4. **Dans la section Définir dans, activez l'option Seulement ce document pour créer une feuille de style interne.**

   Vous avez également la possibilité d'enregistrer le style dans une nouvelle feuille externe ou dans une feuille déjà attachée à la page.

5. **Cliquez sur le bouton OK, puis utilisez les options de la boîte de dialogue Définition des règles de CSS pour redéfinir le style de la balise.**

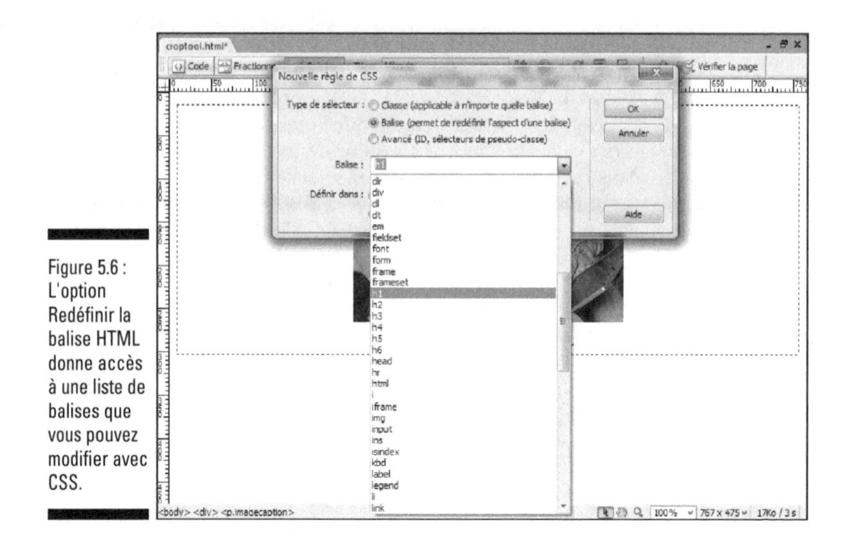

Figure 5.6 : L'option Redéfinir la balise HTML donne accès à une liste de balises que vous pouvez modifier avec CSS.

Pour cet exemple, j'ai simplement utilisé la police Garamond et défini sa taille comme étant Grande.

N'oubliez pas que la redéfinition d'une balise HTML existante entraîne l'application du nouveau style à tout texte déjà formaté par cette balise. Si vous souhaitez utiliser la même balise avec différentes configurations de formatage, vous pouvez créer à cet effet des styles contextuels (voir le Chapitre 6).

Changer le style des liens

Bien que vous puissiez modifier le style des liens en redéfinissant la balise d'ancrage à l'aide de la boîte de dialogue Définition des règles de CSS (voir les deux exercices précédents), la manière la plus simple de procéder consiste à utiliser les propriétés de la page. Dans ce cas, Dreamweaver créera automatiquement tous les styles correspondants et les ajoutera au Panneau CSS.

Pour modifier globalement le style des liens à partir de la boîte de dialogue Propriétés de la page, suivez ces étapes :

1. **Choisissez dans le menu Modifier la commande Propriétés de la page.**

   Vous pouvez également cliquer sur le bouton portant le même nom dans l'inspecteur Propriétés.

2. **Sélectionnez dans la liste de gauche la catégorie Liens (voir la Figure 5.7).**

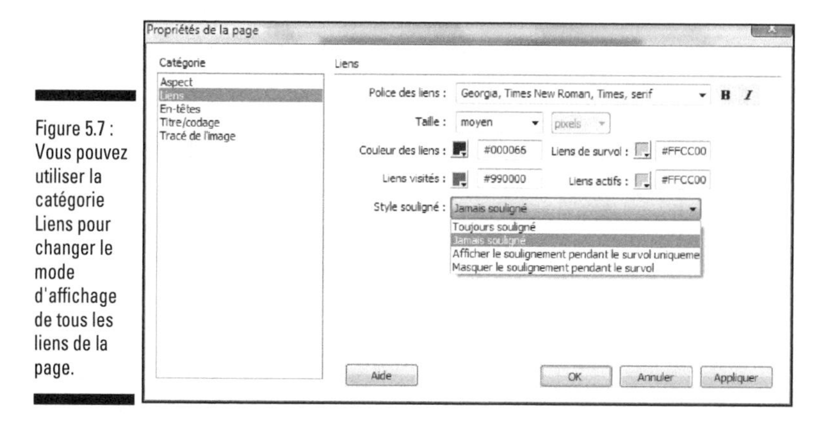

Figure 5.7 : Vous pouvez utiliser la catégorie Liens pour changer le mode d'affichage de tous les liens de la page.

3. **Spécifiez une police et une taille, ou laissez ces champs vierges pour conserver les paramètres par défaut de la page.**

   Si vous ne voulez pas changer ces paramètres, il vaut mieux les laisser en blanc. De cette manière, si vous configurez par la suite les options de texte pour la page, vous ne risquerez pas de provoquer un conflit avec vos liens.

4. **Choisissez les couleurs de chacun des états des liens hypertexte en cliquant sur le godet de couleur correspondant. Cliquez ensuite sur une couleur dans la boîte de dialogue.**

   Vous pouvez personnaliser n'importe quelle couleur de lien. Si vous ne remplissez pas un champ, le navigateur se servira de la couleur par défaut. Voici une explication sur chacun de ces états :

   - **Couleur des liens :** C'est la couleur dans laquelle vos liens apparaissent dans la page lorsque celle-ci est chargée et que la page liée n'a pas encore été visitée. La balise HTML correspondante est `<a:link>`.
   - **Liens visités :** C'est la couleur dans laquelle les liens apparaissent une fois qu'un navigateur a visité la page liée correspondante. La balise HTML correspondante est `<a:visited>`.

   - **Liens de survol :** C'est la couleur dans laquelle un lien est affiché lorsque l'utilisateur place le pointeur de la souris au-dessus. La balise HTML correspondante est `<a:hover>`.
   - **Liens actifs :** C'est la couleur que prend un lien lorsque l'utilisateur est en train de cliquer dessus. La balise HTML correspondante est `<a:active>`.

5. **Sélectionnez une option dans la liste Style souligné.**

   De nombreux créateurs préfèrent supprimer le trait de soulignement qui, sinon, apparaît automatiquement sous les liens hypertexte, en choisissant ici Jamais souligné (comme sur la Figure 5.7).

6. **Cliquez sur OK.**

   La page des propriétés se referme, et les paramètres sont automatiquement appliqués à tous les liens de la page tandis que Dreamweaver ajoute les nouveaux styles au panneau CSS.

Pour juger du style des liens et les tester, vous devez prévisualiser la page dans un navigateur Web. Si vous redéfinissez vos liens, comme dans l'exercice précédent, je vous conseille de le faire tout de suite. Observez la manière dont vos liens sont maintenant affichés, et comment se déroule l'interaction avec l'utilisateur dans différentes situations. N'oubliez pas que les styles créés de cette façon affectent *tous* les liens de votre page, à moins d'appliquer explicitement un autre style de classe à des liens individuels (ces définitions prenant alors le pas sur celles du style de balise) ou encore de créer un style contextuel (voyez à ce sujet le Chapitre 6).

Créer des styles avancés

Dreamweaver regroupe différents types de styles dans la catégorie Avancé de la boîte de dialogue Nouvelle règle de CSS. C'est notamment le cas des styles ID et des styles contextuels. Nous y reviendrons en détail dans le Chapitre 6.

Gérer les conflits de style

Soyez prudent lorsque vous appliquez plusieurs styles au même texte (chose parfois plus facile à faire que vous ne l'imaginez). Ce conseil vaut aussi bien pour les styles CSS que pour les attributs appliqués via HTML. Les styles peuvent entrer en conflit, et comme les navigateurs ne sont pas tous très cohérents dans la manière de les afficher, le résultat obtenu peut être totalement inattendu et non voulu.

La plupart des navigateurs récents, comme Firefox et Internet Explorer, affichent tous les attributs appliqués à un élément, même s'ils sont issus de différents styles, dès lors qu'ils n'entrent pas en conflit. Dans le cas contraire, les navigateurs donnent la priorité aux styles en fonction de leur définition et de l'ordre dans lequel ils apparaissent. C'est ici que la notion de feuille de style en *cascade* prend tout son sens.

Le terme *cascade* fait référence à la manière dont plusieurs styles peuvent s'appliquer au même élément de la page (comme s'ils coulaient en cascade sur cet élément). Comme un objet donné est susceptible d'être affecté de plusieurs styles, CSS contient tout un ensemble de règles destinées à éviter les conflits. Ces règles déterminent la priorité que devrait suivre le navigateur lorsqu'il interprète les styles. Ces priorités sont organisées d'une manière hiérarchique et descendante, selon une image là encore semblable à celle d'une cascade qui coule sur des rochers.

Pour mieux vous aider à comprendre ce flot de styles, prenons un exemple. Vous pouvez créer un style pour la globalité de la page en redéfinissant la balise `<body>`, autrement dit celle qui entoure tout le contenu affiché dans la fenêtre du navigateur. Supposons ainsi que vous définissez une règle selon laquelle la police utilisée dans cette balise est Arial. Vous personnalisez ensuite la balise `<h1>` en spécifiant que vos titres principaux seront affichés dans la police Garamond. Le navigateur va donc devoir déterminer comment présenter vos titres à partir de deux informations contradictoires. Faut-il utiliser Arial, puisque c'est la police définie dans la balise `<body>`, ou Garamond, qui est attribué à la balise `<h1>` ?

Pour résoudre un tel conflit, CSS suit une hiérarchie qui peut sembler assez compliquée. Cependant, l'une des règles les plus simples à retenir spécifie que plus un style est proche d'un élément, ou plus il le définit de façon spécifique, plus sa priorité est élevée. Ainsi, vous pouvez facilement en déduire que les titres seront affichés en Garamond, car le style attribué à la balise `<h1>` est plus spécifique, plus localisé, que celui de la balise `<body>`, qui s'applique pour sa part à l'ensemble de la page.

Les sélecteurs CSS suivent également une hiérarchie. Les styles créés avec des sélecteurs ID sont prioritaires sur les styles de classe, ces derniers étant à leur tour prioritaires sur ceux qui redéfinissent des balises HTML. A niveau égal dans la hiérarchie, on en revient à la remarque ci-dessus, autrement dit les spécialistes prennent le pas sur les généralistes.

Une autre règle de base est que CSS est prioritaire sur les attributs de présentation HTML (l'alignement, la couleur, la police ou encore l'arrière-plan), ceux-ci étant également placés au-dessus des paramètres par défaut du navigateur (par exemple le type et la taille d'une police). Quel que soit le scénario, les règles CSS possèdent donc la priorité la plus haute. Par contre, il existe encore des distinctions à l'intérieur même de ces règles. Les feuilles de style internes l'emportent sur les feuilles de style externes, et les styles en ligne (qui sont définis dans la ligne de code HTML où la balise apparaît) ont la priorité la plus haute dans la hiérarchie.

Modifier un style existant

Vous pouvez modifier les attributs de n'importe quel style en éditant ses définitions. C'est un des grands avantages des feuilles de style en cascade : vous pouvez effectuer des modifications globales sur une page, ou même sur la totalité d'un site, en changeant simplement un style qui a été appliqué à plusieurs éléments. Mais attention ! N'oubliez jamais que toute correction apportée à un style se répercute *automatiquement* sur *tous* les éléments auxquels il a été appliqué, et dans *toutes* les pages concernées. Il est donc parfaitement possible d'altérer par erreur l'apparence de bien plus d'objets que ce que vous souhaitiez au départ.

Il est possible de créer un nouveau style en dupliquant un style existant, puis en y apportant les modifications voulues. Vous pouvez ensuite appliquer la nouvelle mise en forme sans affecter les éléments auxquels est déjà affectée la version originale du style. Pour créer une copie d'un style, sélectionnez-le dans le panneau Styles CSS. Cliquez avec le bouton droit de la souris (Contrôle+clic sur Mac) et choisissez Dupliquer dans le menu.

Pour modifier un style existant, suivez ces étapes :

1. **Ouvrez le panneau CSS à partir du menu Fenêtre.**

   Vous pouvez aussi cliquer sur le bouton CSS dans l'inspecteur Propriétés.

2. **Cliquez sur le bouton Tous pour obtenir la liste de tous les styles de la page ouverte.**

3. **Dans la liste des styles, sélectionnez le style à modifier.**

Dreamweaver affiche la définition du style dans le volet Propriétés.

4. **Cliquez sur la valeur de l'attribut à modifier et sélectionnez ou tapez la nouvelle valeur dans le champ qui suit.**

   Le style est automatiquement redéfini pour refléter vos modifications. Dans le même temps, tous les éléments préalablement définis avec ce style sont également modifiés.

Il est aussi possible de faire un double clic sur un nom de style pour l'éditer dans la boîte de dialogue Définition des règles de CSS. Apportez les corrections voulues, puis cliquez sur OK pour valider et appliquer immédiatement les changements.

Pour annuler vos modifications, appuyez sur Ctrl+Z (Windows) ou Cmd+Z (Mac), ou choisissez Edition puis Annuler Définir l'attribut.

Comparer les options des règles CSS

Quand vous choisissez de créer un nouveau style et sélectionnez un type de sélecteur, la boîte de dialogue Définition des règles de CSS apparaît. C'est là que vous décidez de l'aspect de votre style en choisissant certains attributs, ce que CSS appelle des *règles*. Cette boîte de dialogue contient huit catégories. Chacune propose de multiples options dont vous pouvez vous servir pour définir diverses règles à appliquer dans votre déclaration CSS. Dans cette section, vous trouverez un aperçu général des huit catégories en question.

Vous n'êtes pas obligé de définir toutes les options de chacune de ces catégories. En fait, vous allez le plus souvent ne sélectionner que quelques propriétés pour chaque style. Toute option laissée vierge utilisera les paramètres par défaut du navigateur. Par exemple, si vous ne spécifiez pas de couleur de texte, le texte s'affichera en noir ou dans la couleur par défaut employée par le navigateur.

La catégorie Type

Comme vous avez pu le constater dans les exercices précédents, la catégorie Type propose une collection d'options qui contrôlent l'affichage du texte sur vos pages. Lorsque vous sélectionnez cette catégorie, vous disposez des options suivantes (voir la Figure 5.8) :

- **Police :** Spécifie une police, une famille de polices ou des séries de familles. Vous pouvez ajouter des polices à la liste en sélectionnant l'option Modifier la liste des polices.

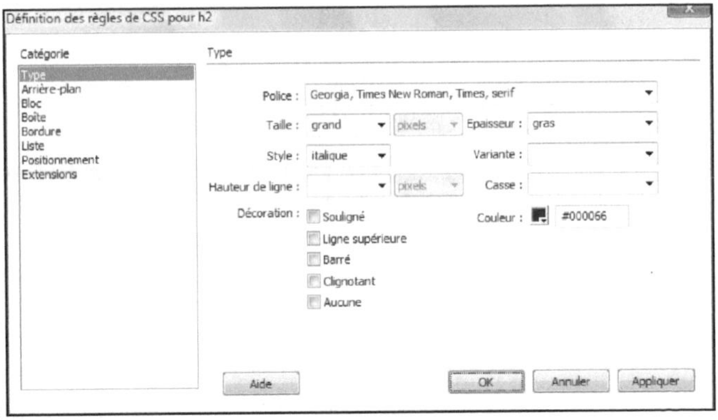

Figure 5.8 : La catégorie Type de la boîte de dialogue Définition des règles de CSS.

- **Taille :** Définit la taille du texte. Vous pouvez choisir une taille spécifique ou utiliser une taille relative (petit, moyen, grand, etc.). Servez-vous du bouton qui suit ce champ pour sélectionner une unité de mesure (pixel, pica, pourcentage, etc.). Pour plus d'informations sur ce sujet, reportez-vous à l'encadré "Comprendre les options de taille CSS".

- **Style :** Permet de définir un éventuel enrichissement de la police pour qu'elle apparaisse en Normal, Italique ou Oblique. (L'italique et l'oblique étant rarement différents dans un navigateur Web, il est préférable de s'en tenir à l'italique, à moins d'avoir une raison particulière de procéder autrement.)

- **Hauteur de ligne :** Permet de spécifier la hauteur de la ligne sur laquelle le texte est placé.

- **Décoration :** Permet de souligner, de barrer ou encore de faire clignoter le texte.

  Recourez aux options Décoration avec parcimonie, voire pas du tout. Les liens sont automatiquement soulignés. Par conséquent, souligner un texte qui n'est pas un lien peut prêter à confusion. Les textes barrés sont souvent difficiles à lire. N'employez ces options que si elles améliorent l'apparence du site. Evitez aussi le clignotement du texte qui attire l'attention du visiteur, mais qui finit très vite par l'énerver (le surlignage et le clignotement ne s'affichent pas dans Dreamweaver ; pour voir ces effets, prévisualisez la page dans un navigateur Web).

- **Epaisseur :** Permet de contrôler l'aspect d'un texte en gras en choisissant une épaisseur fixe ou relative.

- **Variante :** Permet de sélectionner une variante de la police, comme petite maj. (petite majuscule). Malheureusement, cet attribut n'est pas encore supporté par la plupart des navigateurs. Par exemple, un texte en petites majuscules pourra simplement être affiché en majuscules normales.
- **Casse :** Permet de modifier globalement la casse des mots sélectionnés, en les plaçant en majuscules, en minuscules ou en conservant les lettres initiales. Cet attribut n'est pas supporté par tous les navigateurs.
- **Couleur :** Définit la couleur du texte. Vous pouvez utiliser le nuancier pour accéder à une palette compatible Web dans

Comprendre les options de taille CSS

L'un des aspects les plus déroutants de CSS est la quantité considérable de choix dont vous disposez pour définir la taille des caractères et d'autres éléments. Une méthode courante consiste à prendre des tailles en points ou en pixels. Si l'impression vous est familière, il s'agit sans doute d'options que vous avez l'habitude d'employer. Mais il ne s'agit pas nécessairement des meilleures unités, surtout si vous êtes sensible aux notions d'accessibilité.

Une bonne méthode consiste à utiliser des tailles relatives, comme *petit*, *moyen* ou *grand*. L'avantage procuré par ces valeurs est que la taille de la police sera ajustée en fonction des options de vos visiteurs tout en conservant des rapports cohérents : un texte *grand* sera toujours plus grand qu'un texte *petit*, quelle que soit par ailleurs la taille de police par défaut. Cela vous permet de maintenir une hiérarchie entre vos textes tout en laissant l'utilisateur disposer d'un contrôle sur la manière dont ils apparaîtront dans la fenêtre de son navigateur.

Une fois que vous avez défini une taille de base pour la page, vous pouvez faire appel à des pourcentages pour agrandir ou diminuer le format de vos textes. Si vous attribuez par exemple une taille *moyenne* pour la page, puis définissez un style `.legende` comme ayant une hauteur de 90 %, les paragraphes de vos légendes apparaîtront dans une taille égale à 90 % du style par défaut.

Si vous choisissez comme unité ems, la taille des caractères sera basée sur celle de la lettre M pour la police sélectionnée. L'unité exs répond au même principe, mais en ce basant cette fois sur la lettre x de cette police. Ces deux modes sont souvent employés pour préciser l'espacement des lignes, car celui-ci est alors ajusté relativement à la taille du texte affiché. Cela peut sembler déroutant, mais ems et exs fonctionnent de la même manière que les pourcentages, tout en s'adaptant plus facilement à différentes configurations de navigateurs.

laquelle vous sélectionnerez des couleurs prédéfinies ou créer des couleurs personnalisées.

Validez et enregistrez vos options en cliquant sur le bouton OK.

La catégorie Arrière-plan

La catégorie Arrière-plan vous permet de spécifier une couleur ou une image d'arrière-plan pour un style et de contrôler la manière dont cet arrière-plan sera affiché (voir la Figure 5.9). Vous pouvez utiliser ces paramètres pour tout élément de type bloc dans votre page. Par exemple, il est possible de redéfinir la balise `<body>` et d'y inclure une configuration d'arrière-plan s'appliquant à toute la page, ou bien encore de créer un style de classe avec un arrière-plan qui ne concernera qu'une cellule de tableau ou une balise `<div>`. Les sélecteurs ID sont également concernés par cette catégorie (voir à ce sujet le Chapitre 6).

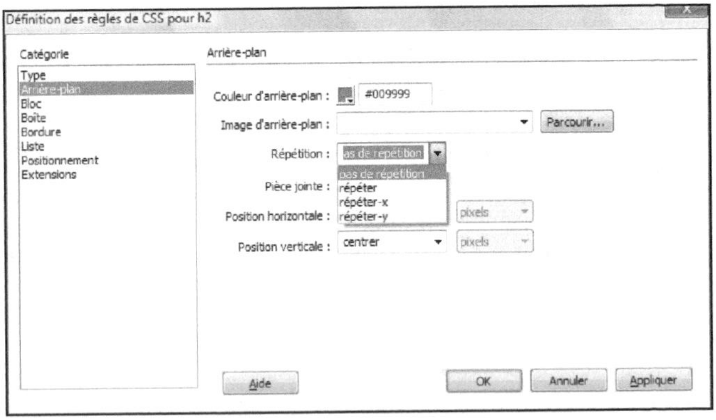

Figure 5.9 : La catégorie Arrière-plan de la boîte de dialogue Définition des règles de CSS.

Voici les options proposées :

- **Couleur d'arrière-plan :** Spécifie la couleur d'arrière-plan d'un élément, par exemple un tableau. Vous pouvez utiliser le nuancier pour accéder à une palette compatible Web dans laquelle vous sélectionnerez des couleurs prédéfinies ou créer des couleurs personnalisées.
- **Image d'arrière-plan :** Permet de sélectionner une image comme arrière-plan. Cliquez sur le bouton Parcourir pour sélectionner un fichier graphique.

- **Répétition :** Détermine la manière dont l'image d'arrière-plan se "répand" sur la page. Dans tous les cas, cette image est tronquée si elle est trop grande pour l'élément. Voici les options disponibles :

  Pas de répétition : L'arrière-plan est affiché une seule fois, au début de l'élément.

  Répéter : L'arrière-plan est répété en mosaïque verticalement et horizontalement derrière l'élément.

  Répéter-x : L'arrière-plan se répète horizontalement, mais pas verticalement, derrière l'élément.

  Répéter-y : L'arrière-plan se répète verticalement, mais pas horizontalement, derrière l'élément.

- **Pièce jointe :** Détermine la façon dont l'arrière-plan se comporte lors du défilement de la page :

  Fixe : L'arrière-plan reste immobile ; il ne défile pas avec la page Web.

  Défilé : L'arrière-plan défile avec la page Web. C'est le comportement par défaut des arrière-plans.

- **Position horizontale :** Pour aligner l'image à gauche, au centre ou à droite, ou définir une valeur numérique déterminant l'emplacement horizontal de l'arrière-plan. Vous ne pouvez utiliser le positionnement horizontal que lorsque l'arrière-plan n'est pas répété.

- **Position verticale :** Pour aligner l'image en haut, au centre ou en bas, ou pour définir une valeur numérique déterminant l'emplacement vertical de l'arrière-plan. Vous ne pouvez utiliser le positionnement vertical que lorsque l'arrière-plan n'est pas répété.

La catégorie Bloc

La catégorie Bloc définit l'espacement et l'alignement des balises et des attributs (voir la Figure 5.10). Vous pouvez choisir les options suivantes :

- **Espacement des mots :** Peut être spécifié en points, en millimètres (mm), en centimètres (cm), en points pica, en pixels, en pouces, en ems ou en exs.

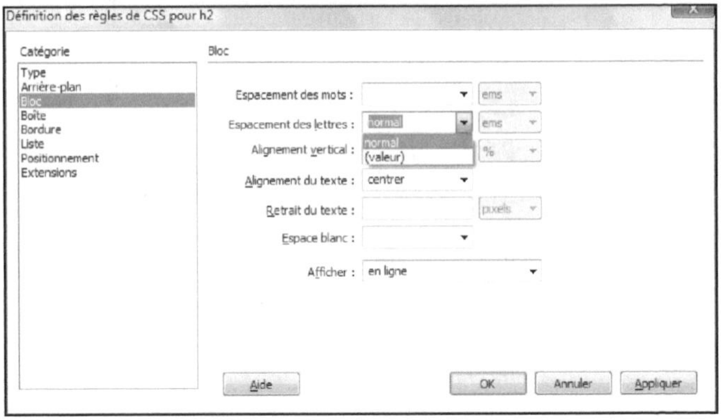

Figure 5.10 : La catégorie Bloc de la boîte de dialogue Définition des règles de CSS.

- **Espacement des lettres :** Peut être spécifié en points, en millimètres (mm), en centimètres (cm), en points pica, en pixels, en pouces, en ems ou en exs.
- **Alignement vertical :** Cette propriété aligne les éléments en ligne, tels que les textes et les images, en relation avec les éléments qui les entourent. Notez qu'il faudra normalement prévisualiser la page dans un navigateur pour voir ces effets. Vos options sont ligne de base, indice, super (sous-entendu exposant), haut, texte-haut, milieu, bas et texte-bas. Il est également possible de définir une valeur numérique exprimée sous forme de pourcentage.
- **Alignement du texte :** Spécifie la manière dont le texte s'aligne avec un autre élément d'une page. Les options sont gauche, droite, centrer et justifier.
- **Retrait du texte :** Spécifie le retrait de la première ligne d'un texte. Les valeurs négatives sont autorisées pour faire débuter la première ligne plus à gauche que le reste du paragraphe.
- **Espace blanc :** Spécifie la manière dont le navigateur doit traiter les sauts de ligne et les espaces à l'intérieur d'un bloc de texte. Vous avez le choix entre Normal, Pre (pour Préformaté) et Pas de retour.
- **Afficher :** Indique comment un élément peut être rendu. Un élément sera masqué si vous choisissez Aucune.

La catégorie Boîte

La catégorie Boîte définit les paramètres des balises et des attributs qui contrôlent la position et l'apparence des éléments d'une page (voir la Figure 5.11). Comme vous le verrez au Chapitre 6, ces réglages sont particulièrement importants pour créer des mises en page avec CSS.

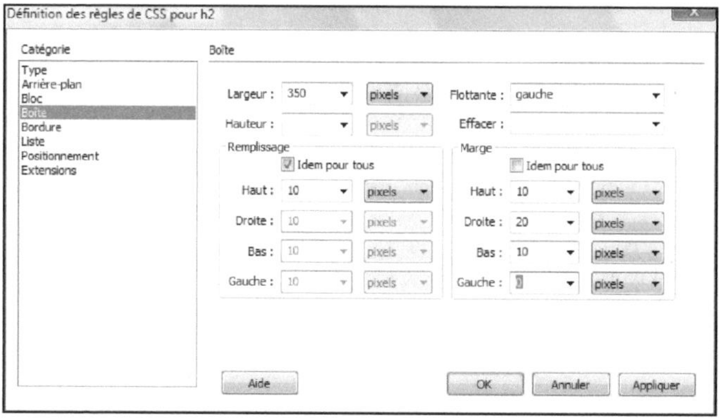

Figure 5.11 : La catégorie Boîte de la boîte de dialogue Définition des règles de CSS.

Vous pouvez utiliser les propriétés de la catégorie Boîte pour définir le placement et l'espacement de balises <div>, de tableaux ou encore de listes. Voici les options que vous pouvez spécifier :

- **Largeur, Hauteur :** Permet de spécifier une largeur et une hauteur qui peuvent être utilisées dans un style que vous appliquez à des images, à des balises <div> ou à tout autre élément dont il est possible de spécifier les dimensions. Les mesures sont exprimables en pixels, points, pouces, centimètres, millimètres, picas, ems, exs ou pourcentages.
- **Flottante :** Permet d'aligner une image (par exemple) à gauche ou à droite d'autres éléments, comme du texte, de manière à les habiller.
- **Effacer :** Evite qu'un contenu flottant ne recouvre une zone vers la gauche, la droite ou des deux côtés.
- **Remplissage :** Définit l'espace entre l'élément et sa bordure (ou sa marge intérieure). Le remplissage est réglable séparément pour le haut, la droite, le bas et la gauche. Il est exprimé en pixels, points, pouces, centimètres, millimètres, picas, ems, exs et pourcentages.

- **Marge :** Permet de définir l'espace entre le bord d'un élément et les autres éléments de la page. La marge est réglable séparément pour le haut, la droite, le bas et la gauche. Elle est exprimée en pixels, points, pouces, centimètres, millimètres, picas, ems, exs et pourcentages.

La catégorie Bordure

La catégorie Bordure propose les options Style, Largeur et Couleur pour définir l'entourage des éléments d'une page (voir la Figure 5.12). Comme vous pouvez le constater, il est possible de configurer séparément chacun des bords de l'objet, ce qui vous permet par exemple de créer des lignes de séparation ou d'autres types de bordures.

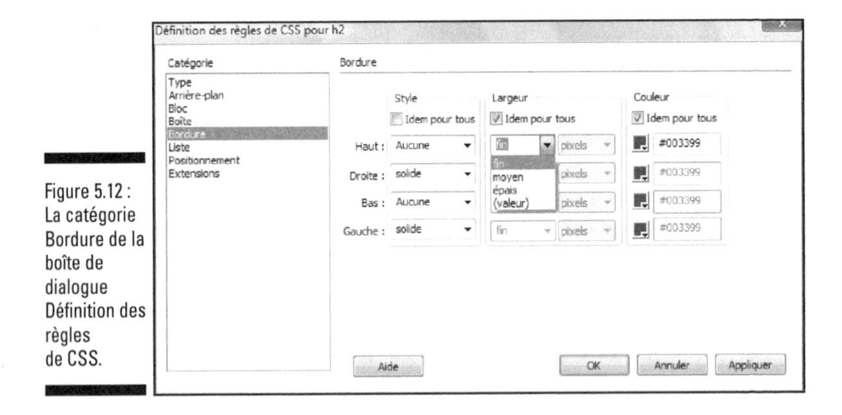

Figure 5.12 : La catégorie Bordure de la boîte de dialogue Définition des règles de CSS.

La catégorie Liste

La catégorie Liste définit des paramètres comme la taille et le type des puces pour les balises de liste. Vous pouvez spécifier si les puces sont en forme de disque, de cercle, de carré, si elles sont décimales, en caractères romains minuscules ou majuscules, en caractères alphabétiques minuscules ou majuscules, ou encore absentes (voir la Figure 5.13). Si vous voulez utiliser une puce personnalisée, servez-vous du bouton Parcourir pour naviguer jusqu'à l'image à employer. Vous pouvez aussi spécifier la position de la puce par rapport à l'élément de liste correspondant. Dans le Chapitre 6, vous trouverez des instructions pour redéfinir la balise de liste non ordonnée afin de réaliser des effets de survol, ce qui est une technique couramment employée pour créer des lignes de navigation et autres listes de liens.

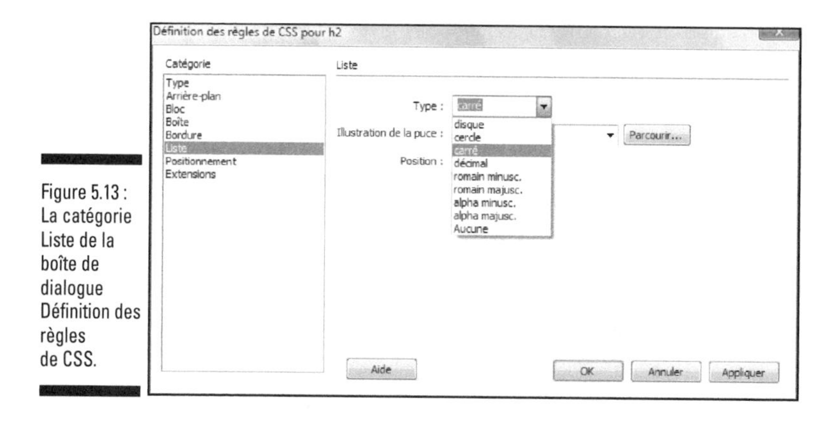

Figure 5.13 : La catégorie Liste de la boîte de dialogue Définition des règles de CSS.

La catégorie Positionnement

La catégorie Positionnement vous permet de modifier la manière dont des éléments sont placés dans une page (voir la Figure 5.14). Comme vous le verrez dans le Chapitre 6, ce positionnement peut considérablement changer l'aspect des objets de type bloc dans un navigateur (tables, listes, en-têtes, paragraphes et balises `<div>`). Par exemple, les éléments PA de Dreamweaver sont tout simplement des balises `<div>` qui utilisent un positionnement absolu afin de placer des objets à un certain endroit d'une page.

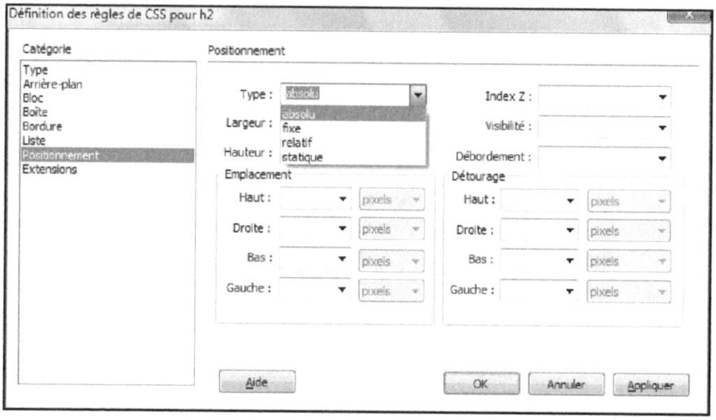

Figure 5.14 : La catégorie Positionnement de la boîte de dialogue Définition des règles de CSS.

Pour comprendre le positionnement, il est important de savoir qu'il est toujours relatif à autre chose, par exemple à un autre élément de la page ou encore à la fenêtre du navigateur. La manière de configurer le positionnement dépend de l'emplacement de l'élément dans la page, et de son imbrication éventuelle dans un autre.

Voici les options de positionnement :

- **Type :** Permet de spécifier la position absolue, relative, fixe ou statique d'un élément, comme par exemple une balise `<div>`. Vous avez le choix entre :
  - **Absolu :** Utilise les valeurs des coordonnées haut et gauche pour contrôler l'emplacement d'un objet par rapport à la fenêtre du navigateur ou de l'élément qui le contient. Par exemple, le positionnement d'un élément PA situé dans un autre élément PA est déterminé relativement à l'emplacement de ce dernier.
  - **Fixe :** Positionne un élément par rapport au coin supérieur gauche de la fenêtre du navigateur. Le contenu d'un élément qui est associé à un positionnement fixe restera constant, et ce même si l'utilisateur fait défiler la page.
  - **Relatif :** Utilise une position relative au point où l'élément a été inséré ou à son container.
  - **Statique :** Le positionnement conserve l'élément à l'endroit où vous l'insérez sur la page. Par défaut, tous les composants HTML qui peuvent être positionnés sont statiques.
- **Visibilité :** Permet de contrôler la capacité des navigateurs à afficher l'élément. Vous pouvez employer cette fonction en conjonction avec un langage de script, comme JavaScript, pour modifier dynamiquement l'affichage des objets. La visibilité permet de créer des effets variés sur une page, puisque vous pouvez contrôler le fait que quelque chose soit ou non affiché. Par exemple, il est possible de faire apparaître un élément uniquement lorsque l'utilisateur clique sur un bouton, puis de le faire disparaître lorsque le même bouton est à nouveau enfoncé. Les options sont les suivantes :
  - **Hériter :** L'élément possède la même visibilité que celui dans lequel il est inséré. Il s'agit du comportement par défaut.
  - **Visible :** L'élément est affiché.
  - **Masquer :** L'élément n'est pas affiché.

- **Largeur, Hauteur :** Vous permet de définir une largeur et une hauteur que vous pouvez utiliser dans les styles appliqués aux images, aux éléments PA et à tout autre objet dont il est possible de spécifier les dimensions. Les mesures sont exprimables en pixels, points, pouces, centimètres, millimètres, picas, ems, exs ou pourcentages.
- **Index Z :** Contrôle la position d'un objet, tel qu'un élément PA, sur la coordonnée Z. Cela signifie que vous contrôlez la manière dont il s'empile sur les autres éléments de la page. Plus la valeur est élevée, plus l'objet avance vers le premier plan.
- **Débordement :** Indique au navigateur la manière d'afficher le contenu d'un élément qui excède sa taille. (Cette option n'est pas affichée dans Dreamweaver.) Les options sont les suivantes :
  - **Visible :** Force l'élément à accroître sa taille pour afficher la totalité de son contenu. L'élément s'étend alors vers le bas et la droite.
  - **Masquer :** Coupe le contenu du calque qui ne s'ajuste pas aux dimensions requises. Aucune barre de défilement n'apparaît.
  - **Défiler :** Ajoute des barres de défilement sans se préoccuper de savoir si le contenu du calque excède effectivement sa taille.
  - **Auto :** Fait apparaître des barres de défilement si le contenu de l'objet excède ses limites. (Ce mode n'est pas affiché dans l'espace de travail de Dreamweaver.)
- **Emplacement :** Définit les dimensions et l'emplacement d'un élément à l'intérieur de son container. Par exemple, vous pouvez décider que le bord droit de l'élément s'aligne avec le bord droit de l'objet qui le contient. Les mesures sont exprimables en pixels, points, pouces, centimètres, millimètres, picas, ems, exs ou pourcentage de la taille du parent.
- **Détourage :** Lorsque le contenu d'un élément dépasse de l'espace alloué et que la propriété Débordement est réglée sur Défiler ou Auto, vous pouvez configurer les paramètres de détourage pour spécifier quelle partie de l'élément sera visible en contrôlant la section qui sera coupée si elle ne s'ajuste pas à la zone d'affichage.

La catégorie Extensions

Les extensions comprennent des filtres et des curseurs (voir la Figure 5.15).

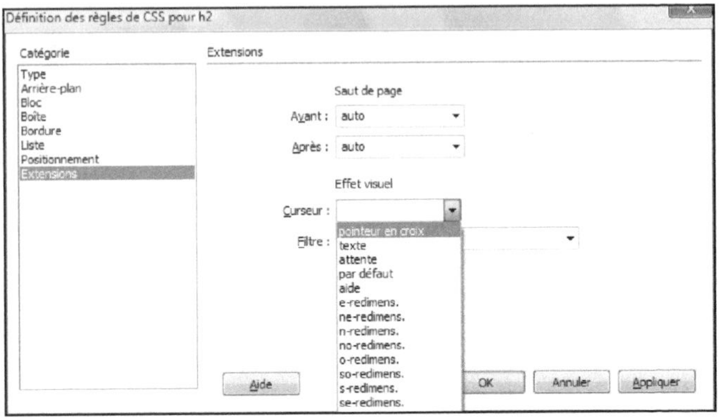

Figure 5.15 : La catégorie Extensions de la boîte de dialogue Définition des règles de CSS.

- **Saut de page :** Insère un point dans une page, indiquant à l'imprimante qu'il s'agit d'un saut de page. Cette option vous permet de contrôler la manière dont le document sera imprimé.
- **Curseur :** Définit le type de curseur qui apparaît quand un utilisateur déplace le pointeur sur un élément.
- **Filtre :** Permet d'appliquer des effets spéciaux aux éléments, comme des ombres portées et des flous de mouvement. Ces filtres ne sont visibles que dans Microsoft Internet Explorer.

Utiliser des feuilles de style externes

Jusqu'à présent, je n'ai parlé que de l'utilisation des feuilles de style internes. Avec celles-ci, les informations sont stockées dans le code HTML du document sur lequel vous travaillez et ne s'appliquent qu'à lui. Si vous voulez partager des styles entre plusieurs documents, vous devez recourir à des feuilles de style externes. Elles permettent de créer des styles que vous appliquez aux pages d'un site Web, les informations étant stockées dans un fichier distinct que vous pouvez lier à n'importe quel document HTML.

Les feuilles de style externes (ou *feuilles de style liées*) sont réellement ce qui vous fait prendre conscience du gain considérable de temps qu'apporte CSS. Vous pouvez définir des styles pour des options de formatage dont vous vous servez couramment dans l'ensemble d'un site, par exemple pour vos titres, vos légendes et même vos images. Cela rend l'application de mises en forme multiples rapide et facile. Les sites Web de type magazine ou journal font généralement appel à des feuilles de style externes, car ils doivent respecter en permanence une maquette prédéfinie, et ce quel que soit le nombre de personnes travaillant à leur réalisation. Attacher des styles à des balises HTML via une feuille externe est un moyen sûr de s'assurer que les contenus fournis par tous vos collaborateurs s'intégreront de façon cohérente dans vos pages. De plus, les feuilles de style externes permettent d'effectuer facilement des modifications globales. Il suffit de les modifier pour que tous les éléments utilisant ces styles soient immédiatement mis à jour.

Créer une feuille de style externe

Vous pouvez construire des feuilles de style externes exactement comme vous avez créé des feuilles de style internes. La seule différence est qu'une feuille de style externe doit être sauvegardée dans un fichier texte distinct. Quand vous utilisez Dreamweaver pour créer une feuille de style externe, il établit automatiquement un lien vers la page Web sur laquelle vous travaillez. Lier ensuite cette feuille à d'autres pages dans lesquelles vous voulez appliquer ses définitions de style ne pose absolument aucun problème.

Pour créer une feuille de style externe, procédez comme suit :

1. **Dans le menu Texte, cliquez sur Styles CSS, puis sur Nouveau.**

   La boîte de dialogue Nouvelle règle de CSS apparaît.

2. **Choisissez le type de style que vous voulez créer parmi les options Type de sélecteur.**

   Les trois options (Classe, Balise ou Avancé) ont été décrites plus haut dans les sections "Comprendre les styles" et "Comprendre les sélecteurs de style".

3. **Remplissez la case Nom, ou sélectionnez une option dans la liste Balise ou Sélecteur, selon le type de sélecteur choisi lors de l'étape 2.**

4. **Dans la section Définir dans, choisissez (Nouveau fichier feuille de style).**

   C'est ainsi que vous créez une feuille de style externe et non plus interne au document courant.

5. **Cliquez sur OK.**

   La boîte de dialogue Enregistrer le fichier feuille de style sous apparaît.

6. **Sélectionnez l'emplacement où vous voulez sauvegarder le fichier de la feuille de style.**

   Vous devriez toujours sauvegarder une feuille de style externe sous le dossier racine de votre site Web et la télécharger sur votre serveur lorsque vous rendez le site public. Pour plus d'informations sur la définition des sites, reportez-vous au Chapitre 2.

7. **Nommez le fichier.**

   Dreamweaver ajoute automatiquement l'extension caractéristique `.css`. Veillez à ne pas la supprimer.

8. **Cliquez sur Enregistrer.**

   La boîte de dialogue Définition des règles de CSS s'ouvre.

9. **Définissez la nouvelle règle de style en spécifiant toutes les options de formatage que vous voulez appliquer.**

10. **Cliquez sur OK pour enregistrer le nouveau style et fermer la boîte de dialogue.**

    Votre feuille de style est alors sauvegardée dans le fichier externe. La prochaine étape consiste à lier ce fichier à la page à laquelle vous souhaitez que les styles s'appliquent.

Lier une feuille de style externe

Une fois votre feuille de style externe enregistrée, vous pouvez avoir besoin de l'attacher à d'autres pages Web. Commencez par ouvrir la page concernée, puis suivez ces étapes :

1. **Sélectionnez Styles CSS dans le menu Fenêtre.**

   Le panneau Styles CSS apparaît.

2. **Dans le panneau Styles CSS, cliquez sur l'icône Attacher une feuille de style (le premier bouton dans le coin inférieur droit).**

   La boîte de dialogue Ajouter une feuille de style externe apparaît (voir la Figure 5.16). Elle vous invite à spécifier la feuille de style externe à attacher.

Figure 5.16 : La boîte de dialogue Ajouter une feuille de style externe.

Ajouter une feuille de style externe

Fichier/URL : CSS/Level1_Arial.css Parcourir... OK

Ajouter sous : lien / importer Aperçu

Média : print Annuler

Vous pouvez aussi saisir une liste de types de support, en séparant les éléments par des virgules. Aide

Dreamweaver propose des exemples de feuilles de style pour faire vos premiers pas.

3. **Utilisez le bouton Parcourir pour localiser le fichier CSS dans le dossier de votre site.**

   Vous pouvez également taper une adresse URL si le fichier CSS se trouve dans un site distant sur le Web. Mais il est plus courant d'utiliser une feuille de style stockée en local dans le dossier du site sur lequel vous travaillez. Dans tous les cas, Dreamweaver établit automatiquement le lien vers la feuille de style externe. Il enregistre également ce lien dans l'en-tête du fichier HTML tout en actualisant les styles de la page courante.

4. **Sélectionnez une des options Lien ou Importer.**

   Attacher une feuille de style par liaison constitue la voie HTML pure. L'importation permet à une feuille de style d'en appeler une autre.

5. **Sélectionnez une option dans la liste déroulante Média.**

   La liste déroulante Média permet de sélectionner le contexte d'emploi de la feuille de style. Par exemple, si vous avez créé une feuille de style formatant correctement la page pour un affichage sur PDA, vous choisirez l'option Handheld. Si votre mise en page est destinée à l'impression, activez l'option Print. Si vous voulez simplement savoir ce que donnera l'affichage dans un navigateur, laissez ce champ vierge.

6. **Cliquez sur OK.**

   La boîte de dialogue disparaît et le fichier CSS est automatiquement lié à votre page. Tous les styles que vous avez définis dans la feuille de style externe apparaissent maintenant dans le panneau Styles CSS (voir la Figure 5.17). Ces styles sont automatiquement appliqués à la page courante.

Vous pouvez attacher plusieurs feuilles de style à une même page HTML. Vous pouvez par exemple enregistrer tous vos styles de texte dans un fichier, ceux qui déterminent la mise en page dans un autre, puis associer les deux au même document. De cette manière, tous les

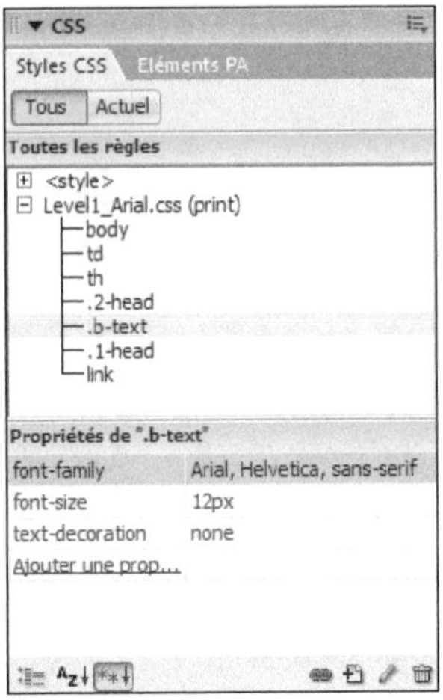

Figure 5.17 : Les feuilles de style externes liées au document courant apparaissent dans le panneau Styles CSS.

types de styles seront accessibles dans la page. De la même manière, il est aussi possible de créer des feuilles de style qui répondent à des objectifs différents, par exemple une destinée à l'impression et une autre pour l'affichage dans un navigateur.

Editer une feuille de style externe

Vous pouvez modifier les feuilles de style externes de la même façon que les feuilles internes, c'est-à-dire depuis le panneau Styles CSS. Celui-ci liste tous les styles du document, qu'ils soient internes ou externes. Pour éditer les règles de chaque style, servez-vous du volet Propriétés, sous le volet Toutes les règles. Il est également possible de faire un double clic sur le nom d'une règle pour ouvrir la boîte de dialogue Définition des règles de CSS et d'opérer les ajustements voulus.

Toutes les modifications que vous apportez à une feuille de style externe sont automatiquement répercutées dans tous les fichiers auxquels cette feuille est attachée (pour autant que cette feuille se trouve dans le même emplacement relatif que ces fichiers sur l'ordinateur local ou le serveur Web).

Si vous voulez éditer un fichier CSS distant, vous devrez le télécharger sur votre disque dur avant de l'ouvrir dans Dreamweaver. Il vous suffit alors de faire un double clic sur son nom, ou de passer par la commande Ouvrir du menu Fichier. Dans les deux cas, la feuille sera chargée en mode Code. Il s'agit de la seule vue disponible pour les fichiers CSS, puisque ceux-ci sont de simples textes sans aucun élément de mise en page. Dans ce cas, vous pouvez cependant toujours utiliser le panneau CSS pour éditer n'importe quel style préalablement défini, même si la feuille externe n'est pas liée à une page HTML. N'oubliez surtout pas de la sauvegarder lorsque vous avez terminé votre travail de correction !

Si vous le préférez, il reste toujours possible d'éditer manuellement les styles de la feuille dans la fenêtre de code. La Figure 5.18 illustre un exemple de feuille de style ouverte directement dans Dreamweaver. Remarquez que le panneau Styles CSS affiche toutes les informations contenues dans cette feuille, et qu'il permet d'utiliser toutes les boîtes de dialogue CSS comme à l'habitude.

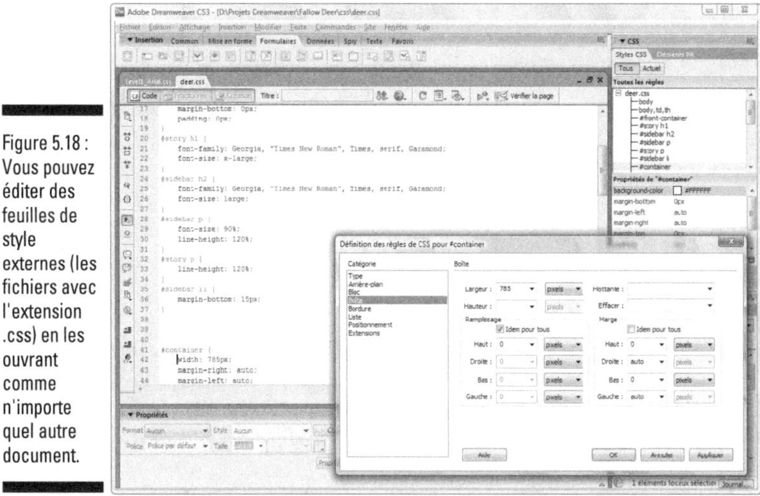

Figure 5.18 : Vous pouvez éditer des feuilles de style externes (les fichiers avec l'extension .css) en les ouvrant comme n'importe quel autre document.

Lorsque vous éditez une feuille de style externe, vous devez la transférer sur votre serveur Web pour que les changements soient appliqués aux pages de votre site public.

Appliquer des feuilles de style externes prêtes à l'emploi

Dreamweaver contient tout un ensemble de feuilles de style externes prêtes à l'emploi. Celles-ci reprennent certaines des mises en page les plus populaires du Web. Vous pouvez utiliser ces styles en l'état ou bien les modifier pour qu'ils répondent à vos besoins particuliers.

Pour accéder aux exemples de feuilles de style fournis par Adobe, suivez ces étapes :

1. **Choisissez Fichier, puis Nouveau.**

   Vous accédez à la boîte de dialogue Nouveau document (voir la Figure 5.19).

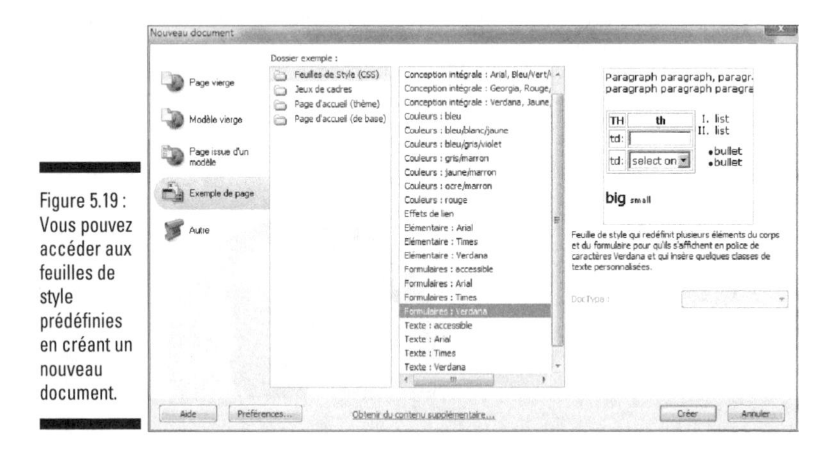

Figure 5.19 : Vous pouvez accéder aux feuilles de style prédéfinies en créant un nouveau document.

2. **Cliquez à gauche sur l'option Exemple de page. Dans la liste Dossier exemple, sélectionnez Feuilles de style (CSS). Il ne vous reste plus qu'à choisir un modèle dans la liste qui suit.**

   Remarquez que la partie droite de la fenêtre permet de prévisualiser les styles.

3. **Une fois trouvé un modèle qui vous plaît, cliquez sur Créer.**

   Comme il s'agit d'une feuille de style en cascade, elle s'affiche en mode Code.

4. **Pour enregistrer la feuille de style, ouvrez le menu Fichier et cliquez sur Enregistrer (ou Enregistrer sous). Sauvegardez-la dans le dossier du site auquel vous pensez l'appliquer.**

   Vous pouvez également modifier les règles de la feuille avant d'enregistrer le fichier. Cela permet de créer une feuille de style personnalisée. Dans ce cas, vous choisirez la commande Enregistrer sous pour conserver la feuille de style originale intacte.

Utilisation de CSS avec des modèles

Les modèles, traités dans le Chapitre 9, constituent un complément idéal à CSS, car ils vous permettent de recréer facilement des mises en page et de les mettre automatiquement à jour lorsque quelque chose change. Vous pouvez exploiter avec vos modèles des feuilles de style internes ou externes, puis actualiser directement les pages ainsi créées en changeant la conception du modèle, les styles ou bien les deux. Bien qu'il soit un peu long de concevoir dès l'origine une page en utilisant CSS et des modèles, le temps gagné par la suite par cette automatisation des corrections et des évolutions vaut largement l'investissement initial.

Utiliser le panneau CSS

Le panneau Styles CSS sert aussi à organiser les styles lorsque des feuilles sont attachées (voir la Figure 5.20). Par exemple, vous pouvez déplacer des styles d'une feuille à une autre en faisant glisser leur nom au bon endroit. Vous pouvez également utiliser la même technique pour réorganiser les styles à l'intérieur d'une feuille, ou encore pour transférer des styles d'une feuille interne vers un fichier externe.

Le panneau Styles CSS permet de renommer des styles. Cependant, cela ne met pas à jour les références correspondantes dans le code HTML de vos pages. Si vous procédez ainsi, il vous faudra vous-même changer le nom que vous avez modifié dans le code HTML de la page, ou encore appliquer aux éléments concernés le style portant le nouveau nom. Si vous créez par exemple un style appelé `.legendeimage` et l'utilisez pour formater les légendes de vos photographies, puis le renommez `.grandelegendeimage` dans le panneau Styles CSS, vous devrez actualiser manuellement toutes vos légendes.

Sur le côté gauche du panneau, vous pouvez voir une série d'icônes (reportez-vous aux légendes de la Figure 5.20). Elles s'appliquent dans les deux modes Tous et Actuel. En voici la description :

- **Afficher la vue par catégorie :** Dreamweaver affiche toutes les propriétés disponibles de la règle, classées selon les catégories auxquelles elles se rattachent. Par exemple, toutes les propriétés concernant les polices de caractères sont regroupées dans une catégorie Police.
- **Afficher la vue sous forme de liste :** Affiche toutes les propriétés disponibles pour une règle, classées par ordre alphabétique.

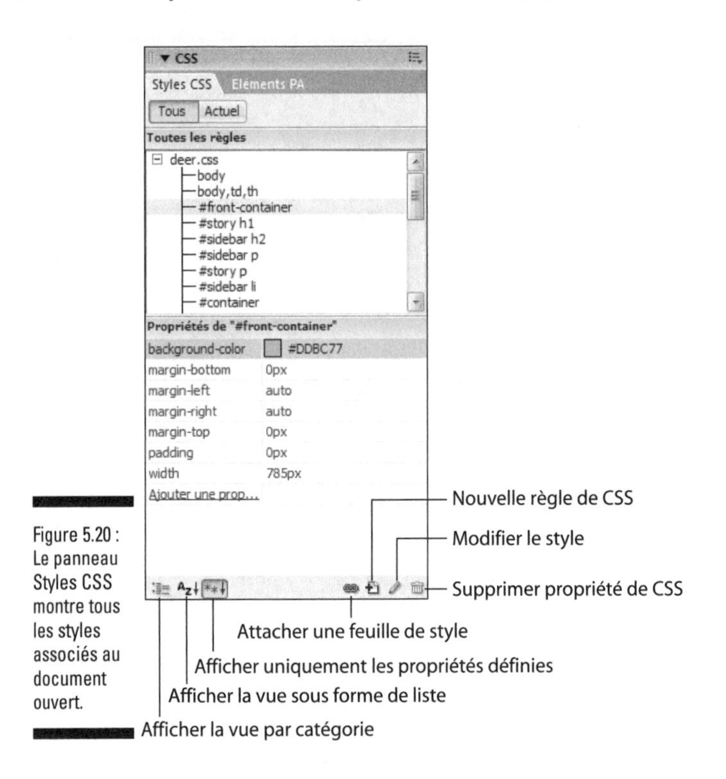

Figure 5.20 : Le panneau Styles CSS montre tous les styles associés au document ouvert.

- **Afficher uniquement les propriétés définies :** Lors de la création d'une nouvelle règle, vous ne définissez que certaines propriétés parmi tout un ensemble des possibilités. Dans ce mode d'affichage, Dreamweaver ne montre que les propriétés que vous avez définies pour cette règle.

Le second ensemble d'icônes, en bas et à droite du panneau Styles CSS, comporte des boutons utiles quel que soit le mode d'affichage du panneau. De gauche à droite, on trouve les icônes Attacher une feuille de style, Nouvelle règle de CSS, Modifier le style, Supprimer propriété de CSS (c'est la corbeille). Le moyen le plus simple pour débuter une nouvelle feuille est de créer un nouveau style. Pour cela, cliquez sur Nouvelle règle de CSS, la deuxième icône en bas et à droite du panneau CSS.

Le mode Tous du panneau Styles CSS

Le panneau Styles CSS comporte deux modes, accessibles en cliquant sur des boutons situés en haut du panneau. Le premier affiche le volet Tous, qui ouvre une liste de l'ensemble des règles définies dans un document ou dans une feuille de style attachée, ou les deux. Vous pouvez alors sélectionner un style dans le panneau Styles CSS ; ses propriétés sont affichées dans la partie inférieure du panneau. Il est ainsi possible d'ajouter, éditer et supprimer des propriétés dans ce volet (reportez-vous à la Figure 5.20).

Si vous ne voyez pas vos styles listés dans le panneau Styles CSS alors que le mode Tous est actif, c'est probablement que vous n'avez pas ouvert la feuille de style pour les afficher. Si c'est le cas, cliquez sur le signe "+" (ou le triangle sur Mac) qui se trouve devant la balise `<style>` (si vous utilisez une feuille interne) ou devant le nom du fichier d'extension `.css` (si vous avez attaché une feuille externe à la page). Un panneau Styles CSS parfaitement vierge quand vous cliquez sur Tous signifie qu'aucun style n'a été défini dans la page.

Figure 5.21 : Le mode Actuel du panneau Styles CSS montre uniquement les styles appliqués à l'élément sélectionné dans le document ouvert.

Le mode Actuel du panneau Styles CSS

Lorsque vous cliquez sur le bouton Actuel, en haut du panneau Styles CSS, vous pouvez voir les styles qui sont *effectivement* appliqués à n'importe quel élément sélectionné sur une page (voir la Figure 5.21). Ce mode est utile pour identifier la manière dont les styles sont utilisés pour tel ou tel élément, et pour résoudre d'éventuels conflits.

Le mode Actuel contient trois sections : Résumé de la sélection, A propos de et Propriétés de. Dans la première, vous pouvez voir les règles qui sont définies pour le style sélectionné. Si vous cliquez sur le bouton qui se trouve à droite de la section A propos de, celle-ci devient Règles. Elle affiche alors toutes les règles qui sont appliquées à l'élément sélectionné. Ce volet est particulièrement utile lorsque vous avez créé une mise en page complexe et que vous essayez de comprendre comment plusieurs styles peuvent affecter le même élément. Enfin, la troisième section, comme dans le mode Tous, permet d'éditer, ajouter ou supprimer des règles de style.

Chapitre 6

Créer des mises en page CSS

Dans ce chapitre :

- Créer des mises en page avec CSS.
- Comparer les différences entre navigateurs.
- Créer des mises en page CSS avec des balises `<div>`.
- Utiliser les éléments PA de Dreamweaver.

Attachez votre ceinture. Vous entrez dans l'une des fonctionnalités les plus complexes que Dreamweaver ait à vous offrir. Mais je pense que vous trouverez que la puissance et la précision de ces options valent les efforts à fournir. De nos jours, il existe des variétés de méthodes différentes pour concevoir des pages Web, mais l'utilisation de CSS pour le formatage et la mise en page est clairement la meilleure approche à suivre dans des temps où les navigateurs s'améliorent sans cesse et où l'accessibilité prend une importance de plus en plus considérable.

Utiliser CSS pour la mise en page

Bien que vous puissiez employer n'importe quel élément HTML sur une page, la balise `<div>` est la plus usitée lorsqu'il s'agit de réaliser des mises en page avec CSS. `<div>` est l'abréviation de *division*. Songez à la balise `<div>` comme étant simplement un container qui regroupe un certain contenu, ou comme une division de page qui sépare celle-ci en sections distinctes. Contrairement aux autres balises HTML, `<div>` ne dispose d'aucun attribut de formatage qui lui soit propre. Tant qu'un style CSS n'est pas appliqué à une balise `<div>`, elle peut sembler invisible sur la page. Et pourtant elle est remplie de puissance, puisque tout contenu délimité par <div> devient un objet (ou une boîte) qui peut être formaté avec CSS. Lorsque vous créez un style qui correspond à un identificateur (ID) de balise <div>, vous avez la possibilité de spécifier certaines propriétés, comme l'alignement, la bordure, la marge, la hauteur et la largeur, afin de contrôler la manière dont elle est affichée sur la page. Dans les exercices qui suivent, vous trouverez des instructions détaillées pour utiliser des balises <div> afin de regrouper des contenus, et CSS pour les formater.

Comparer les blocs et les éléments en ligne

Les balises HTML peuvent être divisées en deux catégories : les éléments bloc et les éléments en ligne. Un *élément bloc* (comme la balise <div>) interrompt le flux de la page, en créant une boîte ou bloc autour duquel les autres éléments de la page s'agencent. Certaines balises HTML ordinaires sont des éléments blocs, comme la balise de paragraphe <p> qui crée un saut de ligne avant et après son emplacement, et ne permet pas d'afficher quelque chose à côté d'elle. Les balises de titre, comme <h1>, <h2> et <h3>, ou encore les listes, comme <ul> et <ol>, sont également des éléments bloc. Les *éléments en ligne* sont contenus dans un flux de texte ; ils ne contiennent pas de lignes de début et de fin. Par exemple, les balises <strong> et <em> sont des éléments en ligne. Vous pouvez les placer les uns après les autres, sans qu'aucun saut de ligne n'apparaisse entre chaque élément. Ils sont tout simplement dans le flux du texte.

Créer des mises en page en utilisant le modèle de boîte

Bien que vous puissiez réaliser des pages avec CSS en suivant des approches différentes, l'une des plus courantes et des plus efficaces consiste à définir des séries d'éléments bloc, comme des balises <div>, en affectant à chacun un identificateur (ID), puis à créer un style ID contrôlant la manière dont l'élément bloc, c'est-à-dire le container, apparaît sur la page.

Sur la Figure 6.1, vous voyez un diagramme représentant une série d'éléments bloc, chacun contenant un texte qui décrit l'ID de la base <div> ainsi que le style correspondant. Les noms des styles débutent toujours par le caractère #, et ils doivent correspondre à l'ID correspondant affecté à un élément dans le code HTML.

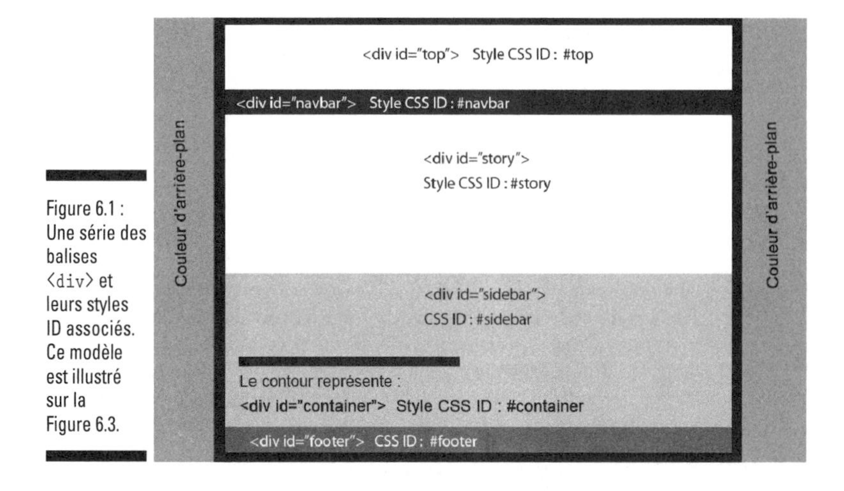

Figure 6.1 : Une série des balises `<div>` et leurs styles ID associés. Ce modèle est illustré sur la Figure 6.3.

Sur la Figure 6.2, vous remarquez que les mêmes boîtes ont été redisposées avec CSS de manière à en contrôler l'emplacement et la largeur. La balise `<div>` dont l'ID est *container* a été centrée, tandis que *story* et *sidebar* ont été placées côte à côte. Les définitions CSS sont également utilisées pour définir la police et la position du texte à l'intérieur de chaque balise `<div>`.

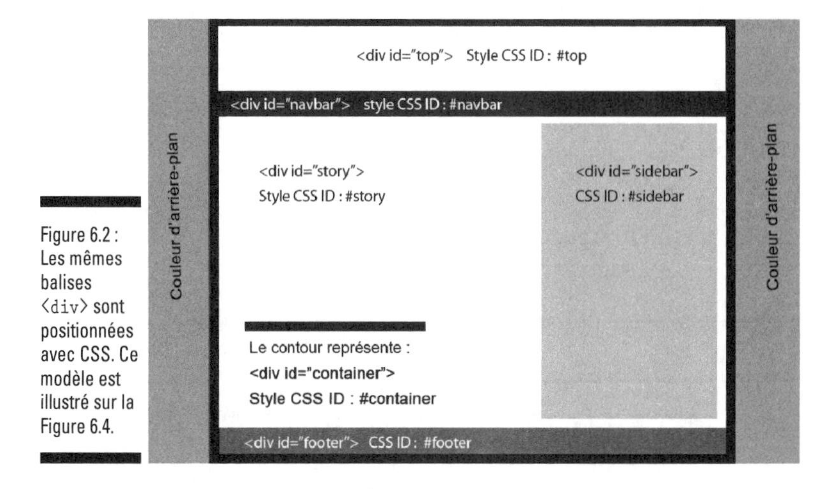

Figure 6.2 : Les mêmes balises `<div>` sont positionnées avec CSS. Ce modèle est illustré sur la Figure 6.4.

Lorsque vous créez une mise en page CSS telle que celle-ci, vous commencez par définir simplement des balises `<div>` qui partagent la largeur de la page et s'empilent les unes sur les autres. Une fois les boîtes en place, vous pouvez commencer à ajouter du contenu, comme du texte ou des images, dans chaque emplacement. Ensuite, vous passez à la définition des styles qui vont positionner chacune de ces boîtes pour produire la mise en page voulue. Vous pourriez travailler dans l'autre sens. Mais, à l'expérience, je trouve qu'il est plus facile de réfléchir aux styles lorsque je vois le contenu en place.

Dans l'exercice qui suit, vous allez créer une série de balises `<div>` avec des identificateurs (ID), puis insérer du texte et des images, à l'instar de ce que vous pouvez voir sur la Figure 6.3 (c'est un de mes sites personnels préférés). Dans la seconde partie de l'exercice, vous créerez les styles ID qui correspondent aux identificateurs affectés à chaque balise `<div>`, afin d'obtenir la disposition illustrée sur la Figure 6.4.

Figure 6.3 : La même page que sur la Figure 6.4, mais avec l'affichage des styles désactivé de manière à n'afficher que la structure sous-jacente et le formatage HTML.

Afficher la page sans les styles dans Firefox

Lorsque vous affichez une page HTML dans Firefox, vous pouvez utiliser l'option Aucun style pour ne pas tenir compte de la feuille de style et ne voir par conséquent que la structure sous-jacente de la page Web. Cette méthode peut aider à mieux comprendre comment

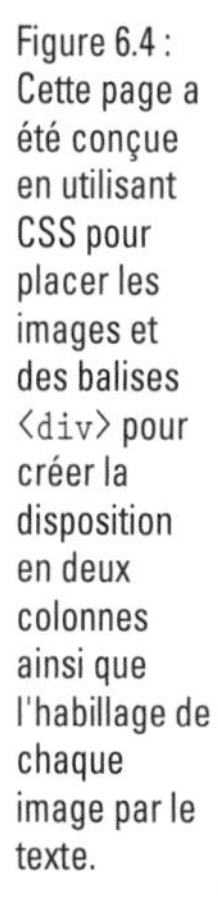
Figure 6.4 : Cette page a été conçue en utilisant CSS pour placer les images et des balises <div> pour créer la disposition en deux colonnes ainsi que l'habillage de chaque image par le texte.

les styles affectent les documents HTML et à tester vos propres pages pour juger de leur organisation.

Les Figures 6.3 et 6.4 montrent la même page sous Firefox, mais affichée sans les styles dans le premier cas. Pour obtenir ce résultat, ouvrez le menu Affichage, puis choisissez Style de la page et Aucun style. Pour revenir à la normale, sélectionnez cette fois l'option Style de base de la page. Dans le cas où une page est associée à plusieurs feuilles de style, vous pourrez choisir dans ce sous-menu celles que vous souhaitez masquer.

Conception sémantique des pages

La page illustrée sur les Figures 6.3 et 6.4 a été conçue sémantiquement, autrement dit son contenu sera affiché en suivant un ordre d'importance et selon un formatage logique, même si les styles ne sont pas visibles ou sont désactivés.

Par exemple, le bandeau introductif apparaît toujours en haut de la page, avec ou sans feuille de style. En dessous de cette bannière, vous voyez une liste de liens formatés en utilisant la balise <ul> (liste simple ou non ordonnée). L'emploi de cette balise est une technique courante pour formater des *listes* de liens, car, avec ou sans CSS, il est évident que ceux-ci doivent être regroupés ensemble sur la page. Avec CSS, vous avez la possibilité de modifier l'affichage des listes et des liens, ce qui permet de les afficher dans un tout autre style. C'est ce que vous pouvez constater sur la Figure 6.4.

Comparer les marges et le remplissage

L'un des aspects les plus déroutants du modèle de boîte est le fonctionnement des options qui définissent les marges et le remplissage. Pour l'essentiel, le remplissage ajoute de l'espace *à l'intérieur* d'un élément, tandis que les marges ajoutent de l'espace *à l'extérieur* de cet élément. Sur la Figure 6.5, vous voyez une balise `<div>` à laquelle est associé un style ID qui crée une bordure et place dans celle-ci un remplissage de 20 pixels, ainsi qu'une marge de 50 pixels autour de cette bordure.

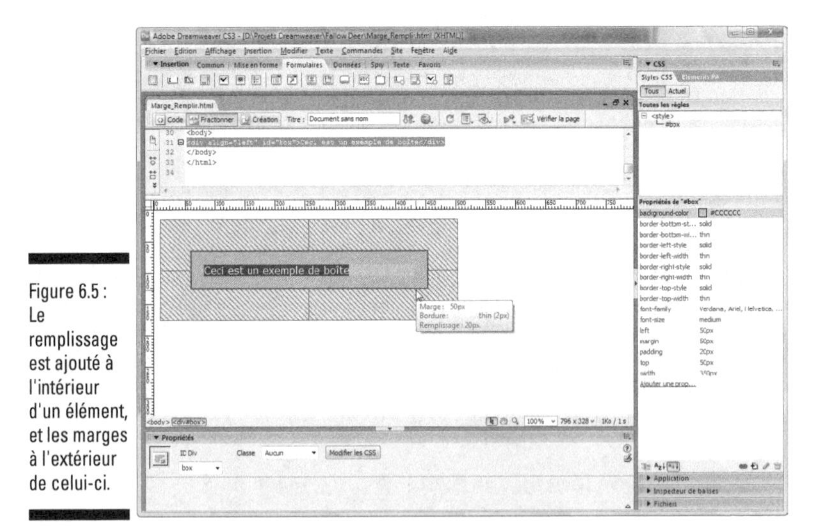

Figure 6.5 : Le remplissage est ajouté à l'intérieur d'un élément, et les marges à l'extérieur de celui-ci.

Définir un remplissage, c'est un peu comme insérer un rembourrage dans la boîte pour que son contenu ne vienne pas buter sur les bords. Ajouter une marge, c'est comme envelopper la boîte dans de la mousse pour qu'elle ne vienne pas buter sur les autres boîtes.

Rien de sorcier là-dedans. Mais c'est justement là que la confusion peut s'installer. Si vous spécifiez une largeur pour une balise `<div>` (ou tout autre élément de type boîte), ce qui est précisément le cas sur l'exemple de la Figure 6.5, cette largeur est affectée par le remplissage. Le style ID qui contrôle l'affichage de la balise `<div>` de mon exemple a une largeur initiale de 350 pixels. Mais lorsque vous définissez un remplissage pour un container, le navigateur agrandit la taille de ce dernier en lui ajoutant la valeur du remplissage. Ce qui donne donc sur la Figure 6.5 une largeur totale pour la balise <div> de 400 pixels.

Les marges du style pour la balise <div> sont de 50 pixels, ce qui fait que celle-ci est placée à 50 pixels du haut et de la gauche de la page, avec un espacement également de 50 pixels en bas et sur la droite. Cela permet donc d'éviter qu'un autre élément vienne occuper cette surface.

Le style ID pour la balise <div> définit également une bordure mince qui permet de mieux visualiser la disposition de l'élément. Cette bordure a une largeur de 2 pixels, qui vient se surajouter à l'ensemble. La largeur finale de la balise <div> est donc de 404 pixels, soit 350 pixels pour l'élément, plus 50 pixels de remplissage, et enfin 2 pixels pour la bordure. Comme vous allez le voir dans l'exercice suivant, comprendre la manière dont les styles affectent les dimensions des éléments est particulièrement important lorsqu'il s'agit de placer côte à côte deux containers, ce qui est le cas sur la Figure 6.4.

Pour s'assurer que le contenu de la page est effectivement positionné par rapport au coin supérieur gauche de la fenêtre, il est utile de définir une marge égale à zéro dans un style associé à la balise <body>. En effet, la plupart des navigateurs en général, et l'espace de travail de Dreamweaver en particulier, utilisent par défaut un décalage de 10 pixels afin d'éviter que les éléments ne viennent se plaquer sur les bords de la fenêtre. Pour cela, il vous suffit d'ouvrir la boîte de dialogue Propriétés de la page à partir du menu Modifier. Entrez la valeur 0 dans chacun des champs Marge et validez (voir la Figure 6.6). Dreamweaver va alors automatiquement créer un style de balise CSS appelé *body*.

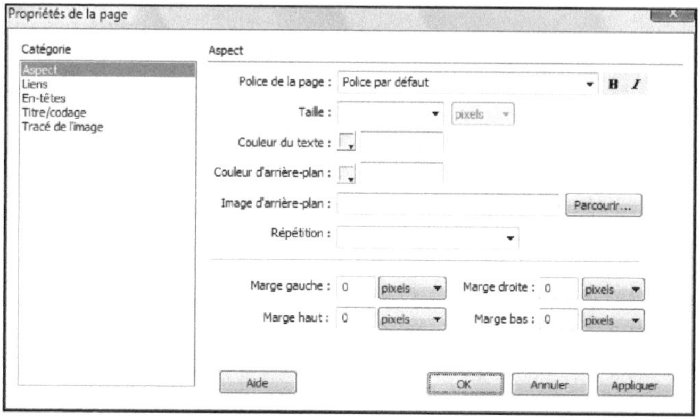

Figure 6.6 : Supprimez le décalage automatique en haut et à gauche de chaque page en définissant des marges nulles.

Les sélecteurs CSS d'un coup d'œil

Lorsque vous allez créer des mises en page avec CSS, vous serez amené à utiliser une combinaison de sélecteurs de type classe, balise et ID. Considérez cet encadré comme un rappel rapide et pratique concernant l'emploi de ces différents types de sélecteurs dans une page Web. Pour une description plus détaillée, reportez-vous au Chapitre 5.

Les sélecteurs de classe peuvent être utilisés pour produire des styles totalement nouveaux. Une fois que vous avez créé un sélecteur de classe, il peut être appliqué à n'importe quel élément et être utilisé autant de fois que vous le voulez dans une même page Web. Vous pourriez par exemple définir un style de classe appelé `.image-droite`, et l'utiliser pour aligner une image (ou un autre élément) sur la droite en configurant la balise `<img>` de la manière suivante :

```
<img src="maphoto.jpg" width="200" height="250" alt="Encore une belle
photo" class"image-droite" />
```

Les sélecteurs de balise servent à redéfinir des balises HTML existantes. Chaque fois qu'une telle balise est insérée dans le code HTML, ce sont les attributs du style qui lui sont appliqués à la place des valeurs par défaut du navigateur. Vous pouvez par exemple redéfinir les balises `<ul>` et `<li>` pour changer l'affichage d'une liste simple. Voyez plus loin la section "Donner du style à une liste de liens".

Les sélecteurs ID sont inclus dans les options avancées des styles de Dreamweaver. Vous pouvez utiliser des sélecteurs OD pour définir des éléments qui ne sont appliqués qu'une seule fois dans une page Web. Par exemple, si vous voulez créer une section de copyright en bas d'une page, vous pourriez faire appel à une balise `<div>` comme container pour cette mention légale en lui affectant un ID correspondant à un style qui contrôle la position et la mise en forme de cette information. L'attribut ID peut être employé avec n'importe quelle balise, mais il est généralement associé à une balise `<div>`. Par exemple :

```
<div id="copyright">Copyright Janine Warner - 2007</div>
```

Afficher CSS dans différents navigateurs

Ni moi ni Dreamweaver ne pourrons vous montrer à quoi vont ressembler exactement vos pages Web lorsqu'un utilisateur viendra visiter votre site. En effet, différents navigateurs n'affichent pas les pages de la même manière, remarque particulièrement vraie pour d'anciennes versions qui ne supportent pas pleinement CSS, ni d'ailleurs d'autres fonctionnalités aujourd'hui standardisées.

Si vous voulez obtenir un affichage cohérent sur n'importe quel navigateur passé, présent et même futur, vous devrez vous tourner vers des techniques CSS plus élaborées une fois que vous aurez terminé ce livre, et explorer des "trucs" qui ont été développés pour contourner ce problème. Ces nombreux livres et sites Web sont précisément consacrés aux méthodes CSS avancées. Pour débuter, sachez que je vous propose de découvrir diverses études de cas sur mon site `www.DigitalFamily.com/dreamweaver`.

Pour les besoins de ce livre, j'ai conçu des pages dont l'affichage reste cohérent sous Internet Explorer version 6 et plus, Firefox 1.5 et plus (sous Windows), ainsi que Safari et Firefox sur Mac. Cela ne couvre évidemment pas tout le champ des possibilités, mais les navigateurs ainsi ciblés représentent la grande majorité du parc actuel. Je vous laisse décider s'il convient de vous intéresser aux visiteurs qui se servent de versions plus anciennes, et si vous aurez besoin de pousser plus loin vos investigations sur CSS une fois que vous aurez terminé ce livre.

L'exercice qui suit vous explique comment réaliser avec CSS une disposition sur deux colonnes qui soit compatible avec les dernières versions des navigateurs les plus en vue sur le Web de nos jours.

Créer une mise en page avec CSS

L'exercice qui suit va vous montrer comment créer une mise en page semblable à celle illustrée Figure 6.4. Pour cela, nous utiliserons une série de balises `<div>` insérées à l'intérieur d'une autre balise `<div>` appelée *container*. Le style correspondant affectera à ce container une largeur fixe de 780 pixels. Comme vous allez le voir lors de l'étape 6, l'astuce permettant de centrer une balise `<div>` à partir d'un style consiste à définir une taille automatique pour les marges gauche et droite de l'élément. De cette manière, le navigateur équilibrera l'espace sur chaque côté, ce qui revient effectivement à centrer la balise `<div>`. Ce petit truc est important à retenir, car les éléments de bloc ne possèdent pas d'option de centrage.

Pour créer une disposition sur deux colonnes, de largeur fixe, avec un en-tête et un pied de page, en utilisant CSS et des balises `<div>`, suivez ces étapes :

1. **Dans le menu Fichier, cliquez sur Nouveau, puis choisissez Page vierge dans la colonne de gauche, HTML dans les options**

Type de page, et enfin<aucun(e)> dans la liste Mise en forme. Cliquez alors sur Créer.

Vous pouvez également vous servir de l'un des modèles CSS prédéfinis qui sont proposés dans la colonne Mise en forme.

2. **Sauvegardez la page dans le dossier racine de votre site.**

   Il est important d'enregistrer toutes les pages d'un site Web dans la racine du site. Si vous avez besoin de revoir la définition et la configuration d'un site Web, reportez-vous au Chapitre 2.

3. **Dans le menu Modifier, choisissez l'option Propriétés de la page et spécifiez les paramètres de celle-ci.**

   Pour cet exemple, j'ai défini les marges comme étant toutes égales à zéro et sélectionné une couleur vert foncé pour l'arrière-plan.

   Vous remarquerez que, quand vous cliquez sur OK, Dreamweaver crée automatiquement un style pour la balise `<body>` qu'il sauvegarde dans une feuille interne placée au début du document HTML.

4. **Insérez des balises `<div>` pour chaque section devant recevoir du contenu.**

   Cette étape est un peu plus compliquée, mais le but en est simple : insérer une balise `<div>` pour chaque collection de contenu que vous voulez voir apparaître sur la page. Pour cela, cliquez sur le bouton Insérer la balise Div, dans la barre d'outils Commun, et entrez un nom dans le champ ID de la boîte de dialogue. Lorsque vous cliquez sur OK, la balise `<div>` est insérée dans la page et sur toute la largeur de celle-ci. Recommencez la même procédure pour toutes les balises dont vous avez besoin. Toute la difficulté consiste à s'assurer que les balises `<div>` sont toutes définies dans l'ordre voulu, et qu'elles sont imbriquées dans le container principal, autrement dit dans la balise `<div>` ayant pour ID dans cet exemple *container*. Pour vous y aider, la Figure 6.7 illustre le résultat à obtenir en vous montrant l'espace de travail du document fractionné entre code et création.

   Dans cet exemple, j'ai créé une balise `<div>` ayant pour ID *container*, puis placé une série d'autres balises `<div>` à l'intérieur de ce container. Leurs ID sont les suivants : *top* (pour la bannière graphique), *navbar* (pour les liens de navigation), *story* (pour le texte principal), *sidebar* (pour la seconde colonne), et enfin *footer* (pour le copyright, en bas de la page).

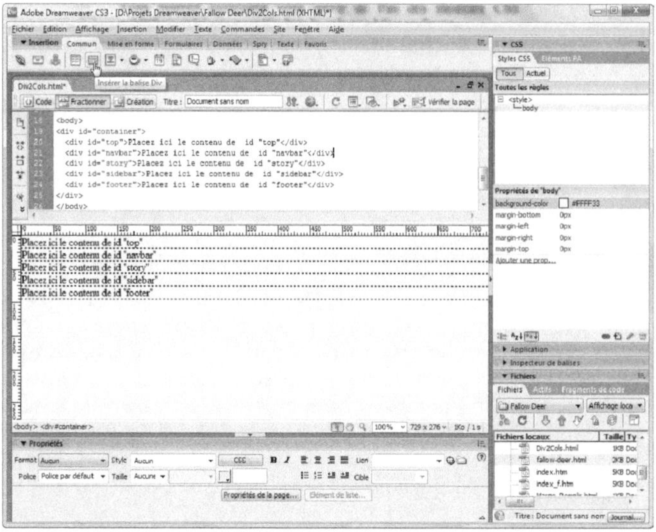

Figure 6.7 : Lorsque vous insérez des balises <div>, utilisez l'affichage fractionné pour visualiser l'ordre dans lequel les balises sont insérées dans la page.

5. **Ajoutez votre contenu à chacune des balises `<div>`.**

   Bien qu'il soit possible de créer les styles voulus en même temps que les balises `<div>`, je trouve qu'il est plus facile et plus efficace de mettre les contenus en place avant de définir les styles qui vont les formater et les positionner. Vous pouvez remplir une balise `<div>` exactement comme vous ajouteriez du contenu partout ailleurs sur une page. Pour cet exemple, j'ai simplement repris des textes provenant d'un document Word par de simples copier/coller, et ajouté les illustrations à l'aide de l'icône Images de la barre d'outils Commun.

6. **Créez un style pour la première balise `<div>`, en l'occurrence le container.**

   Pour définir un style pour le container `<div>` :

   a. **Dans le menu Texte, choisissez Styles CSS, puis Nouveau.**

   b. **Sélectionnez le type de sélecteur Avancé et entrez un nom correspondant exactement à la balise concernée par ce style.**

      N'oubliez pas que, lorsque vous créez un style ID, le nom doit débuter par le caractère #.

c. **Spécifiez si le style doit s'appliquer uniquement au document ou s'il doit être enregistré dans une feuille de style externe.**

Pour cet exercice, nous en resterons au document actif.

d. **Cliquez sur OK.**

e. **Spécifiez les options de formatage voulues dans la catégorie Boîte de la boîte de dialogue Définition des règles de CSS.**

Comme vous pouvez le constater sur la Figure 6.8, j'ai défini la largeur de mon container avec une valeur de 780 pixels. Comme je l'ai déjà expliqué, l'astuce pour centrer une balise comme celle-ci consiste à choisir la valeur *auto* pour les marges gauche et droite. De cette manière, le navigateur ajoutera un espace identique des deux côtés de la balise `<div>`, ce qui revient bien à centrer l'objet. J'ai également défini un arrière-plan blanc.

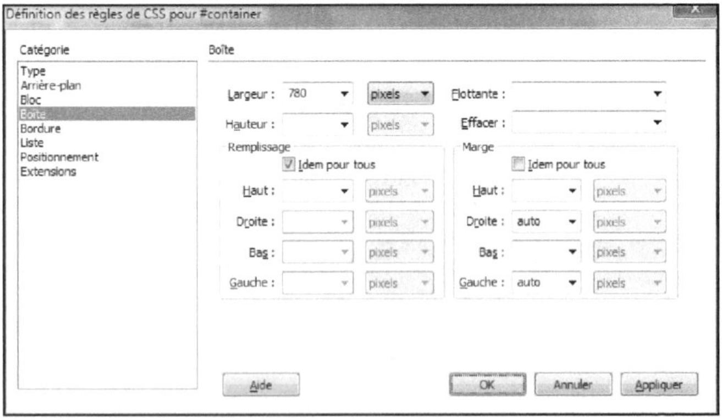

Figure 6.8 : Utilisez la catégorie Boîte pour définir la largeur, les marges et autres paramètres de la balise `<div>`.

Lorsque vous créez un style ID qui prend le même nom que celui qui est affecté à une balise `<div>`, ce style est immédiatement appliqué dès que vous validez la boîte de dialogue. Vérifiez bien que les noms correspondent exactement. Sinon, le style ne sera pas associé par Dreamweaver à la balise.

f. **Cliquez sur OK pour fermer la boîte de dialogue Définitions des règles de CSS et sauvegarder le style.**

7. **Calculez la largeur et l'emplacement des deux colonnes de la mise en page.**

Pour s'assurer du bon fonctionnement de votre maquette, vous devez calculer la largeur de vos colonnes afin de définir les styles des balises <div> *story* et *sidebar*. Comme vous pouvez le voir sur la Figure 6.9, je veux ici, partant du fait que le style #container est configuré sur 780 pixels de large, que le style #story occupe 410 pixels avec un remplissage de 10 pixels. Cela nous donne un total de 430 pixels (410 + 10 + 10). Le cas de la balise *sidebar* est un peu plus compliqué, car il faut tenir compte d'une bordure ainsi que de l'espacement dont nous avons besoin pour séparer son contenu des limites du container et de la balise *story*. J'ai choisi une largeur de 310 pixels, une marge extérieure de 10 pixels (soit 20 pixels en tout), un remplissage de 8 pixels sur chaque bord (soit 16 pixels pour les deux côtés), et enfin une bordure mince de 2 pixels d'épaisseur (soit 4 pixels en tout). Faites l'opération : la balise <div> sidebar va occuper 350 pixels, qui, ajoutés aux 430 pixels de la balise story, correspondront exactement aux 780 pixels de large du container (vous avez tout à fait le droit d'utiliser une calculatrice).

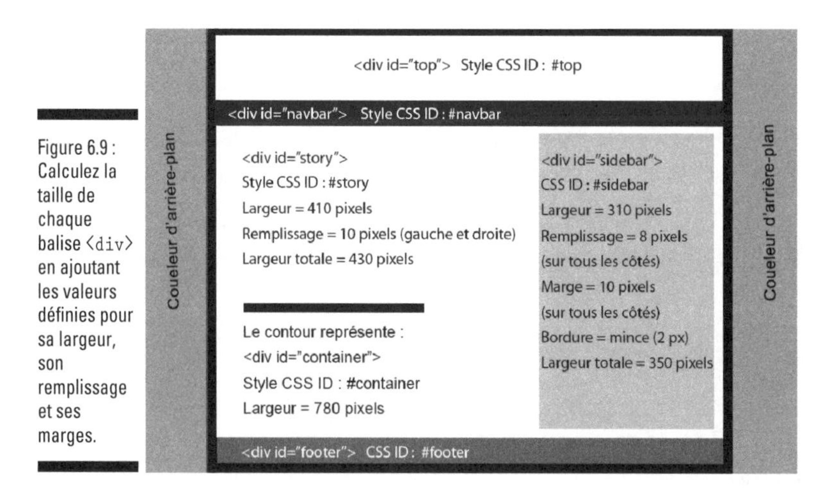

Figure 6.9 : Calculez la taille de chaque balise <div> en ajoutant les valeurs définies pour sa largeur, son remplissage et ses marges.

8. **Créez les styles des balises <div> story et sidebar.**

   Une fois vos calculs opérés et soigneusement notés, vous devriez être prêt à définir les styles des deux colonnes. En plus de la largeur, du remplissage, des marges et de la bordure établis lors de l'étape 7, j'ai également utilisé l'option Flottante pour aligner les balises <div> sur les bords gauche et droit de la manière suivante :

a. **Dans le menu Texte, choisissez Styles CSS, puis Nouveau.**

b. **Sélectionnez le type de sélecteur Avancé et entrez un nom correspondant exactement à la balise concernée par ce style.**

J'ai nommé le premier style #sidebar pour l'associer à la balise `<div>` correspondante.

c. **Cochez l'option Seulement ce document, puis cliquez sur OK.**

d. **Sélectionnez la catégorie Boîte et spécifiez vos options de mise en forme.**

Comme l'illustre la Figure 6.10, j'ai défini pour la balise `<div>` sidebar une largeur de 310 pixels, des marges de 10 pixels, un remplissage de 8 pixels, et un mode flottant Droite. Sur la Figure 6.11, vous pouvez constater que j'ai également ajouté à l'élément un encadrement mince, solide et rouge depuis la catégorie Bordure.

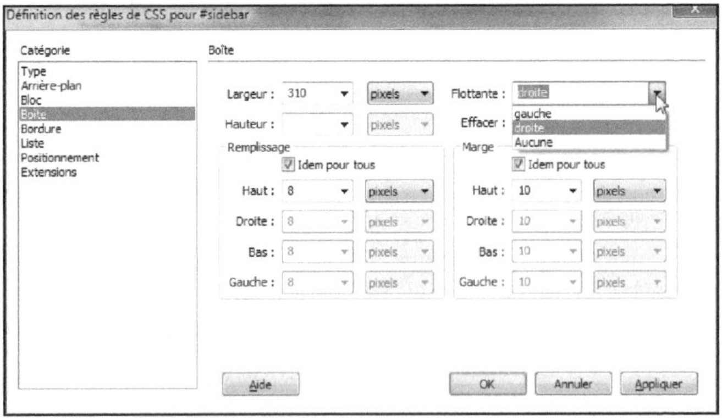

Figure 6.10 : Utilisez la catégorie Boîte pour définir la largeur, les marges, le remplissage et la flottaison, qui permet d'aligner l'élément sur le côté gauche ou droit de la page.

e. **Créez un second style pour la balise `<div>` story en répétant les étapes 8a à 8d.**

Nommez le style #story et définissez-le sans bordure, avec une largeur de 410 pixels, un remplissage de 10 pixels et la valeur gauche pour l'option Flottante.

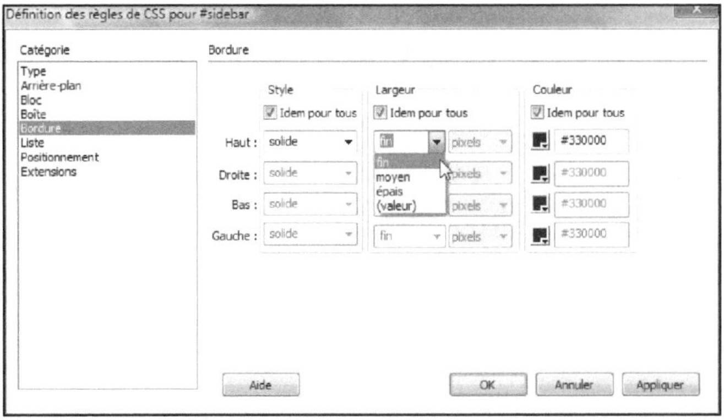

Figure 6.11 : Utilisez la catégorie Bordure pour créer un encadrement qui peut s'afficher sur tout ou partie des bords de l'élément.

9. **Créez un style pour le pied de page (#footer), en utilisant l'option Effacer afin de vous assurer que cet élément sera bien placé en bas de la maquette.**

   Si vous créez une maquette sur deux colonnes, comme celle de notre exemple, et utilisez l'option Flottante pour aligner ces colonnes sur la gauche et sur la droite, vous courez le risque de voir votre pied de page s'afficher à côté de l'une des colonnes, et non en dessous. Les raisons de ce comportement sont assez compliquées, mais disons qu'elles ont un rapport avec la manière dont les boîtes sont traitées lorsque vous vous servez de l'option Flottante et que vous les sortez du flux de la page. Comme les hauteurs des colonnes peuvent changer en fonction des variations dans la hauteur du texte tel qu'il est affiché par différents navigateurs sur différentes plates-formes, il est pratiquement impossible de créer deux colonnes qui aient exactement la même hauteur. La conséquence en est qu'il vaut mieux utiliser l'option Effacer pour s'assurer que le pied de page restera en bas de la fenêtre, et ce quelle que soit la situation. De plus, cela permet aussi de forcer le container à entourer tout le contenu de la page lorsque celle-ci est affichée dans un navigateur.

   Suivez ces étapes pour créer le style de votre balise `<div>` pour le pied de page :

   a. **Dans le menu Texte, choisissez Styles CSS, puis Nouveau.**

   b. **Sélectionnez le type de sélecteur Avancé et entrez un nom correspondant exactement à la balise concernée par ce style.**

J'ai nommé ce style #footer pour l'associer à la balise <div> correspondante.

c. **Cochez l'option Seulement ce document, puis cliquez sur OK.**

d. **Sélectionnez la catégorie Boîte et spécifiez vos options de mise en forme.**

Comme l'illustre la Figure 6.12, j'ai défini un remplissage de 10 pixels tout autour du texte du pied de page. De plus, le champ Effacer est défini en mode Les deux, ce qui impose au pied de page d'effacer les deux colonnes qui se trouvent au-dessus de lui afin de s'assurer qu'il sera nécessairement présenté en bas de la page. J'ai également choisi une couleur identique à celle de la barre de navigation (le style #navbar).

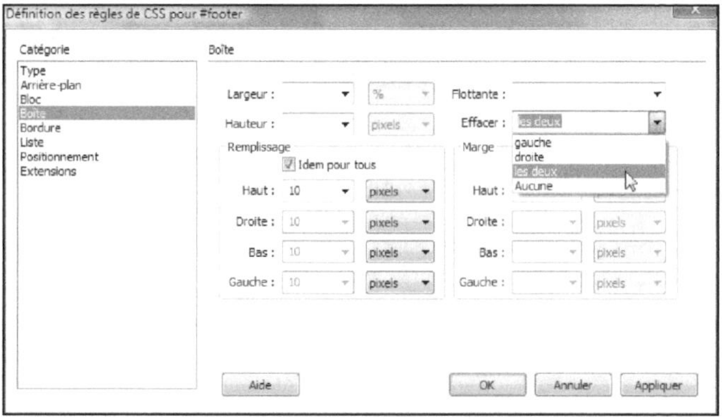

Figure 6.12 : Utilisez le champ Effacer pour forcer un élément à apparaître sous tous les autres objets flottant au-dessus de lui.

10. **Ajoutez quelques styles supplémentaires pour les images et autres éléments de votre maquette.**

Pour obtenir le résultat final illustré sur la Figure 6.4, j'ai créé plusieurs styles afin d'aligner les images vers la droite et vers la gauche, de manière que le texte les habille, puis une autre série de styles pour les balises de listes simples et de liens afin de construire avec CSS une barre de navigation offrant un effet de survol (rollover) simple.

Créer des styles pour aligner les images

Si vous trouvez limitées les options HTML gérant l'espace horizontal et vertical, vous allez aimer ce que CSS est capable de faire pour vos images. Autrefois, vous pouviez certes ajouter des marges autour des images, mais l'espacement était le même des deux côtés, ce qui ne donne pratiquement jamais un bon résultat.

Comme vous allez le voir dans cet exercice, l'emploi de CSS pour créer des styles associés à vos images vous permet de définir des marges uniquement là où vous le voulez. Je crée toujours, pratiquement par routine, deux styles de positionnement des images pour tous les sites sur lesquels je travaille, l'un pour les disposer à gauche (avec un petit espacement sur la droite et en bas), et l'autre pour les placer sur la droite (avec également un petit espacement sur le bas et cette fois sur la gauche). Cela me permet de positionner les images en les entourant d'un filet qui leur évite de venir buter sur le texte ou d'autres éléments de la page, tout en les "calant" contre le bord d'une page ou d'une colonne.

Pour créer des styles d'images utilisant les options de marge et de flottaison, suivez ces étapes :

1. **Ouvrez une page existante ou créez-en une nouvelle.**

2. **Insérez des graphismes dans votre page en utilisant la fonction standard d'insertion d'images de Dreamweaver.**

   Vous pouvez choisir la commande Image dans le menu Insertion, puis sélectionner l'image que vous voulez incorporer, ou bien encore cliquer sur le bouton Images de la barre d'outils Commun, au-dessus de la zone de travail, pour sélectionner l'image que vous voulez ajouter.

3. **Dans le menu Texte, choisissez Styles CSS, puis Nouveau afin de créer un style servant à aligner les images.**

4. **Sélectionnez l'option Classe.**

   Les styles de classe sont idéaux pour les images, comme celles qui sont utilisées dans cet exemple, car ils peuvent être appliqués autant de fois que vous le voulez dans chaque page. De plus, ils peuvent servir pour n'importe quel type d'élément.

5. **Dans le champ Nom, saisissez l'intitulé de votre style.**

   J'ai appelé ce style *.image-right*. Rappelez-vous que le nom d'un style classe doit débuter par un point. Si vous l'oubliez, Dreamweaver l'ajoutera automatiquement.

6. **Spécifiez si le style doit s'appliquer uniquement au document ou s'il doit être enregistré dans une feuille de style externe.**

Pour cet exercice, nous en resterons au document actif. Pour revoir comment créer une feuille de style externe, reportez-vous au Chapitre 5.

7. **Cliquez sur OK. La boîte de dialogue Définition des règles de CSS s'affiche.**

8. **Sélectionnez la catégorie Boîte.**

   Cliquez sur la flèche qui suit la liste Flottante, et choisissez l'option *droite* (voir la Figure 6.13).

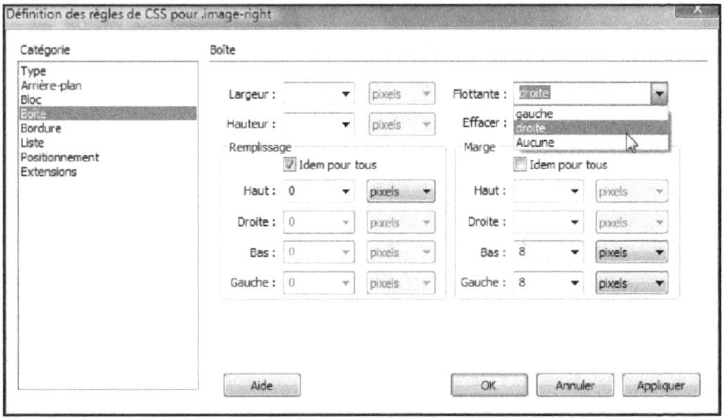

Figure 6.13 : Utilisez la catégorie Boîte pour définir les marges et l'option Flottante de votre style d'images.

   De cette manière, une image possédant ce style sera cadrée sur la droite dans son container.

9. **Dans la rubrique Marge, désélectionner la case Idem pour tous. Entrez une valeur uniquement dans les champs Bas et Gauche.**

   Lorsque j'aligne une image sur la droite, j'ajoute généralement une marge de 8 ou 10 pixels sur la gauche afin créer un espacement entre cette image et le texte qui l'enveloppe. Pour la même raison, j'insère également une marge de même dimension sous l'image. Choisissez des valeurs adaptées à la conception de votre page.

10. **Cliquez sur OK pour sauvegarder le nouveau style.**

11. **Définissez un second style pour l'alignement des images à gauche.**

Répétez les étapes 3 à 10 pour créer un second style appelé *.image-left*. Choisissez cette fois l'option *gauche* dans la liste Flottante, et spécifiez des valeurs de marge dans les champs Droite et Bas.

Pour appliquer un de ces styles à une image de votre page Web, cliquez sur celle-ci pour la sélectionner, puis choisissez l'option voulue dans la liste Classe de l'inspecteur Propriétés (voir la Figure 6.14).

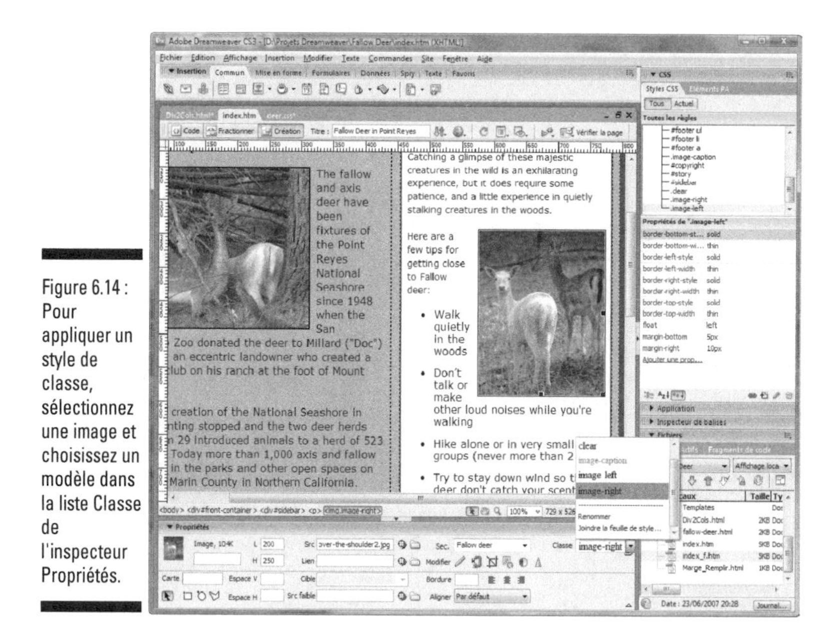

Figure 6.14 : Pour appliquer un style de classe, sélectionnez une image et choisissez un modèle dans la liste Classe de l'inspecteur Propriétés.

Lorsque vous appliquez un style de classe à une image, les effets produits sont affichés dans l'espace de travail. Comme vous pouvez en juger sur la Figure 6.14, le style *.image-right* envoie l'image vers le bord droit de la page, tandis que le texte vient l'envelopper sur sa gauche et en dessous, la marge définie ci-dessus permettant de laisser un intervalle entre les deux.

Si vous voulez encadrer vos images, vous pouvez définir une épaisseur de bordure dans le style de classe qui vous sert à les aligner. Si vous y regardez de près, vous pourrez remarquer sur la Figure 6.14 que la photographie de gauche est entourée d'une bordure solide, fine et noire.

Créer des styles contextuels

Lorsque vous redéfinissez des balises, par exemple vos listes simples et vos liens, les nouveaux styles s'appliquent à toutes leurs occurrences dans la page, à moins que vous ne transformiez ceux-ci en styles contextuels. Il vous suffit pour cela d'ajouter le nom de leur container à celui du style.

Prenons l'exemple donné dans la section "Donner du style à une liste de liens". Au lieu de créer classiquement un nouveau style de balise pour remplacer `<ul>`, j'aurais pu définir son nom sous la forme *#navbar ul*, afin de ne modifier le comportement de la balise `<ul>` que lorsqu'elle se trouve à l'intérieur d'une balise `<div>` ayant pour ID *navbar* (voir la figure ci-dessous).

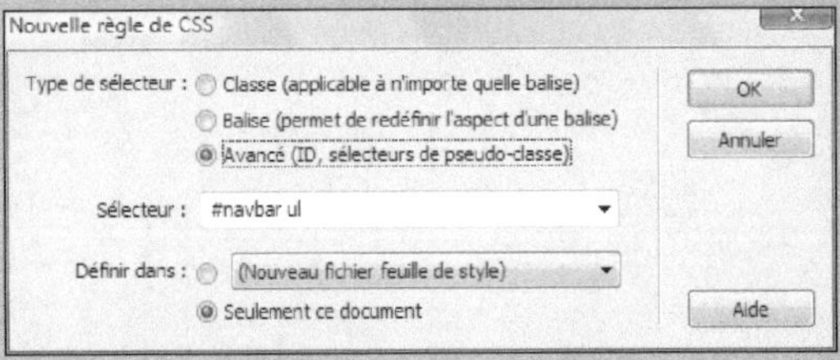

Nouvelle règle de CSS
Type de sélecteur : Classe (applicable à n'importe quelle balise)
Balise (permet de redéfinir l'aspect d'une balise)
Avancé (ID, sélecteurs de pseudo-classe)
Sélecteur : #navbar ul
Définir dans : (Nouveau fichier feuille de style)
Seulement ce document
OK
Annuler
Aide

Lorsque vous créez de tels styles avancés, vous utilisez le nom du container, suivi d'un seul espace et du nom de la balise. Dans cet exemple, je pourrais également définir des styles contextuels pour les balises `<li>` et `<link>` en leur attribuant comme noms *#navbar li*, *#navbar a:link* et *#navbar a:hover*.

Donner du style à une liste de liens

Voici une astuce fort utile si vous voulez transformer une liste à puces en une barre de navigation avec un effet de survol simple. Utiliser une liste à puces est une convention couramment acceptée pour des sites Web qui se conforment aux standards d'accessibilité. Il s'agit d'un choix logique pour des éléments de navigation, car même si le style est supprimé, les liens restent séparés des autres éléments de la page tout en étant clairement regroupés.

Grâce à CSS, vous pouvez profiter simultanément de l'intérêt de proposer une liste de liens tout à fait classique tout en pouvant les formater dans un style de votre choix, que ce soit horizontalement ou verticalement. Dites adieu à ces affreuses puces et offrez à vos visiteurs une barre de navigation graphique. De plus, utiliser CSS au lieu d'images pour créer un effet de survol aide votre page à se charger plus rapidement.

Pour créer une barre de navigation avec CSS pour redéfinir une liste simple et des balises de liens, suivez ces étapes :

1. **Placez votre curseur dans la page HTML, là où vous voulez qu'apparaisse votre barre de navigation. Cliquez ensuite sur le bouton Insérer la balise <DIV>, dans la barre d'outils Commun.**

2. **Dans la boîte de dialogue Insérer la balise Div, entrez un nom dans le champ ID.**

   Vous pouvez définir n'importe quel nom à votre convenance, dès lors qu'il ne comporte ni espaces ni caractères spéciaux. J'ai utilisé pour cet exemple le nom *navbar*. Notez que les styles ID sont recommandés pour ce type d'application, c'est-à-dire ici positionner une balise `<div>` pour réaliser une barre de navigation.

3. **Cliquez sur OK.**

   La balise `<div>` appelée *navbar* vient s'insérer dans la page.

4. **Nous devons maintenant nous occuper du style de notre future barre de navigation. Dans le menu Texte, choisissez Styles CSS, puis Nouveau.**

5. **Sélectionnez le type de sélecteur ID.**

6. **Dans le champ Nom, saisissez l'intitulé de votre style.**

   Pour être associé à notre balise, ce style doit être appelé *#navbar*. Rappelez-vous que le nom d'un style ID doit débuter par le caractère #.

7. **Spécifiez si le style doit s'appliquer uniquement au document ou s'il doit être enregistré dans une feuille de style externe.**

   Pour cet exercice, nous en resterons au document actif. Pour revoir comment créer une feuille de style externe, reportez-vous au Chapitre 5.

8. **Cliquez sur OK. La boîte de dialogue Définition des règles de CSS s'affiche.**

9. **Activez la catégorie Boîte. Spécifiez alors une hauteur pour la balise de votre barre de navigation.**

J'ai saisi dans cet exemple une hauteur de 20 pixels. Vous pouvez également définir une largeur. Ici, cette largeur est déjà contrôlée par le style du container <div>. Il n'est donc pas nécessaire de préciser cette valeur.

10. **Sélectionnez la catégorie Arrière-plan et choisissez une couleur de fond pour votre barre de navigation.**

    Si vous ne définissez pas ce paramètre, la couleur de la barre de navigation sera par défaut identique à celle de container, ou sinon de la page. Pour cet exemple, j'ai affecté au style une couleur d'arrière-plan un peu dorée de manière à la différencier du reste de la maquette.

11. **Sélectionnez la catégorie Type et spécifiez les options pour le texte.**

    Ici, j'ai opté pour la police Geneva, dans une petite taille et avec une couleur brun foncé pour les caractères.

12. **Cliquez sur OK.**

    La balise <div> appelée *navbar* est automatiquement actualisée afin de refléter la configuration qui vient d'être définie pour le style ID correspondant *#navbar*.

13. **Insérez le texte de chacun de vos liens dans la zone affectée à la balise <div> navbar.**

    Chaque ligne de texte doit se terminer par un appui sur la touche Retour de manière à insérer une balise de paragraphe <p>.

14. **Pour formater votre nouveau texte sous forme d'une liste simple, non ordonnée, cliquez au début de celui-ci et faites glisser le pointeur de la souris afin de sélectionner la totalité du contenu de la balise <div> navbar. Cliquez alors dans l'inspecteur Propriétés sur l'icône Liste simple.**

    Si vous n'avez pas encore redéfini les balises <ul> et/ou <li>, le texte va prendre l'aspect par défaut des listes simples en supprimant l'espacement entre les lignes et en insérant une puce au début de chacune d'entre elles.

15. **Définissez vos liens pour chaque section de texte, exactement comme vous le feriez pour n'importe quel autre bloc.**

    Vous trouverez des instructions détaillées sur la définition de liens dans le Chapitre 2. Mais le procédé le plus simple consiste à sélectionner le texte voulu (ici, une des lignes de la barre de navigation), puis à cliquer sur l'icône Hyperlien, à gauche de la barre d'outils Commun. Entrez alors une adresse URL dans le champ Lien de la boîte de dialogue Hyperlien, ou servez-vous du bouton Parcourir pour localiser le fichier à lier.

16. **Créez un nouveau style pour redéfinir la balise de liste simple en suivant ces étapes :**

    a. **Dans le menu Texte, choisissez Styles CSS, puis Nouveau.**

    b. **Sélectionnez le type de sélecteur Balise.**

    c. **Entrez un nom correspondant exactement à la balise concernée par ce style, soit ici *ul*. Vous pouvez également cliquer sur la flèche qui suit le champ Balise et choisir ce nom dans la liste déroulante (voir la Figure 6.15). Cliquez sur OK.**

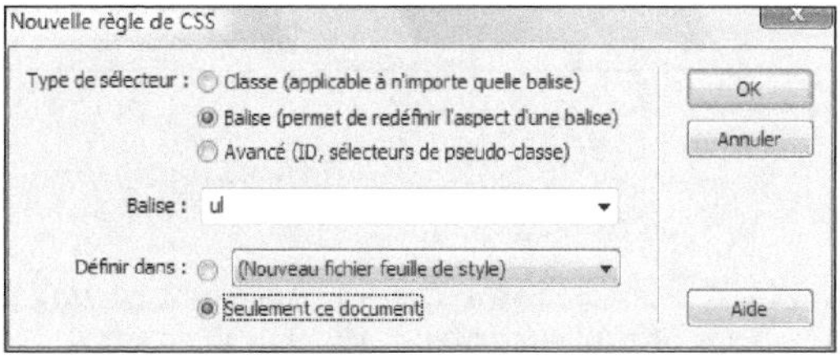

Figure 6.15 : Vous pouvez créer un style pour redéfinir n'importe quelle balise HTML.

    d. **Dans la boîte de dialogue Définition des règles de style de CSS, activez la catégorie Boîte et définissez un remplissage et des marges avec une valeur nulle en cochant dans les deux cas la case Idem pour tous. De cette manière, vous éliminez les marges et le remplissage inclus dans les valeurs par défaut de la balise `<ul>`. Cliquez ensuite sur OK.**

17. **Créez maintenant un nouveau style afin de redéfinir la balise pour les éléments de liste. Pour cela, suivez ces étapes :**

    a. **Dans le menu Texte, choisissez Styles CSS, puis Nouveau.**

    b. **Sélectionnez le type de sélecteur Balise.**

    c. **Entrez un nom correspondant exactement à la balise concernée par ce style, soit ici *li*. Vous pouvez également cliquer sur la flèche qui suit le champ Balise et choisir ce nom dans la liste déroulante. Cliquez sur OK.**

d. Dans la boîte de dialogue Définition des règles de style de CSS, sélectionnez la catégorie Bloc. Dans la liste Afficher, choisissez la proposition en ligne (voir la Figure 6.16).

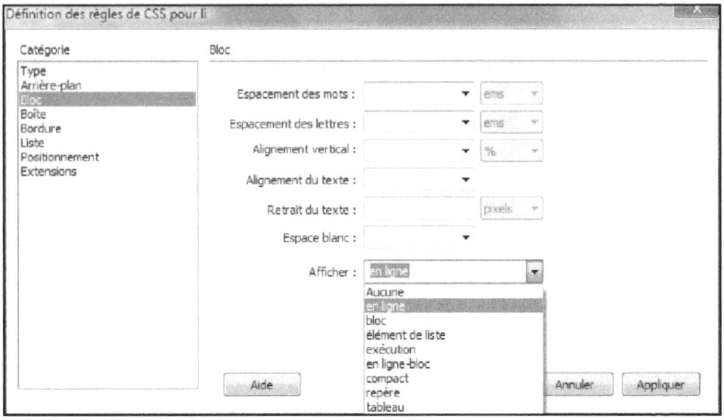

Figure 6.16 : Choisir un affichage en ligne permet d'afficher une liste simple dans le sens horizontal.

Cela change l'orientation de la balise <li> de manière que la liste soit disposée horizontalement.

e. Activez la catégorie Liste et choisissez *aucune* dans la liste Type, ce qui supprime l'affichage des puces.

f. Activez la catégorie Boîte et définissez des marges à gauche et à droite de 10 pixels.

De cette manière, vous allez créer un espace entre les éléments de la liste, qui est maintenant disposée dans le sens horizontal. Choisissez bien entendu une valeur adaptée à votre propre projet.

g. Cliquez sur OK pour enregistrer votre style.

18. Créez maintenant un nouveau style afin de redéfinir l'affichage des liens. Pour cela, suivez ces étapes :

a. Dans le menu Texte, choisissez Styles CSS, puis Nouveau.

b. Sélectionnez le type de sélecteur Avancé.

c. Entrez un nom correspondant exactement à la balise concernée par ce style, soit ici *a:link*. Vous pouvez également cliquer sur la flèche qui suit le champ Sélecteur et choisir ce nom dans la liste déroulante. Cliquez sur OK.

d. **Dans la boîte de dialogue Définition des règles de style de CSS, sélectionnez la catégorie Type. Cliquez sur la case Aucune de la série d'options Décoration.**

   Le soulignement des liens est supprimé.

e. **Toujours dans la catégorie Type, changez la couleur du texte pour définir l'aspect que doivent prendre les liens lorsqu'ils sont chargés avec la page.**

   Pour cet exemple, j'ai choisi un brun foncé.

f. **Cliquez sur OK pour enregistrer votre style.**

19. **Créez maintenant un nouveau style afin de redéfinir l'affichage des liens survolés. Pour cela, suivez ces étapes :**

   a. **Dans le menu Texte, choisissez Styles CSS, puis Nouveau.**

   b. **Sélectionnez le type de sélecteur Avancé.**

   c. **Entrez un nom correspondant exactement à la balise concernée par ce style, soit ici *a:hover*. Vous pouvez également cliquer sur la flèche qui suit le champ Sélecteur et choisir ce nom dans la liste déroulante. Cliquez sur OK.**

   d. **Dans la boîte de dialogue Définition des règles de style de CSS, sélectionnez la catégorie Type. Cliquez sur la case Aucune de la série d'options Décoration.**

   e. **Toujours dans la catégorie Type, changez la couleur du texte pour définir l'aspect que doivent prendre les liens lorsqu'ils sont survolés par la souris.**

      Pour cet exemple, j'ai choisi un rouge brillant.

   f. **Cliquez sur OK pour enregistrer votre style.**

20. **Il ne vous reste plus qu'à créer un nouveau style afin de redéfinir l'affichage des liens visités. Pour cela, suivez ces étapes :**

   a. **Dans le menu Texte, choisissez Styles CSS, puis Nouveau.**

   b. **Sélectionnez le type de sélecteur Avancé.**

   c. **Entrez un nom correspondant exactement à la balise concernée par ce style, soit ici *a:visted*. Vous pouvez également cliquer sur la flèche qui suit le champ Sélecteur et choisir ce nom dans la liste déroulante. Cliquez sur OK.**

d. **Dans la boîte de dialogue Définition des règles de style de CSS, sélectionnez la catégorie Type. Cliquez sur la case Aucune de la série d'options Décoration.**

e. **Toujours dans la catégorie Type, changez la couleur du texte pour définir l'aspect que doivent prendre les liens lorsqu'ils ont été visités.**

   Pour cet exemple, j'ai choisi un gris clair.

f. **Cliquez sur OK pour enregistrer votre style.**

21. **Enregistrez votre page et ouvrez-la dans un navigateur afin de juger de l'effet obtenu.**

Travailler avec les éléments PA

A l'aide des éléments PA, vous avez la possibilité de positionner des blocs de texte et des images exactement là où vous le voulez en spécifiant la distance qui les sépare des bords haut et gauche de la page ou bien d'une autre balise `<div>`. Vous pouvez aussi empiler ces éléments en faisant appel à une option appelée Index Z, qui vous permet de créer des couches superposées contenant divers types d'objets (textes, images, etc.).

Comme un élément PA est un container, son contenu peut être manipulé globalement. Il peut par exemple être déplacé pour venir en chevaucher un autre. Ces éléments ont le pouvoir d'être rendus invisibles, et d'utiliser un langage de programmation tel que JavaScript pour changer leur aspect de manière dynamique. Ce niveau d'interactivité est notamment réalisable via le comportement Afficher-Masquer les éléments de Dreamweaver (les comportements sont étudiés dans le Chapitre 11).

Créer des éléments PA

Pour créer un élément PA, suivez les étapes ci-après :

1. **Dans le menu Insertion, choisissez Objets mise en forme, puis Div PA.**

   Une boîte, représentant un élément PA vide et entourée d'une bordure bleue, apparaît en haut de la page. L'alternative consiste à activer la barre d'outils Mise en forme, à cliquer sur le bouton Tracer un div pour un élément PA, puis à cliquer et glisser afin de dessiner le nouvel élément sur la zone de travail (voir la Figure 6.17).

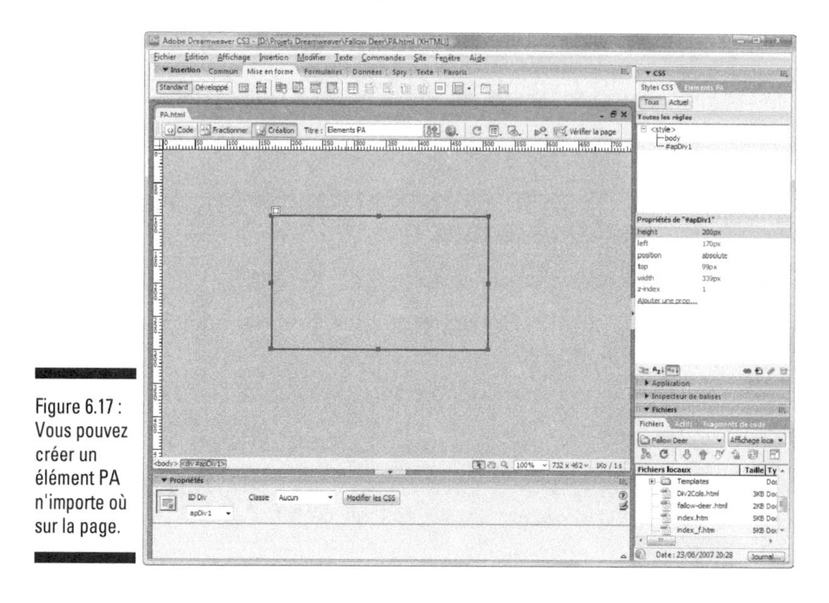

Figure 6.17 : Vous pouvez créer un élément PA n'importe où sur la page.

2. **Cliquez sur le contour de l'élément PA pour le sélectionner.**

   Lorsque vous placez le pointeur de la souris sur un des contours de l'élément PA, il se transforme en une flèche à quatre pointes (une main sur Mac). Cliquez pour sélectionner l'élément. Huit petites poignées apparaissent sur le périmètre de la boîte.

3. **Faites glisser ces poignées pour redimensionner votre élément PA.**

Ajouter des éléments, redimensionner et repositionner des éléments PA

Souvenez-vous que les éléments PA sont des containers. Ils ne sont utiles que si vous y placez quelque chose. Voici comment ajouter des images ou du texte dans un élément PA :

1. **Cliquez pour insérer votre pointeur à l'intérieur de l'élément PA.**

   Le point d'insertion clignote dans la boîte.

2. **Ouvrez le menu Insertion et choisissez Image.**

   La boîte de dialogue Sélectionnez la source de l'image apparaît.

3. **Parcourez votre disque dur local pour dénicher le fichier graphique à insérer. Une fois l'image localisée, cliquez sur son nom pour la sélectionner, puis sur le bouton OK.**

   La boîte de dialogue Attributs d'accessibilité des balises d'image s'ouvre.

4. **Remplissez les cases Texte secondaire et Description longue, puis cliquez sur OK.**

   L'image apparaît dans la boîte de l'élément PA.

5. **Sélectionnez l'image et utilisez le panneau Propriétés pour la formater.**

   Le formatage des images dans un élément PA fonctionne de la même manière que pour un texte. Par exemple, l'emploi de l'icône Centrer place l'image au milieu du cadre.

6. **Cliquez de nouveau dans l'élément PA pour y placer le point d'insertion, et saisissez du texte (voir la Figure 6.18).**

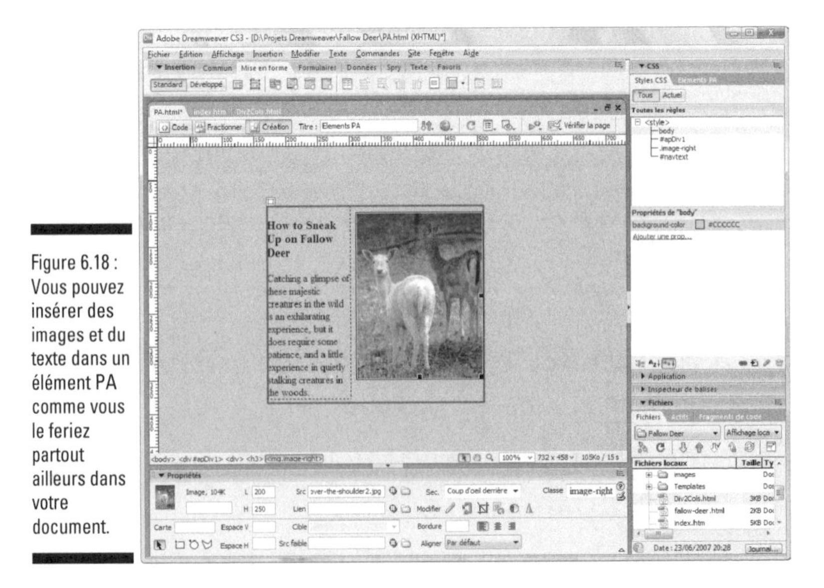

Figure 6.18 : Vous pouvez insérer des images et du texte dans un élément PA comme vous le feriez partout ailleurs dans votre document.

Sélectionnez le texte et formatez-le avec les options de Mise en forme du texte de l'inspecteur Propriétés ou les options du menu Texte. Vous pouvez également créer des styles et les appliquer comme nous avons appris à le faire dans le Chapitre 5.

7. **Cliquez sur l'onglet qui apparaît dans le coin supérieur gauche de l'élément PA, ou encore sur le contour bleu de celui-ci.**

   Des *poignées* de sélection noires apparaissent dans les angles et au milieu des côtés de l'élément PA.

8. **Cliquez sur n'importe quelle poignée et faites-la glisser pour redimensionner l'élément PA.**

   En règle générale, il est conseillé de toujours redimensionner un élément PA pour que son contenu s'ajuste au plus près à ses limites. L'élément PA sera d'autant plus facile à mettre en place sur la page.

   L'inspecteur Propriétés affiche en pixels la hauteur (H) et la largeur (L) de l'élément PA. Plutôt que de redimensionner celui-ci en faisant glisser ses poignées, vous pouvez saisir directement les nouvelles mesures dans les champs correspondants (voir la Figure 6.19). Ces options ne sont affichées que si l'élément PA est sélectionné.

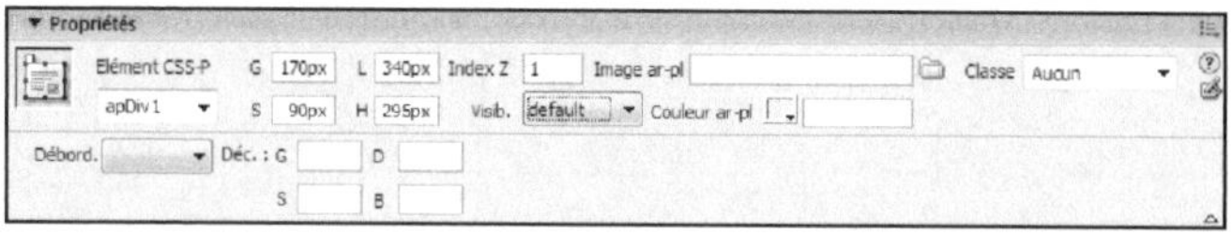

Figure 6.19 : Définissez la largeur et la hauteur de l'élément PA dans l'inspecteur Propriétés.

9. **Pour déplacer un élément PA, cliquez sur le petit onglet qui apparaît dans son coin supérieur gauche quand il est sélectionné. Maintenez le bouton droit de la souris enfoncé, et déplacez l'élément n'importe où sur la page.**

   Les éléments PA utilisant un positionnement exact (ou *absolu*), vous pouvez les déplacer vers un endroit précis de la page. Ils apparaîtront toujours à l'endroit spécifié (relativement aux bords gauche et haut de la fenêtre de navigation).

L'inspecteur Propriétés affiche les coordonnées de l'élément PA en pixels dès que celui-ci est sélectionné : G (pour gauche), S (pour supérieur), L (pour largeur) et H (pour hauteur). La position et la taille d'un élément PA peuvent être définies au pixel près en saisissant des valeurs spécifiques dans ces champs. Sur la Figure 6.19, vous pouvez constater que l'élément PA de cet exemple se trouve exactement à 170 pixels du bord gauche de la fenêtre du navigateur et à 90 pixels de son bord supérieur. L'élément a une largeur de 340 pixels et une hauteur de 295 pixels.

10. **Nommez votre élément PA en saisissant un nom dans le champ ID qui se trouve à gauche de l'inspecteur Propriétés.**

    Quand vous créez un nouvel élément PA, Dreamweaver lui affecte automatiquement un nom : apDiv1, puis apDiv2, apDiv3, et ainsi de suite. Il est judicieux de choisir un nom plus descriptif, notamment lorsque vous travaillez avec de nombreux éléments PA sur une même page. Leur gestion en est ainsi facilitée. Souvenez-vous qu'il faut d'abord sélectionner l'élément pour faire apparaître ses propriétés dans l'inspecteur Propriétés.

Chapitre 7

HTML et ses tableaux

Dans ce chapitre :

- Introduction aux tableaux HTML.
- Au-delà des feuilles de calcul.
- Personnaliser la structure d'un tableau.

Aujourd'hui, CSS a rapidement changé la manière dont les pages Web sont conçues. Certes, les tableaux continuent à représenter un bon moyen de présenter des données tabulées sur l'Internet (par exemple, pratiquement tout ce que vous pouvez afficher dans une feuille de calcul d'un tableur est susceptible d'être facilement formaté et présenté dans un tableau). Mais il ne s'agit plus d'une solution recommandable pour créer des dispositions comparables à ce que vous pouvez voir dans les journaux et les magazines. De nos jours, un nombre croissant de concepteurs se servent de CSS pour réaliser leurs pages. En effet, celles-ci se chargent plus rapidement, elles sont plus simples à mettre à jour et sont également plus souples et accessibles que ne l'ont jamais été les tableaux. Les Chapitres 5 et 6 sont dédiés à CSS et aux derniers développements des technologies du Web.

Ce chapitre est conçu pour vous aider à apprécier les méthodes de création et d'édition des tableaux sous Dreamweaver. Même si les tableaux ne sont plus *recommandés* pour la plupart des mises en page sur la Web, ils peuvent quand même avoir leur utilité dans de nombreux sites. C'est pourquoi vous trouverez ici des instructions pour travailler avec eux, ainsi que pour formater et trier des données tabulées.

Choisir entre tableaux et CSS

De plus en plus de pages Web sont conçues avec CSS, et cette tendance ne peut que s'amplifier. Au fur et à mesure que les utilisateurs mettront leur navigateur à jour, et que ces navigateurs supporteront de mieux en mieux cette technique, les avantages de CSS prendront rapidement le pas sur ses limitations. CSS offre en effet un bien meilleur contrôle sur la mise en page que les tableaux, en particulier avec Dreamweaver qui vous permet d'appliquer directement des styles sur une page par des simples cliquer et déplacer. Vous pouvez placer n'importe quel élément dans un calque, y compris du texte, des images et des éléments multimédias. Vous avez même la possibilité d'empiler ces calques les uns au-dessus des autres, ce qui vous donne un contrôle allant jusqu'au niveau du pixel, chose impossible à obtenir avec des tableaux.

Créer des tableaux HTML

Les tableaux sont composés de trois éléments de base : des lignes, des colonnes et des cellules. Si vous avez déjà travaillé dans un tableur, les tableaux ne devraient plus avoir de secret pour vous. Cependant, les tableaux HTML diffèrent de ceux des tableurs, essentiellement du fait qu'ils sont employés pour des alignements de données plus complexes, ce qui nécessite de scinder et fusionner de multiples cellules. À l'époque où une page Web ne pouvait se concevoir qu'en saisissant manuellement du code, même les tableaux les plus rudimentaires restaient difficiles à créer. Le code qui se cache derrière un tableau HTML est constitué de séries complexes de balises (peu parlantes) `<tr>` et `<td>` qui définissent les lignes et les cellules d'un tableau de données. Ces balises créaient une série de petites boîtes sur une page Web, ce qui n'a jamais été un processus de création très intuitif. Si vous vouliez fusionner ou scinder des cellules de manière à créer des lignes ou des colonnes ayant un nombre variable de cellules, vous deviez faire face à un défi réellement complexe.

Merci aux dieux Cyber qui ont créé des programmes comme Dreamweaver ! Sans écrire une seule ligne de code, il est possible de créer rapidement des tableaux, et d'en modifier facilement l'apparence comme la structure simplement en cliquant sur leurs bords et en les faisant glisser. Vous pouvez mettre dans chaque cellule le type de contenu que vous voulez, que ce soit du texte, une image ou un fichier multimédia. A l'aide de l'inspecteur Propriétés, vous pouvez aussi scinder et fusionner des cellules, donner une couleur à l'arrière-plan, définir des bordures, et donner au contenu des cellules l'alignement vertical ou horizontal de votre choix.

Dreamweaver vous propose deux modes de travail avec les tableaux : Standard et Développé. Le mode Développé, illustré sur la Figure 7.1, facilite les sélections dans et autour des tableaux, car il ajoute un espace autour de leurs bordures. Cependant, cela modifie en même temps l'affichage, en provoquant littéralement une expansion des cellules du tableau. Cet espace supplémentaire rend plus simple l'édition du contenu du tableau, mais il ne donne pas une vue exacte du résultat. A l'inverse, le mode Standard, illustré sur la Figure 7.2, correspond mieux à ce qui apparaît dans la fenêtre d'un navigateur. C'est pourquoi l'essentiel du travail d'édition, notamment le redimensionnement et le déplacement des tableaux, devrait être effectué dans ce mode. Pour basculer entre l'un et l'autre, il vous suffit d'activer la barre d'outils Mise en forme, au-dessus de la zone de travail, et de cliquer au choix sur l'un des boutons Standard ou Développé.

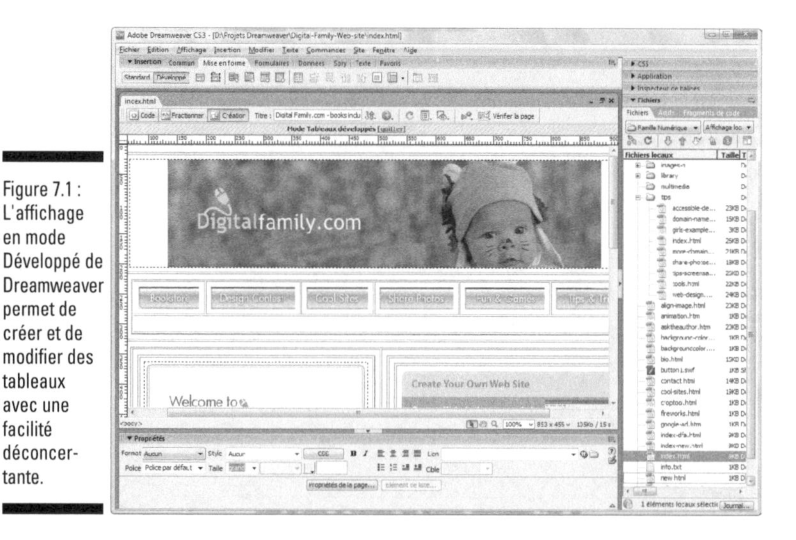

Figure 7.1 : L'affichage en mode Développé de Dreamweaver permet de créer et de modifier des tableaux avec une facilité déconcertante.

Créer des tableaux en mode Standard

Lorsque vous insérez un nouveau tableau, vous voyez s'afficher la boîte de dialogue illustrée sur la Figure 7.3. Elle vous permet de spécifier d'un coup de multiples paramètres. Ne vous souciez pas

Figure 7.2 : Le même tableau affiché en mode Standard simule l'affichage dans un navigateur comme Internet Explorer ou Firefox à quelques nuances près.

Figure 7.3 : Lorsque vous insérez un tableau dans une page Web, vous pouvez spécifier de nombreux réglages dans cette boîte de dialogue.

d'obtenir la perfection à ce stade. Vous pourrez toujours modifier plus tard vos options (les plus importantes sont décrites un peu plus loin dans ce chapitre).

Vous pouvez éditer dans l'inspecteur Propriétés toutes les options du tableau, à l'exception des paramètres d'accessibilité. Lorsque vous sélectionnez un tableau ou une cellule, ses attributs apparaissent en bas de l'espace de travail. Cliquez sur la bordure du tableau pour le sélectionner en entier. L'inspecteur Propriétés affichera alors toutes ses caractéristiques (voir la Figure 7.4). Si nécessaire, cliquez sur la flèche d'expansion, en bas et à droite du panneau. Les propriétés des cellules sont décrites dans la section suivante.

Figure 7.4 : L'inspecteur Propriétés permet d'éditer les paramètres d'un tableau entier.

Quelle largeur pour un tableau ?

Les créateurs qui se servent de tableaux dans leurs mises en page se demandent souvent quelle largeur leur attribuer. Mon avis est que si vous concevez vos pages en fonction d'une résolution d'écran de 800 x 600 (qui reste encore répandue chez les utilisateurs d'Internet), un bon pari à faire est de donner à vos tableaux une largeur maximale de 780 pixels et de les centrer sur la page. Cela laisse un peu d'espace sur chaque côté de la fenêtre du navigateur et évite l'apparition de barres de défilement. Et si l'utilisateur a opté pour une résolution d'écran supérieure, il aura simplement l'impression que le tableau "flotte" au milieu de la page.

Il est quelquefois un peu difficile de sélectionner un tableau avec la souris (il est parfois délicat de sélectionner la totalité du tableau, pas seulement une cellule individuelle), aussi placez simplement le pointeur n'importe où dans le tableau et choisissez dans le menu Modifier l'option Tableau, puis Sélectionner le tableau.

L'inspecteur Propriétés donne accès aux options de tableau suivantes pour en personnaliser l'apparence :

 **ID de tableau :** Zone de texte où vous pouvez saisir un nom ou un tableau.

- **Lignes :** Affiche le nombre de lignes d'un tableau. Vous pouvez changer la taille du tableau en modifiant la valeur affichée dans ce champ. Cependant, soyez prudent : si vous saisissez un chiffre trop faible, Dreamweaver supprime à la fois les lignes du bas et leur contenu.
- **Cols (Colonnes) :** Affiche le nombre de colonnes d'un tableau. Vous pouvez modifier la taille du tableau en changeant le nombre de colonnes. Soyez très prudent, car si vous saisissez un chiffre trop faible, Dreamweaver supprime les colonnes de droite et leur contenu.
- **L (Largeur) :** Affiche la largeur du tableau. Vous pouvez la modifier en saisissant une nouvelle valeur. La largeur peut être spécifiée en pourcentage ou en pixels. Des valeurs exprimées en pourcentage augmentent ou diminuent la taille du tableau proportionnellement à la taille d'affichage du navigateur de l'internaute ou d'un container qui le contient, comme un autre tableau ou une balise `<div>`.
- **H (Hauteur) :** Affiche la hauteur du tableau. Vous pouvez la modifier en saisissant une nouvelle valeur. La hauteur est spécifiée en pourcentage ou en pixels. Des valeurs exprimées en pourcentage augmentent ou diminuent la taille d'un tableau proportionnellement à la taille d'affichage du navigateur de l'internaute. Cet attribut de tableau n'est plus supporté par XHTML 1.0. Bien que de nombreux navigateurs le reconnaissent encore, cela pourrait ne plus être le cas dans leurs futures versions, et il est généralement recommandé de ne rien spécifier ici de manière que la hauteur du tableau s'ajuste automatiquement à son contenu.
- **Remplissage :** Définit l'espace entre le contenu d'une cellule et sa bordure.
- **Espacement de cellule :** Spécifie l'espace entre les cellules d'un tableau.
- **Aligner :** Contrôle l'alignement du tableau. Les options sont : Par défaut, Gauche, Centrer, Droite. La valeur par défaut aligne le tableau sur le bord gauche de la fenêtre du navigateur ou de son container.
- **Bordure :** Contrôle la taille de la bordure du tableau. Plus le nombre est petit, plus la bordure est fine. Pour faire disparaître la bordure, fixez cette valeur à 0.
- **Classe :** Donne facilement accès aux options de style. (Consultez les Chapitres 5 et 6 pour en savoir plus sur CSS.)

- **Effacer et convertir :** Les icônes qui apparaissent dans le coin inférieur gauche du panneau Propriétés (si vous ne les voyez pas, cliquez sur la flèche pointant vers le bas dans le coin inférieur droit de l'inspecteur Propriétés) offrent les options de mise en forme suivantes :

  • **Effacer les hauteurs de ligne et Effacer les largeurs de colonne :** Permettent de supprimer en une seule opération toutes les hauteurs de ligne et les largeurs de colonne, pour laisser le tableau s'ajuster automatiquement à l'espace d'affichage disponible dans la fenêtre du navigateur ou dans le container.

  • **Convertir hauteurs de tableau en pixels, Convertir hauteurs de tableau en pourcentage, Convertir largeurs de tableau en pixels et Convertir largeurs de tableau en pourcentage :** Ces options permettent de changer automatiquement en pixels ou en pourcentage l'expression des paramètres Largeur et Hauteur d'un tableau. L'expression de ces paramètres en pourcentage se réfère à l'espace d'affichage disponible dans la fenêtre du navigateur ou dans le container dans lequel est inséré le tableau.

- **Couleur d'ar-pl. :** Contrôle la couleur d'arrière-plan. Cliquez sur le nuancier qui se trouve à gauche du champ pour ouvrir une palette de couleurs. Il suffit alors de cliquer dans cette palette pour appliquer une couleur d'arrière-plan soit à une seule cellule, soit à la totalité du tableau. Remarquez également que le pointeur prend l'aspect d'une pipette, ce qui vous permet de sélectionner une teinte sur la page elle-même en cliquant directement dessus.

- **Image ar-pl. :** Permet de sélectionner une image d'arrière-plan. Spécifiez le nom du fichier ou cliquez sur l'icône du dossier qui se trouve à droite du champ. Parcourez vos lecteurs pour sélectionner l'image à appliquer soit à une seule cellule, soit à la totalité du tableau.

- **Couleur contour :** Contrôle la couleur de la bordure pour l'ensemble du tableau. Cliquez sur le nuancier pour accéder à la palette de couleurs. Cliquez sur la couleur que vous souhaitez assigner au contour d'une cellule ou à la totalité du tableau. Remarquez également que le pointeur prend l'aspect d'une pipette, ce qui vous permet de sélectionner une teinte sur la page elle-même en cliquant directement dessus.

Assurez-vous que le tableau s'adapte au contenu

Les cellules de tableau se réduisent ou s'agrandissent automatiquement pour accueillir ce que vous y insérez. Par exemple, si vous créez une cellule de 100 pixels de large, puis que vous y insérez une image de 300 pixels de large, la cellule s'adaptera à cette taille d'image. Cela peut provoquer des problèmes lorsque la taille globale du tableau n'est pas assez grande pour tenir compte de tous les objets présents dans les cellules. Lors de la construction des tableaux, il faut donc connaître les dimensions des images et fichiers multimédias qui seront insérés dans les cellules, sous peine de résultats imprévisibles. Par exemple, si vous définissez un tableau d'une largeur totale de 400 pixels, puis insérez des images occupant 600 pixels, le tableau pourra ne pas s'afficher de manière identique dans tous les navigateurs.

Fusionner et fractionner des cellules

Parfois, la manière la plus simple de modifier le nombre de cellules d'un tableau est de les *fusionner* (combiner plusieurs cellules en une seule) ou de les *fractionner* (diviser une cellule en plusieurs). Cette technique permet de faire varier l'espace séparant les différentes sections d'un tableau et d'en personnaliser la structure. Par exemple, vous pouvez avoir besoin d'insérer une longue cellule traversant le haut de votre tableau pour y placer une bannière. En dessous, vous définirez une série de cellules dont vous contrôlerez l'espacement entre les colonnes de texte ou d'images. Les deux séries d'étapes qui suivent vous montrent comment procéder.

Fusionner et fractionner des cellules sont possibles uniquement en mode Standard.

Pour fusionner des cellules, commencez par créer une nouvelle page HTML, puis suivez ces étapes :

1. **Choisissez la commande Tableau dans le menu Insertion, et créez un tableau avec les caractéristiques suivantes : quatre lignes et quatre colonnes, largeur 75 %, largeur de bordure 1. Laissez de côté les autres options et cliquez sur OK.**

   Le tableau apparaît sur la page.

2. **Sélectionnez deux cellules adjacentes ou plus en faisant glisser dessus le pointeur de la souris depuis la première jusqu'à la dernière.**

La fusion n'est possible qu'entre cellules adjacentes situées sur la même ligne ou la même colonne.

3. **Cliquez sur le bouton Combiner la sélection rectangulaire des cellules, dans le coin inférieur gauche de l'inspecteur Propriétés, pour fusionner les cellules sélectionnées.**

   La fusion des cellules s'opère dans le code HTML en y insérant les attributs HTML `Colspan` (pour des cellules situées dans des colonnes adjacentes) et `Rowspan` (pour des cellules situées dans des lignes adjacentes).

Pour fractionner une cellule, suivez ces étapes :

1. **Cliquez dans la cellule à fractionner pour y placer le curseur.**
2. **Cliquez sur le bouton Diviser la cellule en lignes ou en colonnes, dans le coin inférieur gauche de l'inspecteur Propriétés.**

   La boîte de dialogue Fractionner la cellule apparaît.

3. **Activez l'option Lignes ou l'option Colonnes en fonction du résultat que vous voulez obtenir.**

   Une cellule peut être fractionnée en autant de nouvelles lignes ou colonnes que vous le souhaitez.

4. **Saisissez le nombre de lignes ou de colonnes à créer.**

   La cellule sélectionnée est divisée en fonction du nombre indiqué.

Contrôler les options des cellules

En mode Standard, vous pouvez également contrôler les options qui s'appliquent aux cellules individuelles du tableau. Chaque fois que vous sélectionnez une cellule en y plaçant le point d'insertion, le contenu de l'inspecteur Propriétés change (voir la Figure 7.5). Vous pouvez alors modifier les options des cellules. Ainsi, certaines cellules afficheront une couleur spécifique et un style de texte particulier.

Il est aussi possible d'appliquer les mêmes propriétés à plusieurs cellules en même temps. Pour cela, sélectionnez-les simultanément en maintenant la touche Maj enfoncée lorsque vous cliquez dessus. Pour sélectionner des cellules non adjacentes, maintenez enfoncée la touche Ctrl (Commande sur Mac). Toutes les propriétés que vous redéfinirez ensuite s'appliqueront à la totalité de la sélection.

Figure 7.5 : L'inspecteur Propriétés donne accès aux attributs des cellules sélectionnées dans le tableau.

Si vous avez du mal à sélectionner une cellule parce qu'elle contient une image, cliquez sur l'image et utilisez l'une des touches fléchées Droite ou Gauche de votre clavier pour déplacer le curseur et désélectionner l'image. Cela active l'inspecteur Propriétés et affiche les options de la cellule concernée.

Quand une ou plusieurs cellules sont sélectionnées (en l'occurrence, elles doivent être adjacentes pour que cela fonctionne), la moitié supérieure du panneau Propriétés contrôle le formatage du texte et les URL présentes dans les cellules du tableau. La moitié inférieure propose les options d'attribut suivantes (reportez-vous à la Figure 7.5) :

- **Combiner la sélection rectangulaire des cellules :** Fusionne plusieurs cellules. Pour cela, vous devez au préalable les sélectionner soit en faisant glisser le pointeur dessus, soit en maintenant enfoncée la touche Maj (ou la touche Ctrl) tout en cliquant sur chaque cellule à sélectionner.
- **Diviser la cellule en lignes ou en colonnes :** Divise en deux parties ou plus la cellule sélectionnée. Lorsque vous sélectionnez cette option, une boîte de dialogue vous permet d'indiquer si vous voulez diviser la cellule selon la ligne (horizontalement) ou selon la colonne (verticalement). Vous pouvez alors spécifier le nombre de lignes ou de colonnes, c'est-à-dire le nombre de cellules qui résulteront de cette division. Notez que cette option ne peut être appliquée qu'à une cellule à la fois.
- **Horz :** Contrôle l'alignement horizontal du contenu des cellules.
- **Vert :** Contrôle l'alignement vertical du contenu des cellules.
- **L :** Contrôle la largeur de la cellule.
- **H :** Contrôle la hauteur de la cellule.

- **Pas de retour à la ligne auto :** Evite le retour automatique à la ligne des mots saisis dans une cellule. La cellule adapte sa largeur à la longueur du texte saisi ou collé. (Normalement, le texte revient à la ligne quand il atteint le bord droit de la cellule, entraînant une éventuelle augmentation de la hauteur de celle-ci.)
- **En-tête :** Permet de formater le contenu d'une cellule en utilisant le style En-tête, c'est-à-dire par défaut gras et centré dans la plupart des navigateurs Web.
- **Ar-pl (Image) :** Permet de spécifier une image d'arrière-plan qui s'affichera dans une cellule. Vous pouvez saisir son chemin d'accès ou le choisir sur votre disque dur en cliquant sur le bouton Parcourir.
- **Ar-pl (Couleur) :** Permet de spécifier une couleur d'arrière-plan qui s'affichera dans la cellule sélectionnée. Vous pouvez vous servir de la palette ou encore entrer le code hexadécimal de la couleur dans le champ qui suit. Avec la palette, ce code sera automatiquement placé dans le champ et dans le code, ce qui est tout de même plus simple.
- **Brdre :** Permet de changer la couleur de la bordure d'une cellule.

Mettre en forme plusieurs colonnes dans un tableau

Quand on utilise un tableau qui contient beaucoup de cellules, on peut vouloir donner la même mise en forme à plusieurs d'entre elles. Dreamweaver permet de le faire facilement, que vous vouliez aligner des chiffres, mettre des titres en gras ou changer le modèle de couleurs. Mais avant de commencer à définir la manière dont vous voulez aligner vos chiffres, sachez que le HTML ne vous donne pas un aussi grand contrôle qu'un programme comme Excel qui permet par exemple d'aligner des nombres sur la virgule décimale. Vous pouvez toutefois justifier le contenu des colonnes à gauche ou à droite, ou le centrer. Aussi, si vous faites en sorte que les valeurs contenues dans les cellules de votre tableau aient toujours le même nombre de chiffres après la virgule décimale, pouvez-vous les aligner sur celle-ci. Par exemple, si vous avez un prix à 12,99 € et un autre à 14 €, saisissez ce dernier sous la forme 14,00 €. Si nécessaire, servez-vous d'une police de caractères à espacement fixe, par exemple Courier, pour vous assurer qu'aucun décalage ne se produira.

Dans les étapes ci-après, je montre comment créer en mode Standard un tableau affichant des données financières, et comment justifier le contenu de toutes les cellules sur la droite de manière que les nombres soient correctement alignés. Vous pouvez aussi utiliser ces exercices pour aligner le contenu des cellules d'un tableau à gauche ou en haut, le centrer, ou y appliquer d'autres options de mise en forme comme Gras ou Italique. Dans ces étapes, j'insère les données dans le tableau après l'avoir créé dans Dreamweaver.

Pour importer des données que vous avez définies dans Word ou Excel, reportez-vous à la section "Importer un tableau créé dans un autre programme", plus loin dans ce chapitre. Si vous travaillez sur un tableau qui contient déjà des données et que vous voulez simplement en mettre en forme ou en aligner des cellules, passez directement à l'étape 7.

Pour créer un tableau de données financières parfaitement alignées dans les cellules, commencez par créer une nouvelle page HTML et suivez ces étapes :

1. **Vérifiez que vous êtes en mode Standard. Pour cela, ouvrez le menu Affichage et choisissez successivement Mode Tableau puis Mode Standard.**

2. **Cliquez pour placer le curseur où vous voulez créer un tableau.**

   En mode Standard ou Développé, les tableaux sont automatiquement créés dans la partie supérieure gauche de la page, à moins que vous ne les insériez à la suite d'autres contenus.

3. **Cliquez sur l'icône Tableau dans la barre d'outils Mise en forme.**

   Vous pouvez également passer par la commande Tableau du menu Insertion. La boîte de dialogue Insérer un tableau apparaît.

4. **Saisissez le nombre de colonnes et de lignes de votre tableau.**

   Rappelons qu'il reste toujours possible d'ajouter ou de supprimer des cellules plus tard, à l'aide de l'inspecteur Propriétés.

5. **Spécifiez la largeur, la bordure, le remplissage et l'espacement des cellules, puis cliquez sur OK.**

   Le tableau apparaît automatiquement sur la page.

6. **Cliquez dans une cellule pour y placer le point d'insertion. Saisissez ensuite les données voulues. Répétez cette étape pour chacune des cellules du tableau.**

Appuyez sur la touche de tabulation, ou sur Maj+Tabulation, pour passer d'une cellule à l'autre. Evitez cependant d'appuyer sur la touche de tabulation dans la dernière cellule du tableau : cela créerait une ligne supplémentaire.

Vous pouvez aussi utiliser le collage spécial (menu Edition) pour insérer des colonnes de données issues d'un autre programme comme Excel.

7. **Sélectionnez la colonne ou la ligne dont vous souhaitez modifier l'alignement.**

   Placez votre curseur dans la première cellule de la colonne ou de la ligne à justifier. Cliquez, puis, tout en maintenant le bouton de la souris enfoncé, faites glisser le pointeur sur les colonnes et les lignes à sélectionner pour la mise en forme.

8. **Cliquez du bouton droit (Windows) ou faites un Ctrl+clic (Mac) sur les cellules de la ligne ou de la colonne sélectionnée.**

   Un menu contextuel apparaît (voir la Figure 7.6). L'alternative consiste à utiliser directement les options de l'inspecteur Propriétés.

9. **Dans le menu contextuel, choisissez Aligner, puis au choix Gauche, Centrer, Droite ou Justifier.**

   Ces options permettent de modifier en une seule opération l'alignement du contenu de toutes les cellules sélectionnées. Si vous travaillez sur des données financières, c'est l'option Droite qui donne généralement le résultat voulu. Vous pouvez aussi appliquer de cette manière d'autres options de mise en forme aux cellules sélectionnées à partir du menu contextuel ou de l'inspecteur Propriétés.

Trier les données d'un tableau

Pour utiliser la fonction Trier le tableau, commencez par créer une nouvelle page HTML. Insérez-y un tableau comprenant plusieurs lignes et plusieurs colonnes, et entrez un contenu quelconque dans les cellules (voir la section précédente). Vous pouvez aussi utiliser un tableau existant contenant des données en colonnes de manière à avoir quelque chose à trier. Ensuite, suivez ces étapes :

1. **Sélectionnez le tableau à trier.**

   Placez le pointeur dans une cellule quelconque du tableau à trier.

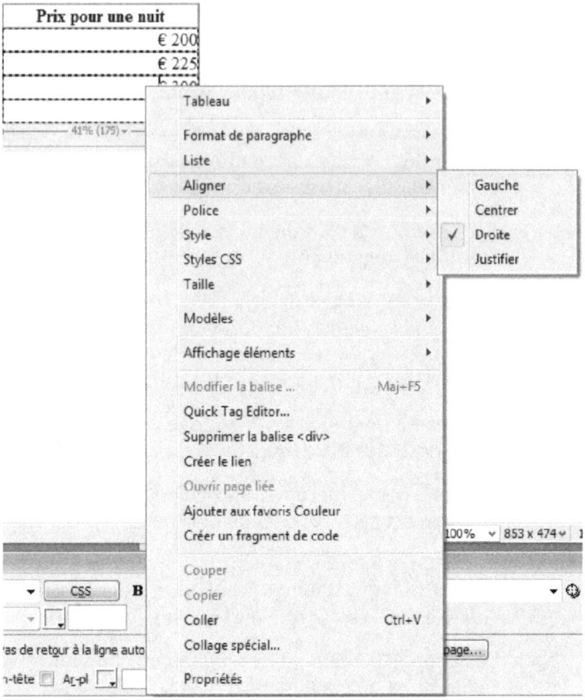

Figure 7.6 : En cliquant sur un élément d'une cellule avec le bouton droit de la souris (Windows) ou via un Ctrl+clic (Mac), vous accédez à de nombreuses options de mise en forme.

2. **Vérifiez que vous êtes en mode Standard. Choisissez si nécessaire Affichage, puis Mode Tableau et enfin Mode Standard.**

3. **Dans le menu Commandes, sélectionnez Trier le tableau.**

   La boîte de dialogue Trier le tableau apparaît (Figure 7.7).

4. **Spécifiez la colonne en fonction de laquelle vous voulez effectuer le tri, puis sélectionnez Alphabétique ou Numérique, Croissant ou Décroissant.**

   Vous pouvez définir deux critères de tri à réaliser simultanément. Vous disposez aussi de cases à cocher qui vous donnent notamment le choix d'inclure ou non dans le tri la première ligne et de conserver ou non les attributs TR (Table Row) avec la ligne triée.

5. **Cliquez sur OK.**

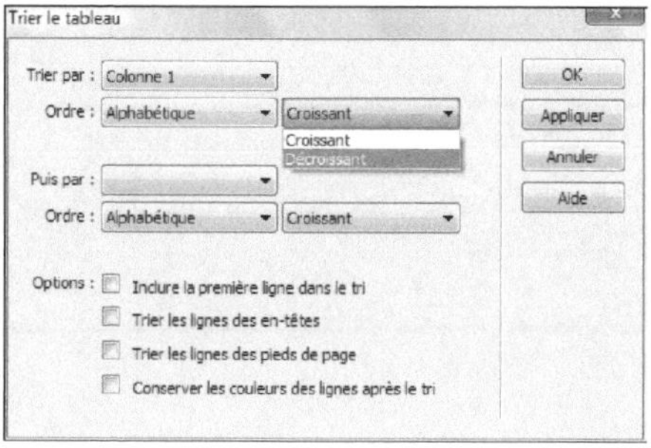

Figure 7.7 : Vous pouvez trier le contenu des cellules d'un tableau, dans l'ordre alphabétique ou numérique, même après leur mise en forme en HTML.

Les cellules sélectionnées sont triées, comme elles le seraient dans Excel. Agréable, non ?

Importer un tableau créé dans un autre programme

Pour importer dans Dreamweaver un tableau enregistré avec un format délimité, commencez par créer une nouvelle page HTML. Ensuite, suivez les étapes ci-après :

1. **Dans le menu Fichier, choisissez Importer puis Données tabulaires, ou bien ouvrez le menu Insertion et cliquez sur Objet du tableau puis sur Importer les données tabulaires.**

   Ces deux commandes affichent la boîte de dialogue Importer les données tabulaires (voir la Figure 7.8).

2. **Dans le champ Fichier de données, saisissez le nom du fichier que vous voulez importer, ou utilisez le bouton Parcourir pour le localiser.**

3. **Dans la liste Délimiteur, sélectionnez le caractère de délimitation employé lorsque vous avez enregistré le tableau dans l'autre application.**

   Les options sont : Tabulation, Virgule, Point-virgule, Deux-points et Autre. Vous devez sélectionner le bon délimiteur pour importer correctement vos données. En cas d'oubli, revenez au programme source et exporter à nouveau le tableau.

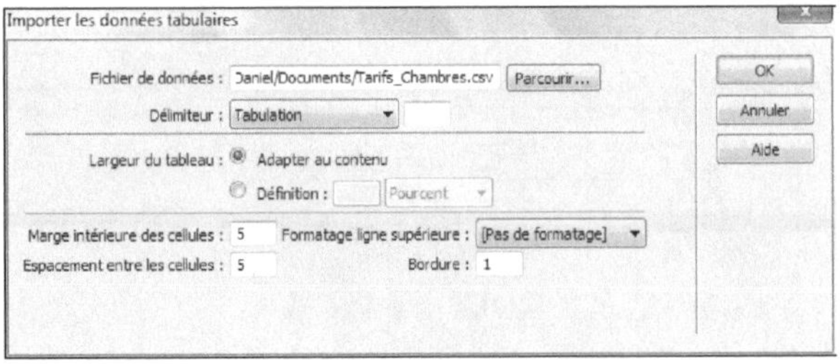

Figure 7.8 : Vous pouvez importer dans Dreamweaver les données d'un tableau créé dans un autre programme.

4. **Sélectionnez la largeur du tableau.**

   Si vous sélectionnez Adapter au contenu, Dreamweaver détermine automatiquement la largeur du tableau en fonction des données importées. Si vous sélectionnez Fixe, vous devez spécifier une taille en pourcentage ou en pixels.

5. **Spécifiez la marge intérieure et l'espacement des cellules uniquement si vous voulez introduire un espace supplémentaire entre les données du tableau.**

6. **Renseignez l'option Formatage ligne supérieure uniquement si vous voulez mettre en forme les données de la première ligne du tableau.**

   Vous disposez des options Gras, Italique et Gras italique.

7. **Indiquez la taille de la bordure.**

   La taille par défaut est 1, ce qui place une bordure fine autour de chaque cellule. Pour que la bordure soit invisible, saisissez 0.

8. **Cliquez sur OK pour créer automatiquement un tableau avec les données importées.**

Dreamweaver vous permet aussi d'exporter les données d'un tableau dans un format délimité. C'est une fonction utile si vous voulez rapatrier dans un autre programme (par exemple un traitement de texte, un tableur ou un programme de bases de données) les données d'un tableau d'une page Web. Pour exporter des données à partir de Dreamweaver, placez le curseur à un endroit quelconque dans le tableau. Ouvrez le menu Fichier et sélectionnez Exporter puis Tableau. Dans la boîte de dialogue Exporter tableau, spécifiez un délimiteur (tabulation, espace, virgule, point-virgule ou deux-points) dans la liste de même nom. Dans la liste déroulante Sauts de ligne, indiquez le système d'exploitation (Windows, Macintosh ou UNIX) sous lequel sera lu le fichier d'exportation.

L'astuce du GIF transparent

L'une des façons dont les concepteurs de sites Web ont réussi à créer des mises en page complexes en contournant les limitations inhérentes aux tableaux HTML est l'emploi d'une technique dite du "GIF transparent". Pour l'essentiel, cette méthode consiste à créer une image invisible (un fichier GIF ne contenant qu'un arrière-plan transparent et rien d'autre), puis à insérer cette image dans la page tout en définissant sa taille à partir des options de largeur et de hauteur de Dreamweaver. L'effet produit est un espace vide sur la page, espace qui peut être contrôlé avec précision en définissant correctement les attributs de hauteur et de largeur.

Autrefois, cette technique était l'une des seules qui permettaient d'obtenir une valeur précise pour les marges (ou d'autres options) dans un tableau et entre les éléments d'une page Web. Aujourd'hui, CSS offre des possibilités bien supérieures aux tableaux pour obtenir ce type de résultat.

L'un des problèmes posés par l'emploi d'images GIF transparentes est précisément le fait qu'elles sont invisibles. Lorsque vous sélectionnez une image GIF transparente, vous pouvez voir son contour, mais celui-ci disparaît dès que l'image n'est plus sélectionnée (à moins de définir une bordure non nulle comme encadrement). Vous pouvez toujours la sélectionner à nouveau en cliquant dessus. Mais cela peut être assez difficile si sa taille est réduite.

Du fait que CSS propose de bien meilleurs outils pour contrôler l'espacement (en utilisant par exemple des paramètres de marge et de remplissage), je vous conseille de ne plus utiliser cette astuce du "GIF transparent". Cependant, si vous avez à éditer une page Web créée par quelqu'un d'autre à partir de tableaux HTML, il se peut que vous découvriez des tas d'images transparentes. C'est pourquoi il est toujours utile de connaître cette astuce pour ne pas être trompé par ceux qui continuent malgré tout à s'en servir.

Si vous héritez d'un site Web qui persiste à utiliser cette méthode de conception, je vous recommande fortement de revoir la conception des pages en faisant appel à des balises <div> et à CSS (voir à ce sujet le Chapitre 6) au lien de tableaux truffés d'images GIF transparentes.

Chapitre 8

Cadrer vos pages

Dans ce chapitre :

- Introduction aux cadres HTML.
- Créer des pages avec des cadres.
- Savoir quand ne *pas* utiliser de cadres.
- Définir des cibles et des liens.
- Changer les propriétés des cadres.

De nombreux utilisateurs expérimentés disent qu'il ne faut jamais utiliser de cadres. Mon approche est plus ouverte. Je ne vous les *recommande* pas, mais c'est à vous d'en décider pour vous-même. Dans quelques circonstances, les cadres peuvent se révéler pratiques, par exemple si vous voulez afficher le contenu d'un autre site Web tout en conservant votre logo et votre système de navigation. Bien entendu, vous ne devriez réaliser cela qu'avec l'accord de l'autre. (A ce sujet, voyez plus loin l'encadré "Résistez aux cadres quand vous créez des liens vers d'autres sites".)

Evaluer les cadres HTML

Les pages Web qui utilisent des cadres sont divisées en sections séparées ou *cadres* individuels. L'ensemble des cadres forme un *jeu de cadres*. Sur l'envers du décor, sachez que chaque cadre d'un jeu est un fichier HTML séparé. Ce système rend les pages Web un peu plus complexes à créer, même dans Dreamweaver. Si vous choisissez de créer vos fichiers de cadres dans un éditeur de texte, vous devrez jongler entre plusieurs pages, tout en travaillant sur un cadre à la fois. Vous ne pourrez apprécier le résultat de vos efforts que si vous affichez un aperçu complet dans un navigateur. L'éditeur visuel de Dreamweaver permet de créer des cadres bien plus facilement. En effet, vous pouvez voir l'ensemble des fichiers HTML entrant dans la composition du jeu de cadres. Il est alors possible de les éditer tout en visualisant leur aspect dans un navigateur.

En tant que fonction de navigation, les cadres permettent d'afficher des informations permanentes, tout en proposant un contenu évolutif dans d'autres sections de la fenêtre de navigation. Par exemple, vous pouvez laisser une liste de liens visible dans un cadre, chaque lien affichant dans un autre cadre le contenu qui le concerne. C'est ce qu'illustre la Figure 8.1.

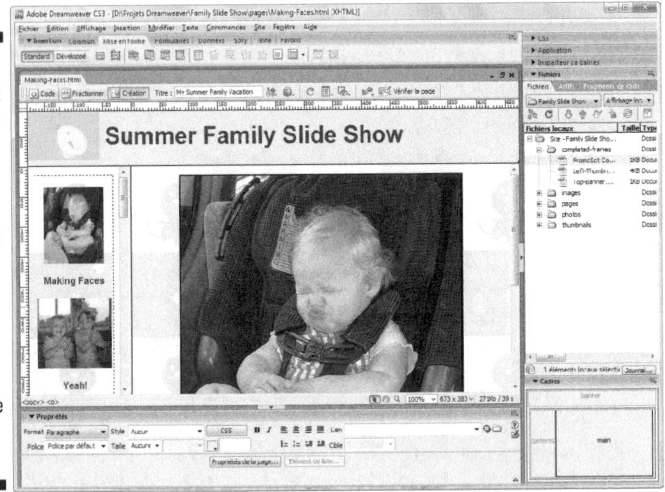

Figure 8.1 : Les photos et les liens sont visibles dans le cadre de gauche, une bannière apparaissant en haut de la fenêtre. En cliquant sur un lien, vous affichez une nouvelle photo dans le cadre principal.

Il est possible de créer autant de cadres que vous le souhaitez. Malheureusement, certaines personnes abusent des cadres et génèrent des structures si complexes que la navigation (comme l'esthétique) devient quasi insupportable. De tels sites sont généralement très laids car surchargés. L'emploi excessif de cadres rend difficile la lecture de l'information, car les fenêtres d'affichage sont trop petites. Pour toutes ces raisons, de nombreux internautes haïssent passionnément les cadres. Abondamment mis en œuvre à l'époque où ils ont fait leur apparition, les cadres sont aujourd'hui rares, voire abandonnés.

Comprendre le fonctionnement des cadres

Les cadres sont un peu compliqués. Cependant, Dreamweaver facilite leur création et leur mise en œuvre. Quand vous construisez une page Web constituée de cadres, n'oubliez jamais que chacun d'eux est en fait un fichier HTML séparé. Vous devez donc enregistrer chaque zone de cadre en tant que page individuelle. Vous devez évidemment savoir quel fichier s'affiche dans chaque section du jeu de cadres pour définir correctement les liens.

La Figure 8.2 montre un jeu de cadres simple. Chacun contient une page HTML différente et un texte distinct (*Page1*, *Page2* et *Page3*), ce qui va me permettre de vous fournir des explications intelligibles dans les étapes qui suivent.

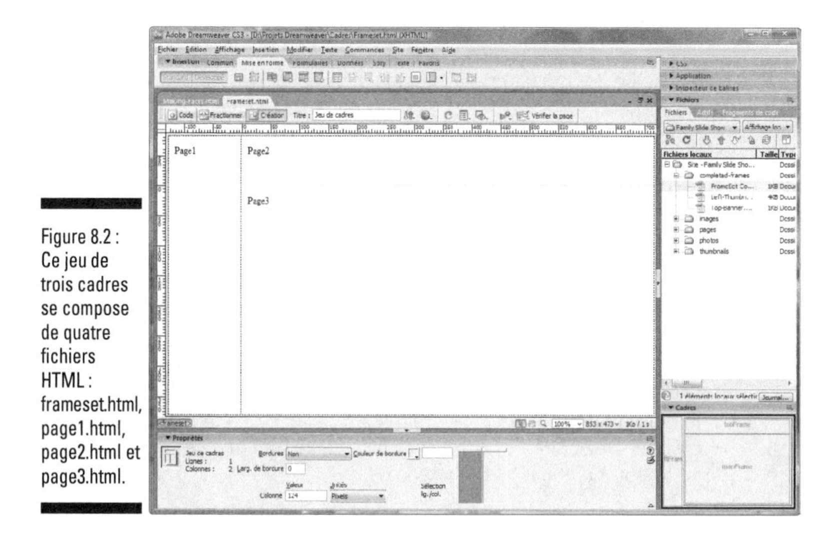

Figure 8.2 : Ce jeu de trois cadres se compose de quatre fichiers HTML : frameset.html, page1.html, page2.html et page3.html.

En plus des contenus qui s'affichent dans chaque cadre, un fichier HTML supplémentaire est nécessaire pour gérer le jeu de cadres lui-même. Cette page n'est pas visible dans le navigateur (elle ne possède pas de balise `<body>`), mais elle décrit les cadres et indique au navigateur comment et où les afficher. Cela semble complexe, mais ne vous inquiétez pas : Dreamweaver crée le fichier HTML du jeu de cadres pour vous. Ici, je cherche simplement à vous donner une idée générale de tous les fichiers que vous avez besoin de créer pour apprécier les explications qui suivent.

Pour bien comprendre ce fonctionnement, jetez un coup d'œil à la Figure 8.2. Dans ce document, vous voyez trois cadres affichant chacun une page HTML différente. Le quatrième fichier HTML définit la page qui *contient* les autres cadres, mais il ne s'affiche pas dans le navigateur, même si vous voyez son nom dans la barre de titre. C'est le fichier du jeu de cadres, qui indique où et comment chaque cadre est affiché (en haut, en bas, à gauche, à droite, avec telle ou telle largeur ou hauteur, etc.). Ce fichier contient aussi d'autres informations comme le nom de chaque cadre, qui sert à définir les liens. Vous pouvez alors spécifier le fichier HTML qui va s'ouvrir dans un certain cadre (ou *cible*).

Créer un cadre dans Dreamweaver

Lorsque vous créez une page composée de cadres, il est important de savoir que vous travaillez sur le fichier *frameset (jeu de cadres)*, c'est-à-dire le fichier qui n'apparaît jamais dans le navigateur des internautes. Il indique simplement au navigateur comment doivent être affichés ces cadres et quelles pages y sont chargées. Lorsque vous éditez le *contenu* d'un cadre d'un jeu de cadres, vous ne modifiez pas le jeu de cadres (frameset), mais uniquement les fichiers qui vont peupler les régions ainsi encadrées.

Normalement, vous devriez modifier les fichiers associés aux différents cadres séparément. Mais Dreamweaver est très laxiste et vous permet de modifier le contenu de chaque cadre directement dans le *contexte* du jeu de cadres tel qu'il apparaît dans le navigateur des internautes. Si vous perdez de vue cette approche particulière, vous allez avoir du mal à comprendre la "réaction" de vos cadres (donc leur fonctionnement général) et comment utiliser Dreamweaver pour les créer et les éditer. Si vous n'avez pas encore coulé à pic, lisez ce qui suit pour maintenir votre bateau à flot.

Créer un cadre avec la commande Fractionner

Dreamweaver permet de créer des cadres de deux manières. La première consiste à fractionner un fichier HTML en deux sections, qui deviennent alors des cadres individuels. Lorsque vous procédez ainsi, Dreamweaver génère automatiquement une page sans titre intégrant la balise `<frameset>` ainsi que des pages supplémentaires sans titre qui sont affichées dans chaque cadre du jeu. Vous êtes tout à coup à la tête de plusieurs pages, presque sans vous en apercevoir. Ce concept est important à comprendre, car vous devez enregistrer et nommer correctement les pages dans des fichiers séparés (même si

Dreamweaver peut vous laisser penser que vous travaillez sur une seule page divisée en sections).

Sauvegardez toujours vos fichiers HTML avant d'y insérer quoi que ce soit. Par contre, lorsque vous travaillez avec des cadres, attendez de tous les avoir créés *puis* enregistrez-les. Sinon, la gestion de vos fichiers deviendra rapidement très compliquée. J'explique cela en détail dans la prochaine section, "Enregistrer les fichiers dans un jeu de cadres".

Pour créer un jeu de cadres simple dans Dreamweaver, comme celui illustré sur la Figure 8.2, conformez-vous aux étapes suivantes :

1. **Dans le menu Fichier, cliquez sur Nouveau.**

   La boîte de dialogue Nouveau document apparaît (voir la Figure 8.3).

Figure 8.3 : Dreamweaver propose de nombreux jeux de cadres prédéfinis dans la catégorie Exemple de page.

2. **Dans la liste des Catégories, à gauche de la fenêtre, activez le choix Exemple de page.**

3. **Dans la liste Dossier exemple, cliquez sur Jeux de cadres.**

   Une série de modèles prédéfinis est maintenant proposée dans la liste Exemple de page.

4. **Choisissez un style de jeux de cadres dans la liste Exemple de page.**

Un aperçu apparaît à droite de la fenêtre. Pour cet exercice, nous allons choisir Gauche fixe, supérieur imbriqué (comme sur la Figure 8.3).

5. **Cliquez sur le bouton Créer.**

   Le jeu de cadres apparaît automatiquement dans l'espace de travail de Dreamweaver. Si les alertes d'accessibilité sont activées dans les préférences du programme, il vous sera demandé de définir ces attributs pour les balises de cadre. Entrez alors des titres personnalisés ou contentez-vous de cliquer sur OK.

6. **Cliquez sur les barres de séparation et faites-les glisser pour définir la hauteur et la largeur de chaque cadre.**

7. **Pour éditer chaque section du jeu de cadres, cliquez dans le cadre sur lequel vous voulez travailler. Procédez ensuite comme vous le feriez avec toute autre page HTML.**

   Souvenez-vous que vous devez toujours enregistrer vos fichiers avant de définir des liens ou d'insérer des images ou autres fichiers.

   Vous pouvez saisir du texte, insérer des images, créer des tableaux et ajouter n'importe quelles autres fonctions comme vous le feriez avec n'importe quelle page.

Créer un cadre depuis la barre d'outils Mise en forme

Vous pouvez aussi créer des cadres en utilisant l'icône Cadres. Cette icône apparaît vers la droite lorsque vous cliquez sur l'onglet Mise en forme dans la barre Insertion. Elle propose plusieurs jeux de cadres prédéfinis. Pour créer un jeu de cadres dans Dreamweaver, il vous suffit de cliquer sur l'une de ces icônes ou de la faire glisser pour la déposer sur votre document. La Figure 8.4 montre le menu dans lequel une de ces options a été sélectionnée et appliquée à un nouveau document.

Voici comment créer une page à l'aide des icônes de la liste des cadres prédéfinis :

1. **Dans le menu Fichier, choisissez Nouveau, puis Page vierge.**

2. **Dans la liste Type de page, sélectionnez HTML et <aucune> dans la liste Mise en forme.**

3. **Cliquez sur le bouton Créer pour afficher la nouvelle page vierge.**

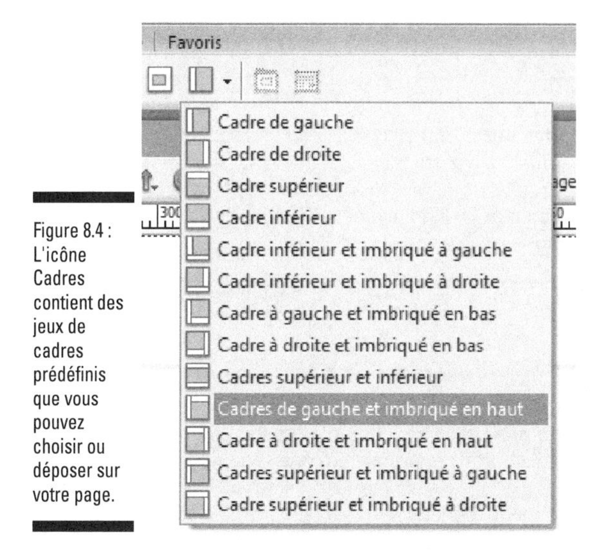

Figure 8.4 : L'icône Cadres contient des jeux de cadres prédéfinis que vous pouvez choisir ou déposer sur votre page.

4. **Dans la barre d'outils Mise en forme, cliquez sur l'icône Cadres. Dans le menu déroulant qui apparaît, choisissez la disposition qui se rapproche le plus du jeu de cadres dont vous avez besoin (reportez-vous à la Figure 8.4). Cliquez dessus pour l'appliquer.**

   Le jeu de cadres que vous avez choisi est automatiquement créé. Il s'affiche dans l'espace de travail de Dreamweaver en remplacement de la page HTML vierge produite lors de l'étape 3.

   Peu importe que cela ressemble ou non à la page dont vous rêviez. Les modifications interviendront plus tard.

5. **Modifiez le jeu de cadres selon vos besoins.**

   Vous pouvez modifier votre jeu de cadres en faisant glisser ses bordures, en fractionnant les cadres comme cela est expliqué dans la précédente section, ou en déposant une autre icône du panneau Cadres dans l'un des cadres déjà définis.

Ensuite, vous devez enregistrer le jeu de cadres et les fichiers associés. Dans la prochaine section, je vous dis tout sur ce sujet brûlant !

Enregistrer les fichiers dans un jeu de cadres

Lorsque vous êtes prêt à enregistrer, Dreamweaver vous propose deux options pour sauvegarder les fichiers : soit vous les enregistrez tous d'un seul coup, soit un par un. L'exemple de la précédente section contient quatre fichiers HTML distincts. Chacun doit être nommé et enregistré sur votre disque dur.

Pour enregistrer tous les fichiers que vous venez de créer, suivez ces étapes :

1. **Dans le menu Fichier, choisissez Enregistrer tout.**

   Lorsque la boîte de dialogue Enregistrer sous apparaît, assignez un nom au premier fichier, et indiquez son emplacement de stockage. Il s'agit de la première d'une série de boîtes de dialogue Enregistrer sous que vous allez voir apparaître. Leur nombre dépend évidemment de la quantité de cadres définis.

2. **Donnez un nom au fichier.**

   Dreamweaver suggère un nom, mais vous pouvez y substituer celui que vous voulez. Assurez-vous qu'il porte l'extension .htm ou .html. Le premier fichier que vous enregistrez représente le *jeu de cadres* (*frameset*), c'est-à-dire celui qui indique la conformation des cadres. Je vous invite à conserver le nom par défaut ou à saisir quelque chose comme "Jeu de cadres". Dans le document, il est symbolisé par une bordure en pointillé formant tous les cadres du jeu.

3. **Parcourez votre disque dur pour localiser le dossier où vous voulez placer les fichiers HTML, et cliquez sur Enregistrer.**

   Le premier fichier du jeu de cadres est enregistré. Une nouvelle boîte de dialogue Enregistrer sous apparaît pour le suivant. Donnez à chaque fichier du jeu de cadres un nom qui lui soit propre. Si vous voulez adopter mes habitudes, vous pouvez donner des noms comme `Cadre1.htm`, `Cadre2.htm`, `Cadredroit.htm`, `Cadregauche.htm` ou `Cadremilieu.htm`. Vous pouvez vous y prendre autrement, mais l'essentiel est de retrouver vos petits. Une fois que vous avez enregistré tous les cadres, la boîte de dialogue Enregistrer sous disparaît.

Nommez soigneusement les fichiers ainsi enregistrés afin de les identifier plus facilement. La précision des noms permet de mieux définir les liens des cadres de vos documents. Remarquez que Dreamweaver met en évidence chaque cadre que vous sauvegardez en l'entourant d'une bordure épaisse, visible sous la boîte de dialogue.

Après le premier enregistrement de vos documents, Dreamweaver les identifie à votre place et actualise leur contenu automatiquement. Pour les mettre collectivement à jour, il vous suffira maintenant de choisir la commande Enregistrer tout dans le menu Fichier.

Il se peut que vous ne vouliez pas enregistrer tous vos fichiers à la fois. Pour sauvegarder un seul cadre du jeu, placez-y votre pointeur et choisissez Fichier puis Enregistrer le cadre sous. Dreamweaver n'enregistre alors que le fichier correspondant au cadre dans lequel se trouve le pointeur.

Pour n'enregistrer que la page qui définit le jeu de cadres, sélectionnez tous les cadres en cliquant sur l'une des bordures qui délimitent les cadres ou encore dans le coin supérieur gauche de l'espace de travail, puis choisissez la commande Enregistrer le jeu de cadres sous dans le menu Fichier. **N'oubliez pas :** Cette page n'est affichée dans aucun cadre. Elle se contente de définir la zone d'affichage des cadres, la nature de leur contenu, ainsi que leur position et leur taille respectives.

Si vous poursuivez votre travail sur une page de cadres, souvenez-vous que chaque modification apportée au contenu d'un cadre entraîne une modification d'un fichier différent de celui que vous avez défini en premier, c'est-à-dire le jeu de cadres. En travaillant de cette manière, il se peut que vous ne sachiez plus quel fichier enregistrer. Ce problème est communément rencontré par les concepteurs Web. La seule chose à faire est de vérifier la présence du pointeur de la souris dans le cadre dont vous avez décidé de modifier le contenu. Pour être certain de ne pas vous tromper, choisissez toujours la commande Enregistrer tous les cadres. Dreamweaver actualisera les cadres *et* le jeu de cadres lui-même.

Définir les cibles et les liens des cadres

L'une des fonctions les plus intéressantes des cadres est de pouvoir manipuler leur contenu séparément dans la fenêtre du navigateur. Une large gamme de possibilités de mises en page s'offre à vous afin d'améliorer la navigation dans votre site. Une méthode très commune consiste à créer un cadre qui affiche une liste de liens renvoyant vers d'autres pages du site, celle-ci s'ouvrant dans un autre cadre de la même page. Vous pouvez ainsi conserver une liste de liens visible sur toutes les pages de votre site, ce qui rend la navigation plus simple et plus intuitive.

Définir les liens d'un cadre de manière que la page convoitée s'affiche dans un autre cadre est aussi simple que définir le lien vers une page totalement différente. La seule différence est que vous devez indiquer dans quel cadre doit s'afficher la nouvelle page. On parle de *cible*.

Mais avant de définir des liens, vous devez exécuter quelques petites tâches. D'abord, vous devez créer d'autres pages qui serviront de cibles. Choisissez Fichier, puis Nouveau. Composez normalement votre page en incluant du texte et des images, puis enregistrez-la sous forme de fichier HTML. Si vous disposez déjà de contenus, la moitié du travail est fait. Il suffit de définir les liens vers ces pages.

L'autre étape consiste à nommer chaque cadre de manière à pouvoir spécifier l'emplacement où doit se charger le fichier lié. Si vous ne le faites pas, la nouvelle page remplacera purement et simplement le jeu de cadres, annulant le principe même d'implémentation des cadres, c'est-à-dire leur pérennité sur tout votre site.

Nommer des cadres

Les noms des cadres sont visibles dans le panneau Cadres (voir la Figure 8.5). Si les noms que leur affecte automatiquement Dreamweaver vous satisfont, sautez les étapes suivantes. Pour changer les noms des cadres ou attribuer directement un nom personnalisé lors de la création d'un nouveau cadre, suivez ces étapes :

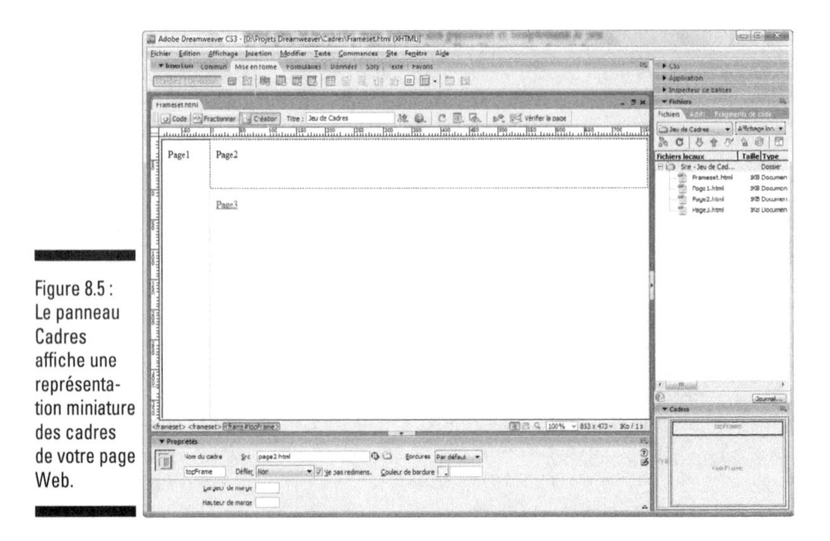

Figure 8.5 : Le panneau Cadres affiche une représentation miniature des cadres de votre page Web.

1. **Ouvrez un jeu de cadres existant ou créez-en un.**

2. **Si nécessaire, cliquez dans le menu Fenêtre sur l'option Cadres afin d'ouvrir le panneau Cadres, à droite de la zone de travail.**

   Le panneau Cadres apparaît en bas et à droite de la fenêtre de Dreamweaver (comme sur la Figure 8.5). Il fournit une représentation miniature des cadres de votre page. Pour sélectionner un cadre, cliquez simplement dessus dans le panneau.

3. **Dans le panneau Cadres, cliquez sur le cadre que vous souhaitez (re)nommer.**

   Sur la Figure 8.5, j'ai sélectionné le cadre du haut. Bien entendu, vous pouvez sélectionner n'importe quel cadre dans ce panneau. L'inspecteur Propriétés affiche les propriétés de ce cadre. Vous pouvez donc les modifier directement dans ce panneau. Pour sélectionner le jeu de cadres complet, cliquez sur son contour dans le panneau Cadres. Mais n'oubliez pas que celui-ci ne vous permet de sélectionner qu'un seul cadre ou jeu de cadres à la fois.

4. **Dans le champ Nom du cadre de l'inspecteur Propriétés, donnez un nom au cadre sélectionné.**

   Dreamweaver assigne automatiquement des noms aux différents cadres lorsque vous sauvegardez les fichiers dans un jeu. Vous pouvez le conserver ou bien opter pour une autre dénomination. Je recommande de choisir un nom qui signifie quelque chose de concret pour vous.

5. **Pour enregistrer les pages du jeu de cadres après en avoir modifié les noms, choisissez dans le menu Fichier la commande Enregistrer le jeu de cadres.**

   Le jeu de cadres est un fichier non affiché à l'écran, qui décrit les autres cadres et contient des informations sur eux, notamment leur nom.

   Rappelons que vous pouvez enregistrer séparément un cadre en y plaçant le pointeur et en choisissant la commande Enregistrer dans le menu Fichier. Pour enregistrer tous les fichiers du jeu de cadres, cliquez sur Fichier, puis sur Enregistrer tout. Pour en savoir plus sur l'enregistrement des cadres, voir plus haut la section "Enregistrer les fichiers dans un jeu de cadres".

Vous avez maintenant identifié ou modifié les noms de vos cadres, et vous êtes prêt à définir des liens ayant pour cibles ces cadres.

Ne fermez pas encore ces fichiers, vous allez en avoir besoin dans la section suivante pour créer vos liens.

Sauvegardez régulièrement vos documents, cela vous épargnera des heures de travail supplémentaires si un plantage de votre système ou une panne électrique surviennent. Souvenez-vous que chaque sauvegarde d'un projet comportant des cadres nécessite l'enregistrement séparé de chaque page.

Définir des liens vers un cadre cible

Définir des liens dans un jeu de cadres nécessite un travail complémentaire. Vous devez au préalable disposer d'un jeu de cadres, et nommer correctement ces derniers. Si cela est déjà fait, cette section vous apprend à définir des liens dans un jeu de cadres.

Cette tâche est semblable à celle que vous accomplissez lorsque vous vous contentez de lier un texte ou une image à une autre page ou à un site distant. Ici, la différence est que vous définissez le cadre *cible*, c'est-à-dire celui dans lequel va s'afficher la page liée. Par exemple, si vous voulez que l'élément vers lequel pointe un lien situé dans le cadre de gauche s'affiche dans le cadre principal, vous devez spécifier ce dernier comme étant la cible du lien. Si vous ne spécifiez pas de cible, l'élément associé sera affiché dans le cadre où se trouve le lien. La principale raison d'être des cadres étant de présenter des liens de navigation dans une section pour ouvrir les éléments correspondants dans une autre, vous devez savoir comment désigner une cible lorsque vous définissez un lien.

Si tout cela vous paraît compliqué, ne paniquez pas. Tout deviendra plus facile une fois que vous aurez suivi les étapes ci-après :

1. **Ouvrez un jeu de cadres existant ou créez-en un.**

   La Figure 8.6 présente un exemple de site que j'ai créé pour ce chapitre.

2. **Sélectionnez le texte ou l'image devant servir de lien.**

   Pour cet exemple, j'ai sélectionné la seconde vignette dans la colonne de gauche. Remarquez que tout cela fonctionne de la même manière que lorsque vous créez un lien avec du texte ou une image.

3. **Dans l'inspecteur Propriétés, entrez une URL dans la case Lien ou utilisez le bouton Parcourir pour sélectionner la page de destination.**

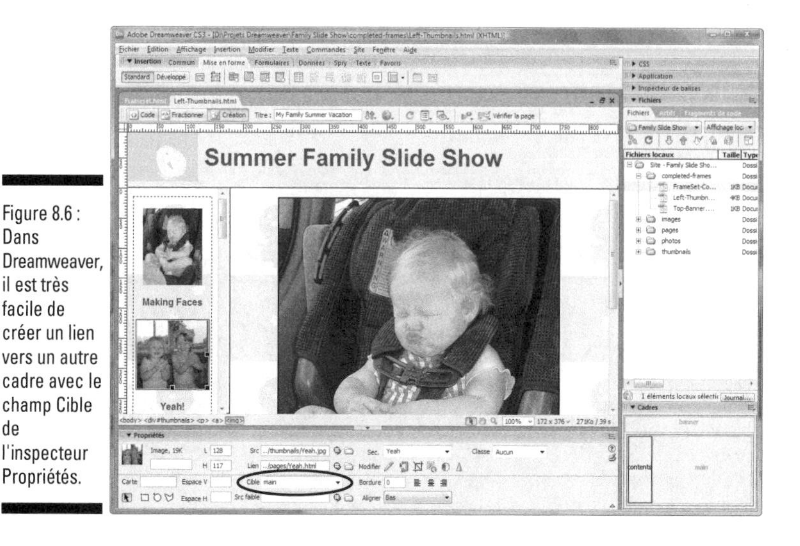

Figure 8.6 : Dans Dreamweaver, il est très facile de créer un lien vers un autre cadre avec le champ Cible de l'inspecteur Propriétés.

Dans mon exemple, j'ai défini un lien vers le fichier `Yeah.html` (Il contient une vue agrandie de la vignette sélectionnée dans le cadre de gauche).

4. **Dans la liste Cible du panneau Propriétés, choisissez le nom du cadre dans lequel vous souhaitez que s'affiche la page liée.**

   Conformément à ce que nous avons dit plus haut, vous devriez choisir ici le cadre principal en cliquant sur le nom que vous lui avez donné. Notez que Dreamweaver vous propose ici la liste de tous les cadres nommés de votre document (reportez-vous à la Figure 8.6).

   Lorsque vous affichez le jeu de cadres dans votre navigateur et que vous cliquez sur la seconde vignette dans le cadre de gauche (les deux petites filles qui tapent dans leurs mains), la page nommée `Yeah.html` s'affiche dans le cadre principal (voir la Figure 8.7).

Pour tester vos liens, il faut prévisualiser le travail dans un navigateur. Pour cela, il faut enregistrer tous les fichiers (via la commande Enregistrer du menu Fichier) pour vous assurer que l'aperçu sera complet.

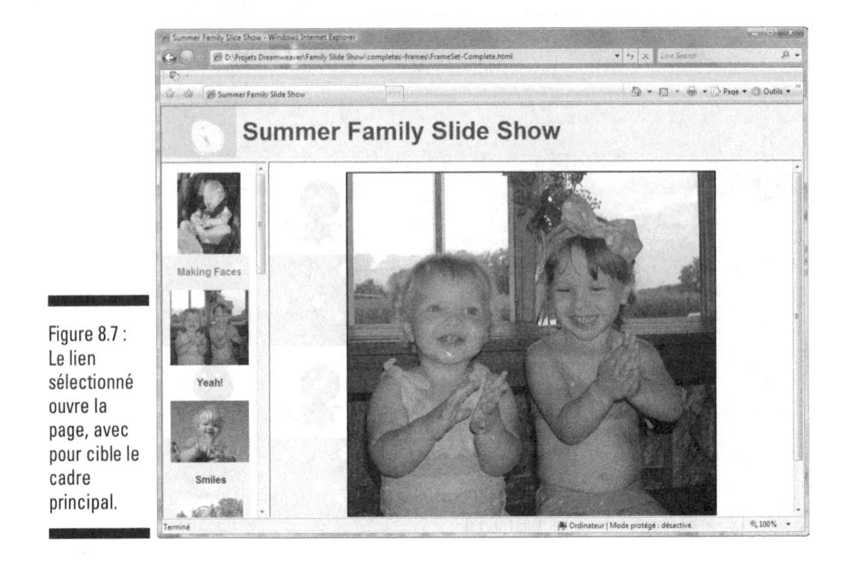

Figure 8.7 : Le lien sélectionné ouvre la page, avec pour cible le cadre principal.

Comparer les différentes cibles

La liste Cible du panneau Propriétés propose plusieurs options. Comme nous venons de le voir, il est possible d'afficher une page liée dans un autre cadre du même jeu. Mais, dans certaines circonstances, il est judicieux de définir une cible qui ouvrira une nouvelle page, voire une nouvelle fenêtre du navigateur afin de ne rien changer à l'affichage des cadres d'origine. Le Tableau 8.1 décrit les options que vous trouverez dans la liste Cible en indiquant l'action correspondante.

La liste Cible n'est active que si vous sélectionnez un texte ou une image servant de lien, et que vous spécifiez dans le champ Lien de l'inspecteur Propriétés la page vers laquelle pointe ce lien.

Modifier les propriétés des cadres

Plus vous deviendrez performant dans l'utilisation des cadres, plus vous chercherez à en modifier les propriétés. Celles-ci permettent d'activer ou de désactiver les contours, de modifier la couleur d'un cadre ou de sa bordure, de limiter le défilement, etc. Pour accéder à ces options dans Dreamweaver, ouvrez le menu Fenêtre et choisissez

Tableau 8.1 : Les options Cible des cadres.

Nom de la cible	Action
`_blank`	Ouvre le document lié dans une nouvelle fenêtre du navigateur.
`_parent`	Ouvre le document lié dans le fichier parent de la page qui contient le lien. (Le *parent* est la fenêtre, le cadre ou le jeu de cadres qui contient le cadre où est défini le lien.)
`_self`	Ouvre le document lié dans le même cadre que le lien d'origine, remplaçant ainsi son contenu. Il s'agit de l'option par défaut, et il n'est pas utile généralement d'y toucher si c'est vraiment ce que vous voulez faire.
`_top`	Ouvre le document lié dans le jeu de cadres le plus extérieur du document, remplaçant tout le contenu de la fenêtre du navigateur.

la commande Cadres. Dans le panneau Cadres, cliquez sur la zone qui correspond au cadre que vous voulez éditer. Servez-vous ensuite de l'inspecteur Propriétés pour accéder aux options décrites dans les quatre sections qui suivent. La Figure 8.8 montre l'inspecteur Propriétés tel qu'il apparaît quand vous sélectionnez un cadre dans le panneau Cadres.

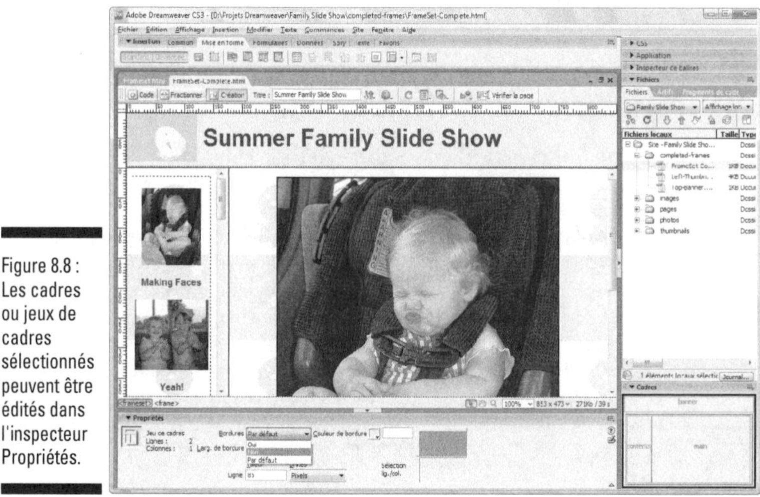

Figure 8.8 : Les cadres ou jeux de cadres sélectionnés peuvent être édités dans l'inspecteur Propriétés.

Modifier les bordures d'un cadre

Je pense que le mieux que vous ayez à faire est de désactiver la bordure des cadres. Pour rendre ces bordures invisibles, il suffit de sélectionner Non dans la liste Bordures du panneau Propriétés. Ce choix peut valoir pour la totalité du jeu de cadres ou pour chaque cadre individuellement. Les autres options sont *Oui* et *Par défaut* (qui, généralement, veut dire Oui !). Pour les cadres individuels, l'option Par défaut hérite de la configuration du jeu de cadres parent.

Vous pouvez définir des paramètres généraux pour les bordures à l'aide de l'inspecteur Propriétés. Pour sélectionner le jeu de cadres de manière à afficher ses propriétés, cliquez sur sa bordure dans le panneau Cadres. La Figure 8.8 affiche un jeu de cadres sélectionné dans le panneau Cadres, sa configuration apparaissant dans l'inspecteur Propriétés.

Si vous décidez de laisser les bordures visibles, vous pouvez en personnaliser les couleurs. Cliquez sur le nuancier Couleur de bordure. Vous accédez à la palette de couleurs de Dreamweaver où vous choisissez la teinte à appliquer à la bordure (ou directement sur la page en vous servant de la pipette).

Si vous sélectionnez une bordure spécifique, l'inspecteur Propriétés permet d'en définir l'épaisseur. Saisissez simplement une valeur dans le champ Larg. de bordure.

Modifier la taille des cadres

La méthode la plus simple pour modifier la taille d'un cadre est de sélectionner sa bordure et de la faire glisser jusqu'à obtention du résultat voulu. Lorsque vous sélectionnez une bordure, l'inspecteur Propriétés affiche la taille du cadre, exprimée en pixels ou en pourcentage de la zone d'affichage. Il suffit alors de modifier cette valeur dans le champ Ligne ou Colonne. Ce nom change en fonction de la nature de la bordure (verticale ou horizontale). Si vous spécifiez une largeur de 0 pour les bordures des cadres, vous risquez de ne plus les voir sur la page. Il est alors difficile de les redimensionner à la main. Dans ce cas, ouvrez le menu Affichage et choisissez successivement Assistances visuelles puis Bordures de cadres. Dreamweaver affiche les bordures sous forme de lignes grises. Il est alors aisé de les sélectionner.

Les options de défilement et de redimensionnement

Des options permettent de faire défiler le contenu d'un cadre de haut en bas ou de gauche à droite. Vous disposez des choix suivants : Oui, Non, Auto et Par défaut (voir la Figure 8.9). En règle générale, je recommande de laisser cette option sur Auto, ce qui permet au navigateur du visiteur d'activer si nécessaire la barre de défilement. Ainsi, lorsque la zone d'affichage est trop petite pour présenter toutes les informations de la page, le cadre s'habille d'un sympathique ascenseur. Si tout le contenu du cadre est visible, aucune barre de défilement ne vient parasiter la mise en page.

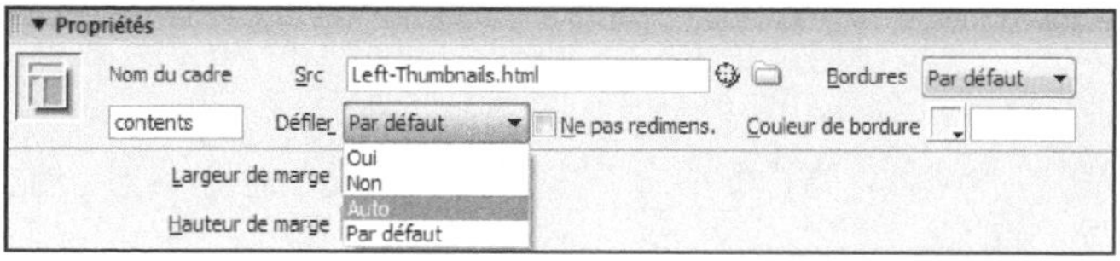

Figure 8.9 : Utilisez la liste Défiler de l'inspecteur Propriétés pour définir les options de défilement.

Si vous paramétrez cette option sur Oui, les barres de défilement sont visibles même si elles ne servent à rien. Si vous optez pour Non, elles ne seront jamais visibles, même si l'utilisateur en a besoin pour accéder au contenu masqué du cadre. Cette proposition est dangereuse dans la mesure où vous ne contrôlez jamais la taille de la fenêtre du navigateur de l'internaute. Ainsi, des informations essentielles peuvent lui être à jamais cachées. Retenez donc la règle suivante : configurez toujours l'option Défiler en mode Auto.

Notez aussi, sur la Figure 8.9, la présence de l'option Ne pas redimens. Si vous la cochez, les visiteurs ne pourront pas modifier la taille de vos cadres. Généralement, j'aime laisser un certain contrôle à l'utilisateur, mais j'active parfois cette option si je veux m'assurer que mes visiteurs n'altéreront pas la mise en page si sensible de mes cadres.

Définir la hauteur et la largeur de la marge

Les options Largeur de marge et Hauteur de marge permettent de spécifier un certain espace entre la bordure du cadre et son contenu. Normalement, dans un navigateur Web, il y a toujours suffisamment de place entre le bord de la fenêtre et son contenu. C'est pour cela que vous pouvez placer du texte et des images sur votre page sans vous soucier de la distance qui les sépare du bord de la fenêtre. Avec les cadres, vous pouvez réellement contrôler la taille de la marge, ou même l'éliminer.

Du point de vue général, je recommande de définir une marge d'au moins 2 pixels. Augmentez cette valeur si vous avez besoin de faire ressortir le contenu. Pour supprimer les deux marges, fixez la valeur des champs à 0. Les images ou le texte contenus dans le cadre toucheront alors la bordure du cadre, ou la fenêtre du navigateur si le cadre se trouve lui-même tout au bord de la fenêtre en question. Vous pouvez d'ailleurs employer cette technique pour donner l'impression d'images sans raccord traversant plusieurs cadres.

Chapitre 9

Coordonner votre travail de création

Dans ce chapitre :

- Créer un modèle pour accélérer le développement.
- Opérer des changements globaux avec des modèles.
- Enregistrer des éléments dans la bibliothèque pour y accéder rapidement.
- Utiliser des modèles prédéfinis.

Dreamweaver offre plusieurs fonctionnalités pour vous aider à développer et conserver un "look and feel" constant dans l'ensemble de votre site. Dans ce chapitre, vous découvrirez trois de mes outils préférés : les modèles, les éléments de la bibliothèque et le Tracé de l'image. En les combinant, vous pourrez simplifier et accélérer votre travail, y compris avant même que vous ne commenciez à concevoir et remplir vos pages. A la fin de ce chapitre, vous trouverez également des instructions pour utiliser les modèles prédéfinis, les pages d'accueil et les feuilles de style de Dreamweaver.

Soyez modèle

De nombreux programmes de conception Web vantent leurs modèles HTML. Bien souvent, cela signifie simplement que l'application contient quelques maquettes de pages prêtes à l'emploi. Dreamweaver pousse ce concept quelques pas plus loin en fournissant la possibilité de concevoir des modèles qui vous permettent de créer des pages types et de spécifier quelles sections peuvent ou non être altérées.

Cela est particulièrement intéressant si vous travaillez avec une équipe de personnes possédant des niveaux de connaissance variés, ou si vous avez à créer des dizaines de pages répondant à la même maquette de base. Prenons par exemple le cas d'une agence immobilière qui souhaite que la mise à jour des annonces puisse être réalisée rapidement sans que les employés risquent de toucher à la structure des pages. Dans ce cas, un modèle avec des zones verrouillées représentera une excellente solution pour ajouter ou supprimer des annonces dans un format standard sans que les personnels puissent endommager quoi que ce soit par accident.

C'est quand vous créez de nombreuses pages qui doivent partager certaines caractéristiques (par exemple une couleur d'arrière-plan, une disposition en colonnes ou un emplacement pour une image) que les modèles sont les plus utiles. Si vous créez par exemple un site pour un hôtel touristique, vous pourriez définir un modèle servant à toutes les pages qui présentent les différentes chambres, avec un emplacement pour la photographie, un autre pour un texte descriptif, un troisième pour les tarifs, avec également des flèches de circulation vers l'avant et vers l'arrière de manière que les visiteurs puissent circuler facilement entre les pages. Pour chacune de ces pages, il vous suffirait de repartir du modèle et de changer la photo, le texte, les tarifs et les liens.

L'aspect le plus puissant des modèles de Dreamweaver réside dans la capacité qu'ils vous offrent d'effectuer des modifications globales sur chaque page construite à partir d'eux.

Créer des modèles

Un modèle est aussi facile à créer que n'importe quel autre fichier Dreamweaver. Vous pouvez le générer à partir d'un document HTML existant que vous modifierez ensuite pour l'adapter à vos besoins. Vous pouvez également créer un document totalement nouveau. Quand vous enregistrez un fichier sous forme de modèle, il est stocké automatiquement dans le dossier Templates (modèles) du répertoire principal de votre site Web. Cette sauvegarde dans un dossier commun est nécessaire à la bonne marche des fonctions automatisées de Dreamweaver.

Créer des régions modifiables et non modifiables

Lorsque vous créez un modèle, chaque élément en est automatiquement verrouillé, ou non modifiable, et ce jusqu'à ce que vous le définissiez comme étant une *région modifiable*, c'est-à-dire susceptible d'être changée dans toutes les pages basées sur le modèle. Les étapes permettant de définir un région modifiable sont relativement simples (vous trouverez des instructions détaillées dans les sections qui suivent). Lorsque vous créez une nouvelle page à partir d'un modèle, *seules* les régions modifiables peuvent être altérées. Si vous voulez apporter des modifications globales en utilisant un modèle, seules les *régions non modifiables* peuvent être utilisées pour apporter des modifications sur un ensemble de pages.

Supposons par exemple que vous éditiez un magazine en ligne. Le logo et la barre de navigation en haut, ainsi que le copyright et les liens de navigation en bas sont définis comme n'étant pas modifiables. Vous créez ensuite une zone permettant d'insérer une photographie et un article au milieu de chacune des pages créées à partir du modèle. Cette zone est définie comme étant une région modifiable. Lorsque vous ajoutez de nouvelles pages basées sur le modèle, vous pouvez remplacer la photographie et l'article, puisqu'ils se trouvent dans une région modifiable. Par contre, le logo, le copyright et les liens de navigation restent les mêmes. Vous pouvez donc créer de multiples pages qui sont toutes identiques à l'exception du contenu de la région modifiable, autrement dit de la photographie et de l'article qui l'accompagne.

Imaginez maintenant que vous décidiez un jour de choisir un autre logo pour votre magazine. Ce graphisme doit être mis à jour sur toutes les pages basées sur votre modèle. Aucun problème. Vous ouvrez simplement le fichier du modèle, et vous y changez le logo. Cette modification est alors automatiquement appliquée à toutes les pages basées sur le modèle, puisqu'elle concerne justement une région non éditable. Cela permet de gagner beaucoup de temps, puisque vous n'avez pas besoin de redéfinir le logo sur toutes les pages. Vous pourriez appliquer la même démarche pour actualiser les informations de copyright en bas des pages, puisqu'il s'agit là aussi d'une région verrouillée, donc non modifiable, du modèle.

Tous les changements que vous pouvez appliquer aux articles et aux photographies ne sont pas répercutés sur les pages construites à partir du modèle, puisqu'il s'agit cette fois de régions modifiables. Ce point est important, car vous ne voulez pas remplacer globalement les images et les textes insérés individuellement dans les pages. Et si ces explications ne vous suffisent pas, reportez-vous aux exercices qui vont suivre pour voir tout cela en action.

En résumé : les zones verrouillées d'un modèle (celles que vous définissez comme n'étant pas modifiables) ne peuvent être modifiées que dans le modèle lui-même, mais ces changements sont appliqués automatiquement à toutes les pages créées à partir de ce modèle. Les zones du modèle définies comme étant modifiables peuvent être modifiées sur chacune des pages créées à partir du modèle, mais elles ne sont pas automatiquement mises à jour si vous modifiez ce dernier.

Dans un modèle Dreamweaver, il est possible de créer des *régions modifiables* et des *attributs modifiables*. Le contenu d'une zone modifiable peut être modifié dans les pages créées à partir du modèle : vous remplacez ainsi texte et images, mais vous pouvez aussi insérer des tableaux, des images, du texte, etc. Les attributs modifiables ne s'appliquent qu'à des éléments spécifiques du modèle. Par exemple, vous rendez modifiables les attributs d'une image pour permettre d'en changer l'alignement de gauche à droite, et ce même si l'image elle-même n'est pas éditable.

Pourquoi la section d'en-tête est modifiable par défaut

Dans un nouveau modèle, tous les éléments sont verrouillés par défaut à l'exception de la section d'en-tête, celle qui est délimitée par les balises `<head>` et `</head>`. Ces balises vous permettent de changer le titre d'une page quelconque créée à partir d'un modèle, ou encore d'insérer un script JavaScript si vous utilisez des comportements sur la page. Pour que votre modèle soit effectivement utile pour produire de nouvelles pages, vous devez aussi rendre modifiables les zones qui en forment le corps. N'oubliez pas que vous pourrez toujours éditer plus tard le modèle afin d'en changer la conception, rendre d'autres régions modifiables ou verrouiller des sections pour qu'elles ne puissent pas être modifiées dans les pages individuelles.

Créer un nouveau modèle

Pour créer un modèle exploitable pour construire de nouvelles pages, suivez ces étapes :

1. **Dans le menu Fichier, choisissez la commande Nouveau.**

   La fenêtre Nouveau document s'ouvre.

2. **Dans la liste de gauche, cliquez sur l'option Modèle vierge (voir la Figure 9.1).**

3. **Dans la liste Type de modèle, choisissez l'option Modèle HTML.**

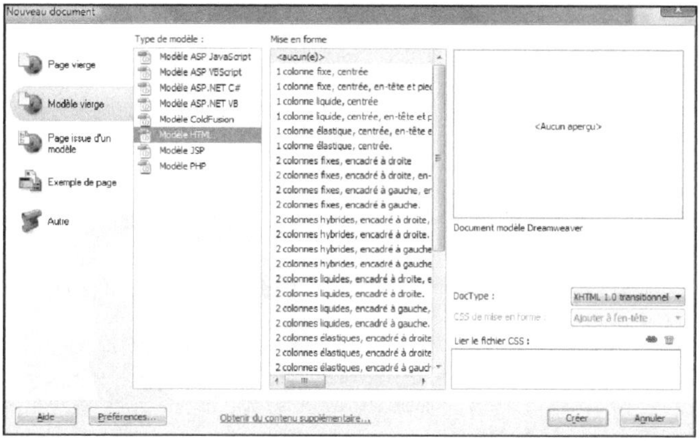

Figure 9.1 : La liste Type de modèle affiche tous les modèles disponibles et donne accès aux fonctions permettant de les éditer.

Vous disposez d'autres choix, y compris des modèles ASP (Active Server Pages), ColdFusion, JSP et PHP. Ces types de fichiers sont utilisés pour créer des sites Web dynamiques.

4. **Dans la liste Mise en forme, choisissez l'option <aucun(e)> pour créer une page vierge.**

   Vous pouvez également opter pour l'un des nombreux modèles CSS prédéfinis. Ces options sont traitées dans le Chapitre 6.

5. **Cliquez sur le bouton Créer.**

   Dreamweaver affiche une nouvelle page entièrement vierge dans la zone de travail.

6. **Choisissez la commande Enregistrer dans le menu Fichier.**

   Une boîte de dialogue devrait vous informer que le modèle ne possède aucune région modifiable et vous demander si vous voulez vraiment continuer.

7. **Cliquez sur OK pour sauvegarder la page en l'état.**

   La fenêtre Enregistrer comme modèle apparaît.

8. **Entrez un nom et une description, comme sur la Figure 9.2.**

9. **Cliquez sur Enregistrer. Le modèle est alors automatiquement sauvegardé avec l'extension `.dwt` dans le sous-dossier Templates du site.**

   Lorsque vous enregistrez le modèle, Dreamweaver ajoute l'extension `.dwt` au fichier. Vous pouvez maintenant éditer cette

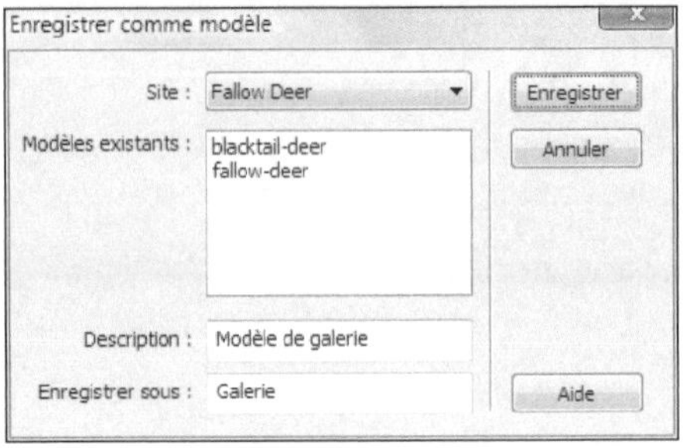

Figure 9.2 : La fenêtre Enregistrer comme modèle affiche la liste des modèles existants.

page comme vous le feriez pour n'importe quelle autre page HTML en insérant des images, du texte, des tableaux, et ainsi de suite.

10. **Choisissez dans le menu Modifier la commande Propriétés de la page et spécifiez les options définissant l'aspect de la page.**

    La boîte de dialogue Propriétés de la page vous permet entre autres de définir l'arrière-plan, les couleurs et le style du texte et des liens. Pour plus de détails, reportez-vous au Chapitre 2.

11. **Pour créer une région modifiable :**

    a. **Sélectionnez un contenu quelconque, qu'il s'agisse d'une image, de texte ou d'autre chose.**

    b. **Cliquez avec le bouton droit de la souris (Windows) ou Contrôle+cliquez (Mac). Choisissez ensuite dans le menu qui apparaît les options Modèles, puis Nouvelle région modifiable (voir la Figure 9.3).**

    c. **Donnez un nom à la nouvelle région. Je vous conseille de choisir quelque chose qui identifie le type du contenu, comme TitrePage ou photo-principale.**

    La région que vous définissez comme étant modifiable devient une zone qui peut être changée dans toutes les pages créées à partir du modèle. Vous pouvez avoir de multiples régions modifiables dans un même modèle, par exemple une photographie d'un côté et sa légende d'un autre. Chaque région modifiable doit avoir un nom différent (les espaces et les caractères sont interdits, à l'exception des tirets et des traits de soulignement).

    d. **Cliquez sur OK.**

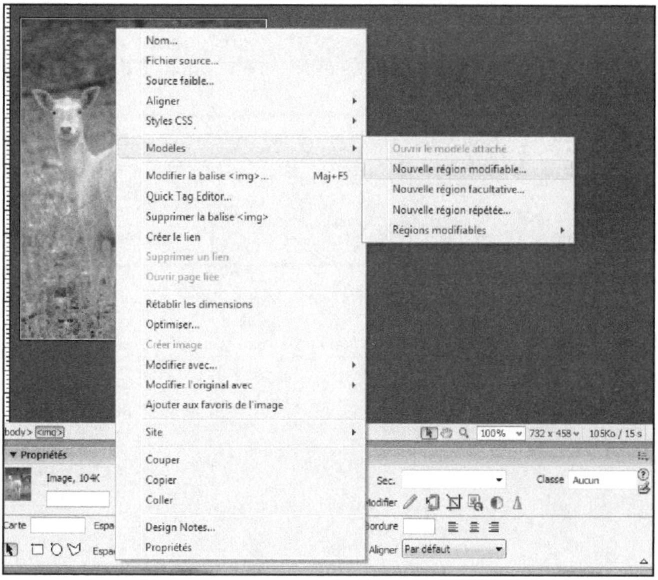

Figure 9.3 : Vous pouvez sélectionner n'importe quel élément de la page du modèle pour le transformer en une région modifiable.

La région modifiable est entourée d'un cadre bleu clair surmonté en haut et à gauche d'un onglet contenant le nom que vous venez de lui donner.

12. **Lorsque vous avez fini de concevoir votre page, sauvegardez le modèle en cliquant sur la commande Enregistrer du menu Fichier.**

    Lorsque vous enregistrez un modèle ou sauvegardez une page en tant que modèle, Dreamweaver ajoute automatiquement l'extension `.dwt` au fichier. Celui-ci est placé dans un sous-dossier du site appelé Templates. Si nécessaire, il insère ce dossier à votre place (dans le pire des cas, créez-le vous-même et placez-y tous vos modèles). Pour que vos modèles soient proposés dans la fenêtre Nouveau document, ils doivent impérativement être placés dans un dossier appelé Templates.

Enregistrer une page comme modèle

Pour enregistrer une page en tant que modèle, conformez-vous aux étapes suivantes :

1. **Ouvrez la page que vous souhaitez convertir en modèle.**

Choisissez la commande Ouvrir dans le menu Fichier pour localiser votre page. Ou encore ouvrez le site voulu dans le panneau Fichiers et faites un double clic sur le fichier pour l'ouvrir.

2. **Choisissez Fichier, puis Enregistrer comme modèle (voir la Figure 9.4).**

Fichier Edition Affichage Insertion Modifier Texte

Nouveau...	Ctrl+N
Ouvrir...	Ctrl+O
Parcourir dans Bridge...	Ctrl+Alt+O
Ouvrir les fichiers récents	▸
Ouvrir dans un cadre...	Ctrl+Maj+O
Fermer	Ctrl+W
Fermer tout	Ctrl+Maj+W
Enregistrer	Ctrl+S
Enregistrer sous...	Ctrl+Maj+S
Enregistrer tout	
Enregistrer sur le serveur distant...	
Enregistrer comme modèle...	
Rétablir	
Imprimer le code...	Ctrl+P
Importer	▸
Exporter	▸
Convertir	▸
Aperçu dans le navigateur	▸
Vérifier la page	▸
Valider	▸
Comparer avec distants	
Design Notes...	
Quitter	Ctrl+Q

Figure 9.4 : Sauvegarder une page HTML en tant que modèle.

La boîte de dialogue Enregistrer comme modèle apparaît.

3. **Utilisez la liste du haut pour sélectionner un site.**

Cette liste affiche tous les sites actuellement définis dans Dreamweaver. Par défaut, la boîte de dialogue propose celui qui contient le fichier actif. Si vous travaillez sur un nouveau site, ou que vous n'avez pas encore défini votre site, reportez-vous au Chapitre 2 qui vous montre comment procéder dans Dreamweaver.

Vous disposez de l'option Enregistrer comme modèle pour enregistrer une page comme modèle dans n'importe quel site défini. Cela facilite l'enregistrement d'une maquette de page provenant d'un site comme modèle pour un autre site.

4. **Dans le champ Enregistrer sous, saisissez le nom du modèle.**
5. **Cliquez sur le bouton Enregistrer de la boîte de dialogue pour sauvegarder le fichier en tant que modèle.**

   Notez que le fichier porte l'extension `.dwt`, ce qui l'identifie comme un modèle Dreamweaver. Vous pouvez éditer ce modèle comme n'importe quel autre.

6. **Actualisez les liens dans le modèle.**

   Du fait que votre fichier original a probablement été enregistré dans un autre dossier que celui des modèles, Dreamweaver propose d'actualiser tous les liens pour qu'ils continuent de pointer vers les bonnes destinations. À moins d'avoir une raison particulière de ne pas autoriser Dreamweaver à prendre en charge la gestion des liens à votre place, cliquez sur Oui.

7. **Effectuez toutes les modifications possibles et imaginables, puis demandez à enregistrer le fichier.**

   Vous pouvez éditer un modèle dans Dreamweaver exactement comme dans n'importe quelle autre page.

8. **Pour créer une région modifiable :**

   a. **Sélectionnez un contenu quelconque, qu'il s'agisse d'une image, de texte ou d'autre chose.**

   b. **Cliquez avec le bouton droit de la souris (Windows) ou Contrôle+cliquez (Mac). Choisissez dans le menu qui apparaît les options Modèles, puis Nouvelle région modifiable.**

   c. **Donnez un nom à la nouvelle région.**

      La région que vous définissez comme étant modifiable devient une zone qui peut être changée dans toutes les pages créées à partir du modèle. Vous pouvez avoir de multiples régions modifiables dans un même modèle.

   d. **Cliquez sur OK.**

      La région modifiable est entourée d'un cadre bleu clair surmonté en haut et à gauche d'un onglet contenant le nom que vous venez de lui donner.

9. **Lorsque vous avez terminé la conception de votre page, n'oubliez pas de sauvegarder à nouveau votre modèle.**

Définir des attributs modifiables

Voici comment créer les attributs modifiables d'un modèle :

1. **Dans un modèle Dreamweaver, sélectionnez un élément dont un attribut doit être modifiable.**

   Dans l'exemple de la Figure 9.5, j'ai sélectionné un bouton de navigation et suis en train d'en rendre modifiables les attributs.

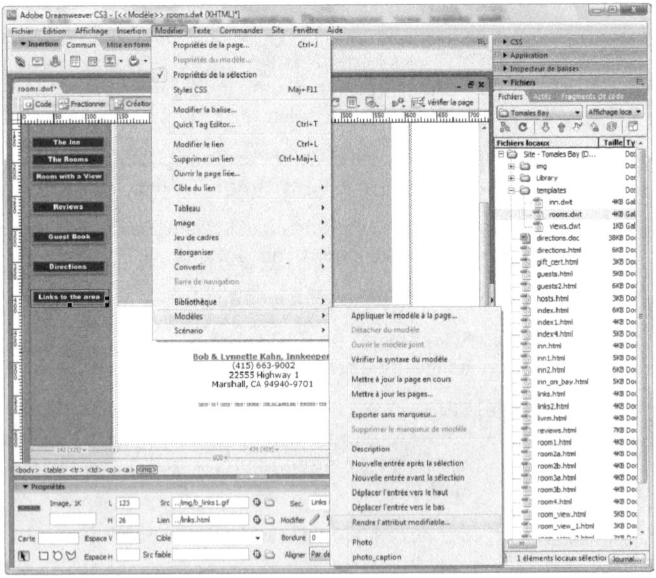

Figure 9.5 : Sélectionnez un texte, une image ou un autre élément de la page, puis utilisez le menu Modifier pour en rendre modifiables les attributs.

2. **Ouvrez le menu Modifier, et choisissez Modèles puis Rendre l'attribut modifiable.**

   La boîte de dialogue Attributs de balise modifiables apparaît (voir la Figure 9.6).

3. **Dans la liste Attributs, choisissez l'attribut à rendre modifiable.**

   Si l'attribut n'existe pas encore, cliquez sur le bouton Ajouter.

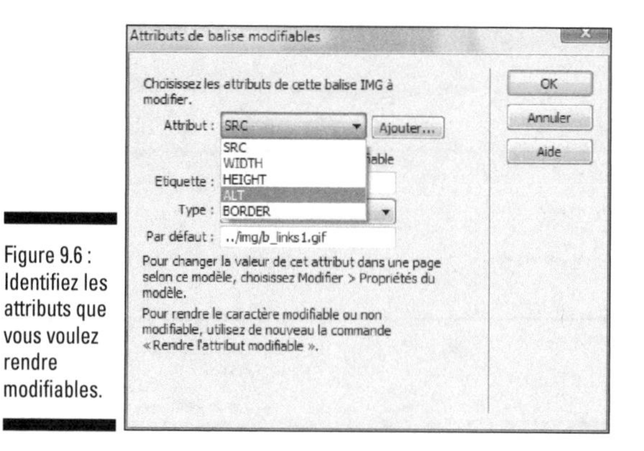

Figure 9.6 : Identifiez les attributs que vous voulez rendre modifiables.

4. **Activez l'option Rendre l'attribut modifiable. Remplissez les champs Etiquette, Type et Par défaut.**

   Les options des attributs varient en fonction de l'élément sélectionné. Grâce à ces paramètres, vous pouvez décider si une image peut être modifiée ou non. Vous pouvez également spécifier quels attributs de la balise image peuvent être altérés lorsque le modèle est utilisé.

5. **Cliquez sur OK.**

Créer une nouvelle page à partir d'un modèle

Voici comment se servir d'un modèle pour créer une page :

1. **Dans le menu Fichier, choisissez Nouveau.**

   La fenêtre Nouveau document va s'afficher.

2. **Dans la liste de gauche, cliquez sur la catégorie Page issue d'un modèle (voir la Figure 9.7).**

3. **Dans la liste Sites, sélectionnez le site qui contient un modèle que vous souhaitez utiliser.**

   Les modèles enregistrés dans le site choisi apparaissent dans la section située à droite, Modèle du site.

4. **Dans la liste Modèle du site, choisissez le modèle que vous voulez utiliser.**

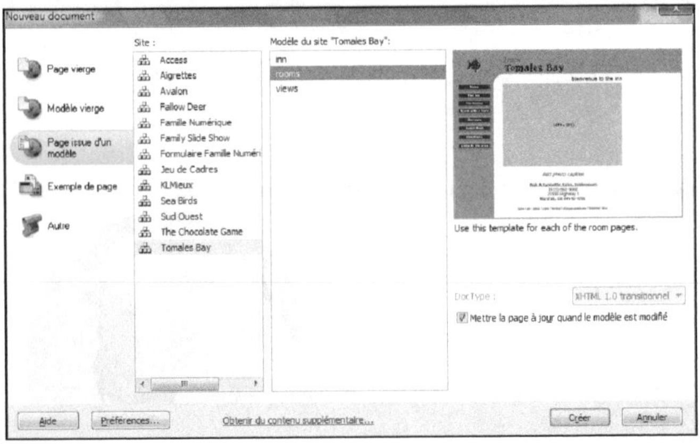

Figure 9.7 : La boîte de dialogue Nouveau document permet de sélectionner un modèle quelconque dans un des sites définis pour créer une nouvelle page.

Un aperçu du modèle sélectionné s'affiche sur la droite de la boîte de dialogue. Dans l'exemple de la Figure 9.7, j'ai sélectionné le modèle Rooms (chambres) du site Inn on Tomales Bay.

5. **Cliquez sur le bouton Créer.**

   Une nouvelle page, basée sur le modèle choisi, apparaît dans la zone de travail.

6. **Editez les régions modifiables de la page en utilisant les fonctions traditionnelles de modification. Sauvegardez ensuite le fichier comme vous le feriez pour n'importe quelle page HTML.**

Apporter des modifications globales aux modèles

Un des grands avantages apportés par l'emploi de modèles est de pouvoir automatiquement appliquer des modifications à toutes les pages bâties sur ce modèle. Pour cela, il vous suffit tout simplement de modifier l'original. Par exemple, supposez que vous désiriez opérer un changement dans la mise en page de toutes les pages d'une galerie de photographies après les avoir créées à l'aide d'un modèle. Ouvrez celui-ci et éditez le style de la maquette, notamment les régions dites non modifiables. Il ne vous reste plus qu'à enregistrer le fichier en choisissant de mettre à jour automatiquement toutes les pages créées à partir de ce modèle.

Pour modifier un modèle et actualiser tous les fichiers de votre site qui l'utilisent, conformez-vous aux étapes suivantes :

1. **Ouvrez un modèle existant.**

   Rappelez-vous que les modèles portent l'extension `.dwt` et qu'ils sont placés par défaut dans un dossier de votre site Web appelé Templates.

2. **Utilisez les outils de Dreamweaver pour apporter les corrections voulues au modèle.**

   Rappelez-vous que seuls les changements opérés dans les régions non modifiables seront automatiquement mis à jour.

3. **Choisissez Fichier, puis Enregistrer.**

   La boîte de dialogue Mettre à jour les fichiers de modèles apparaît (voir la Figure 9.8).

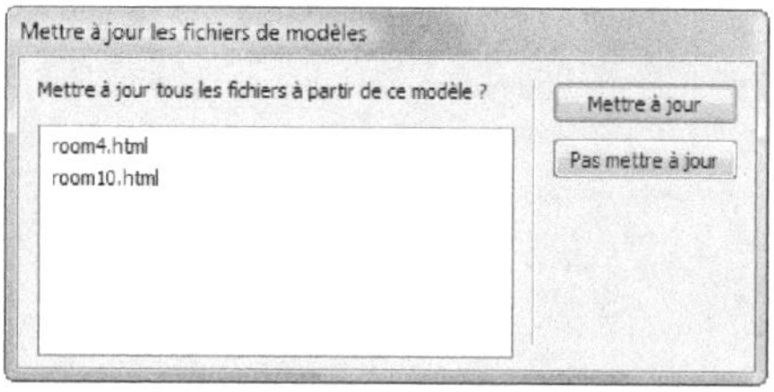

Figure 9.8 : Vous pouvez actualiser tous les fichiers créés à partir d'un modèle.

4. **Pour modifier toutes les pages énumérées dans la boîte de dialogue Mettre à jour les fichiers de modèles, cliquez sur le bouton Mettre à jour. Le bouton Pas mettre à jour laisse ces pages inchangées.**

   Si vous cliquez sur Mettre à jour, Dreamweaver actualise automatiquement toutes les pages listées dans la boîte de dialogue Mettre à jour les fichiers de modèles afin de refléter les changements apportés au modèle.

Identifier un modèle

Lorsque vous ne savez pas ou plus quel modèle a été exploité pour créer une page, vous pouvez ouvrir ce modèle en même temps que la page et mettre à jour toutes les pages associées. Pour cela, suivez ces étapes :

1. **Ouvrez un document qui utilise le modèle que vous souhaitez modifier.**
2. **Dans le menu Modifier, choisissez Modèles, puis Ouvrir le modèle joint (voir la Figure 9.9).**

   Le modèle s'ouvre.

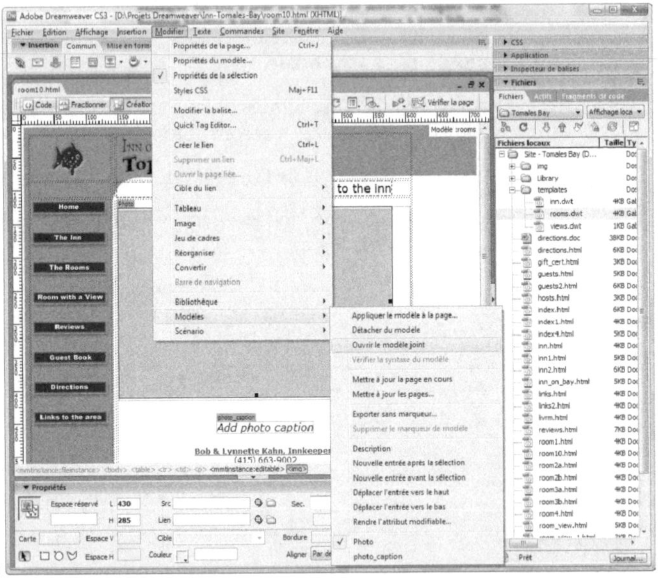

Figure 9.9 : Vous pouvez ouvrir le modèle attaché à la page courante du site.

3. **Utilisez les outils de Dreamweaver pour apporter les corrections voulues au modèle.**

   Par exemple, pour modifier les propriétés de la page du modèle, choisissez Modifier, puis Propriétés de la page.

4. **Ouvrez le menu Fichier et cliquez sur Enregistrer.**

   La boîte de dialogue Mettre à jour les fichiers de modèles apparaît (voir la Figure 9.8).

5. **Pour modifier toutes les pages énumérées dans la boîte de dialogue Mettre à jour les fichiers de modèles, cliquez sur le bouton Mettre à jour. Pour ne pas modifier ces pages, cliquez sur le bouton Pas mettre à jour.**

Si vous choisissez Mettre à jour, Dreamweaver change automatiquement toutes les pages énumérées dans la boîte de dialogue Mettre à jour les fichiers de modèles.

Il est aussi possible d'appliquer à toutes les pages concernées les modifications apportées à un modèle via l'option Mettre à jour les pages. Pour cela, ouvrez le modèle, et effectuez puis enregistrez vos modifications sans actualiser les pages créées avec ce modèle. Pour appliquer la mise à jour ultérieurement, ouvrez le menu Fichier et choisissez successivement Modèles, puis Mettre à jour les pages.

Attacher et détacher un modèle

Vous pouvez appliquer un modèle à n'importe quelle page existante en l'attachant à celle-ci. Il est aussi possible de dissocier la page du modèle en le détachant. Lorsque vous appliquez un modèle à un document existant, le contenu de ce modèle est ajouté au contenu présent dans le document. Si un modèle est déjà appliqué à la page, Dreamweaver tente de faire correspondre les régions modifiables portant le même nom dans les deux modèles, et d'insérer le contenu des zones modifiables de la page dans celles du nouveau modèle. Cette opération est réalisée automatiquement si les noms des régions sont tous identiques.

Pour garantir que les changements apportés à un modèle n'affecteront pas telle ou telle page bâtie sur ce modèle, supprimez ou détachez le modèle de cette page. Le détachement d'un modèle déverrouille en outre toutes les régions de la page, les rendant ainsi complètement modifiables.

Pour appliquer un modèle à une page existante, vous disposez des techniques suivantes :

- Dans le menu Modifier, choisissez Modèles puis Appliquer le modèle à la page. Double-cliquez alors sur le nom du modèle que vous voulez attacher à votre page.
- Faites glisser le modèle depuis le panneau Modèles dans la fenêtre de document.

En cas de conflit entre les régions modifiables, Dreamweaver ouvre une boîte de dialogue qui vous demande de faire correspondre les noms de zones suspects. Une fois les problèmes résolus, cliquez sur OK.

Pour détacher un modèle, c'est-à-dire en supprimer l'association avec la page, ouvrez le menu Modifier puis sélectionnez Modèles et enfin

Détacher du modèle. Cette action rend de nouveau le fichier totalement modifiable, mais tout changement ultérieur apporté au modèle ne sera pas reflété dans la page détachée.

Réutiliser des éléments avec la fonction Bibliothèque

La Bibliothèque n'est pas une fonction commune à la majorité des programmes de conception Web. Même si vous êtes un vieux routard de la création Web, vous n'êtes peut-être pas un familier de cette fonction. Mais plus vous serez expérimenté en matière de création Web, mieux vous comprendrez les bénéfices qu'on peut retirer de l'emploi d'une telle bibliothèque. Celle-ci est pratique si vous voulez réutiliser un élément donné dans de nombreuses pages. Un exemple typique est celui d'un copyright que vous voulez placer en bas de chaque page. Mais il peut tout aussi bien s'agir de quelque chose de plus complexe comme une barre de navigation.

Un *élément de la bibliothèque* est un morceau de code susceptible de contenir à peu près tout ce que vous voulez, y compris des références à une image et à des liens. Si vous avez un jour besoin de modifier ce segment de code (par exemple pour changer ou modifier un lien), il vous suffit simplement de l'éditer et de l'enregistrer. Dreamweaver se chargera automatiquement de mettre à jour les pages du site dans lesquelles cet élément a été inséré.

À l'instar des modèles, les éléments de la bibliothèque sont idéaux pour partager le travail de développeurs expérimentés avec des personnes qui le sont moins. Un membre de l'équipe peut par exemple créer un logo et un autre des éléments de navigation. Il suffit alors de placer ces objets dans la bibliothèque et de les mettre à disposition de tout le monde. Les bibliothèques sont plus souples d'usage que les modèles, car leur contenu peut être placé n'importe où sur une page, et ce autant de fois que vous le voulez. A la différence des modèles, par contre, il n'est pas possible de les partager entre plusieurs sites. Cependant, il vous suffit de copier et de coller des éléments de la bibliothèque pour les transférer d'un site vers un autre.

Les éléments de la bibliothèque ne peuvent pas contenir de feuilles de style. En effet, le code de ces éléments fait partie de la zone `<head>` (en-tête) d'un fichier HTML. Vous avez en revanche la possibilité d'attacher une feuille de style externe à un élément de bibliothèque pour voir comment le contenu de cette feuille affectera l'affichage de l'élément. Dans ce cas, les mêmes styles doivent être disponibles sur chaque page où l'élément de la bibliothèque est inséré pour qu'ils puissent être appliqués. Pour plus d'informations sur les feuilles de style, consultez les Chapitres 5 et 6.

Créer et utiliser des éléments de la bibliothèque

Les sections suivantes montrent comment créer un élément de la bibliothèque, l'ajouter à une page, le modifier et le mettre à jour dans l'ensemble du site. Pour que ces étapes fonctionnent correctement, vous devez en respecter scrupuleusement l'ordre. Avant toute chose, il vous faut définir un site ou ouvrir un site existant dans le panneau Fichiers. Si vous avez oublié comment procéder, consultez le Chapitre 2.

Il est préférable de créer l'élément de bibliothèque à partir d'une page existante. Cela permet en effet de voir à quoi il ressemble avant de l'ajouter à la bibliothèque. Il est bien sûr possible de le modifier après son intégration dans la bibliothèque, mais vous ne saurez pas exactement à quoi il ressemblera sur la page. Par exemple, un élément de la bibliothèque ne peut pas contenir de balise `<body>`. De ce fait, les couleurs des liens et du texte sont respectivement le bleu et le noir. Même si ces définitions ont été changées dans la page, l'élément utilisera toujours les couleurs par défaut lorsqu'il est affiché dans la bibliothèque.

Créer un élément de la bibliothèque

Pour créer un élément de la bibliothèque utilisable sur de multiples pages d'un site, conformez-vous aux étapes suivantes :

1. **Ouvrez n'importe quel fichier existant qui dispose d'images, de texte ou de tout autre élément d'une page que vous souhaitez enregistrer comme élément de la bibliothèque.**

   Vous pouvez aussi créer une nouvelle page et n'y insérer que l'élément à enregistrer dans la bibliothèque.

2. **Dans cette page, sélectionnez un élément que vous souhaitez utiliser comme élément de la bibliothèque, par exemple une rangée d'images utilisées pour naviguer sur votre site.**

3. **Ouvrez le menu Modifier, et cliquez successivement sur Bibliothèque puis Ajouter un objet à la bibliothèque.**

L'onglet Actifs du panneau Fichiers s'ouvre pour afficher le contenu de la bibliothèque. Le nouvel élément se nomme par défaut *Untitled*.

4. **Assignez un nom à l'élément (comme vous avez l'habitude de le faire avec l'Explorateur de Windows ou le Finder de Mac OS).**

   Lorsque vous nommez un élément de la bibliothèque, vous l'enregistrez automatiquement dans celle-ci. Il devient alors facile de l'appliquer à n'importe quelle page de votre site, présente ou à venir. Tous les éléments de la bibliothèque sont listés dans la section de l'onglet Actifs qui porte ce nom (voir la Figure 9.10).

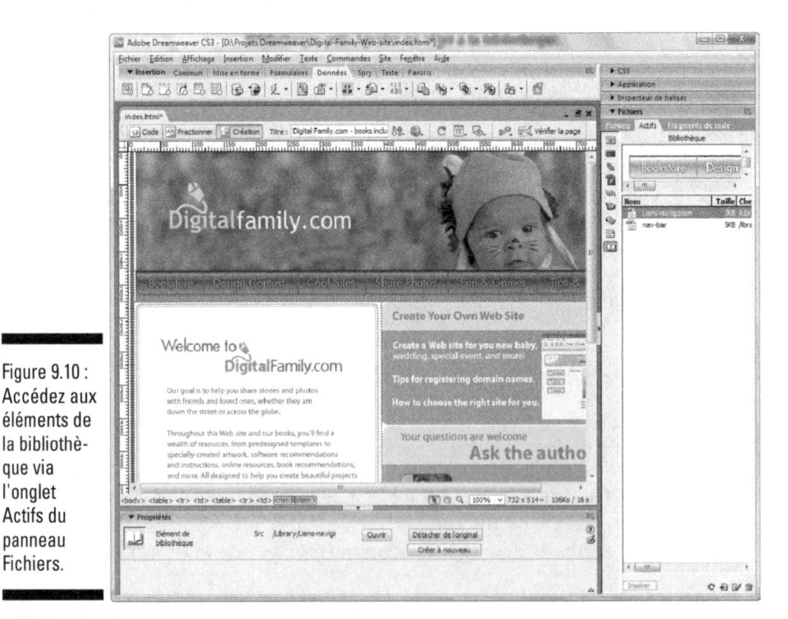

Figure 9.10 : Accédez aux éléments de la bibliothèque via l'onglet Actifs du panneau Fichiers.

Ajouter un élément de la bibliothèque à une page

Vous pouvez facilement ajouter des éléments de la bibliothèque à vos pages, simplement en les faisant glisser sur celles-ci à partir du panneau Actifs. Le contenu de l'élément est alors inséré dans le document, et une relation est établie entre ce dernier et l'élément de la bibliothèque. C'est important, car vous pourrez éditer par la suite le contenu de la bibliothèque et appliquer automatiquement ces modifications aux pages dans lesquelles ces éléments apparaissent. Par contre, il n'est pas possible de modifier un élément à l'intérieur de la page où il est inséré. En d'autres termes, vous devez éditer les éléments de la bibliothèque à l'intérieur de celle-ci, comme vous allez le voir dans les sections qui suivent.

Pour ajouter un élément de la bibliothèque à une page, suivez ces étapes :

1. **Créez un nouveau document dans Dreamweaver ou ouvrez un fichier existant.**
2. **Dans le panneau Fichiers, cliquez sur l'onglet Actifs, puis cliquez sur le bouton Bibliothèque (le dernier sur la gauche du panneau) pour faire apparaître la section correspondante.**

   La section Bibliothèque apparaît dans le panneau Actifs, du côté droit de l'espace de travail (reportez-vous à la Figure 9.10).
3. **Faites glisser un élément de la bibliothèque vers la fenêtre du document.**

   L'alternative consiste à sélectionner l'élément dans la bibliothèque et à cliquer sur le bouton Insérer (tout en bas du panneau). L'élément apparaît automatiquement sur la page. Vous pouvez alors utiliser les fonctions de mise en forme de Dreamweaver pour placer correctement le nouvel objet.

Surbrillance des éléments de la bibliothèque

Les éléments de la bibliothèque sont mis en surbrillance lorsqu'ils sont sélectionnés pour les distinguer des autres composants d'une page. Vous pouvez définir la couleur de cette surbrillance ou encore la désactiver à partir de la boîte de dialogue Préférences.

Pour modifier ou désactiver la surbrillance, suivez les étapes ci-après :

1. **Ouvrez le menu Edition (Dreamweaver sur Mac) et choisissez Préférences.**

   La boîte de dialogue Préférences apparaît.
2. **Sélectionnez Surbrillance dans la liste Catégorie.**
3. **Sur la ligne Eléments de bibliothèque, cliquez sur le sélecteur de couleur. Servez-vous du nuancier pour définir une nouvelle couleur de surbrillance. Cochez la case Afficher pour que les**

éléments de la bibliothèque soient mis en surbrillance sur vos pages.

Si vous ne voulez pas qu'ils soient mis en surbrillance, désactivez cette case.

4. **Cliquez sur OK pour fermer la boîte de dialogue Préférences.**

Effectuer des modifications globales avec les éléments de bibliothèque

Un des plus grands gains de temps possibles avec la fonction Bibliothèque de Dreamweaver est que vous pouvez opérer des changements sur les éléments de celle-ci, et automatiquement appliquer ces modifications à tout ou partie des pages où ces éléments apparaissent.

Pour modifier un élément de bibliothèque, suivez ces étapes :

1. **Dans le panneau Fichiers, choisissez l'onglet Actifs, puis sélectionnez l'icône Bibliothèque.**

   La bibliothèque s'affiche dans le panneau Actifs (reportez-vous à la Figure 9.10).

2. **Double-cliquez sur un élément de la bibliothèque pour l'ouvrir.**

   Dreamweaver ouvre une nouvelle fenêtre dans laquelle vous pouvez éditer l'élément de bibliothèque.

   L'élément de bibliothèque n'étant qu'une portion de code, il ne comporte pas de balise `<body>` pour y spécifier les couleurs d'arrière-plan, des liens ou encore du texte. Ce n'est pas un problème, puisque cet élément acquiert les bons réglages directement à partir des balises de la page où vous l'insérez.

3. **Editez l'élément de bibliothèque comme vous le feriez pour un objet quelconque dans Dreamweaver.**

   Vous pouvez par exemple changer un lien, modifier le contenu du texte, changer la police ou la taille, ajouter des images, du texte ou d'autres éléments.

4. **Choisissez Fichier, puis Enregistrer, pour sauvegarder les modifications apportées à l'élément.**

   La boîte de dialogue Mettre les éléments de la bibliothèque à jour s'ouvre. Elle fournit la liste de toutes les pages où l'élément de bibliothèque apparaît.

5. **Cliquez sur le bouton Mettre à jour pour appliquer à toutes les pages énumérées les changements apportés à l'élément de bibliothèque. Sinon, choisissez le bouton Pas mettre à jour.**

   Dans le premier cas, la boîte de dialogue Mettre à jour les pages apparaît. Elle vous montre la progression de l'actualisation. Vous pouvez si nécessaire stopper cette mise à jour à partir de cette boîte de dialogue.

Pour créer un nouvel élément de bibliothèque basé sur un élément existant sans modifier l'original, suivez les étapes 1 à 3. Lors de l'étape 4, choisissez Fichier puis Enregistrer et donnez un nouveau nom à l'élément.

Modifier une occurrence d'un élément de la bibliothèque

Si vous souhaitez qu'un élément de la bibliothèque ne soit altéré que dans une ou quelques pages du site où il est inséré, vous pouvez désactiver la mise à jour de cet élément en brisant le lien qui l'attache à la bibliothèque.

N'oubliez pas qu'après avoir brisé ce lien vous ne pourrez plus actualiser automatiquement l'élément de la bibliothèque.

Pour rendre modifiable un élément de la bibliothèque, conformez-vous aux étapes suivantes :

1. **Ouvrez n'importe quel fichier contenant un élément de la bibliothèque. Cliquez sur cet élément.**

   L'inspecteur Propriétés affiche les options de l'élément de la bibliothèque (voir la Figure 9.11).

Figure 9.11 : Vous pouvez détacher un élément de la bibliothèque dans le panneau Propriétés.

2. **Cliquez sur le bouton Détacher de l'original.**

   Un message vous avertit que, si vous détachez cet élément de l'original, il ne sera plus possible de mettre automatiquement à jour cette occurrence quand l'original sera modifié.

3. **Cliquez sur OK pour détacher l'élément de la bibliothèque.**

Créer des pages préconçues avec les fichiers de conception de Dreamweaver

Dreamweaver possède une collection de pages préconçues que vous pouvez utiliser pour créer des sites Web avec des feuilles de style en cascade, des cadres et autres maquettes complexes. Adobe les appelle *exemples* et *pages d'accueil*. Pour l'essentiel, il s'agit de pages prédéfinies que vous pouvez personnaliser avec vos propres contenus. Utiliser cette méthode revient au même que créer une autre page vide, si ce n'est que Dreamweaver a déjà fait une partie du travail à votre place.

Vous pouvez combiner la puissance des exemples de Dreamweaver et celle de ses modèles en créant une nouvelle page à partir d'une maquette prédéfinie, puis la sauvegarder en tant que fichier de modèle. Reportez-vous pour cela aux étapes décrites plus haut, dans la section "Enregistrer une page comme modèle".

Les fichiers d'exemples et de conception vous proposent les choix suivants :

- **Feuilles de style (CSS) :** Ces fichiers utilisent des feuilles de style en cascade pour contrôler la disposition et le style de la page.
- **Jeux de cadres :** Ces maquettes sont spécifiques aux cadres HTML, qui vous permettent d'afficher plusieurs pages à la fois dans la fenêtre du navigateur. Ce sujet est traité dans le Chapitre 7.
- **Page d'accueil (thème)** : Ces pages comportent une maquette type de base, du contenu écrit et un jeu de couleurs.
- **Page d'accueil (de base) :** Ces pages comportent une maquette type de base et du contenu écrit.
- **Maquettes CSS :** Ces maquettes prédéfinies ne sont pas disponibles avec les exemples, mais elles sont disponibles lorsque vous sélectionnez la catégorie Modèle vierge dans la boîte de

dialogue Nouveau document. Les modèles CSS sont abordés dans le Chapitre 6.

Pour créer une page à partir des exemples proposés par Dreamweaver, suivez ces étapes :

1. **Dans le menu Fichier, choisissez la commande Nouveau.**

   Vous pouvez également choisir l'une des options de la liste Créer à partir d'un modèle, dans l'écran d'accueil de Dreamweaver.

2. **Dans la liste de gauche, cliquez sur l'option Exemple de page.**

3. **Dans la liste Dossier exemple, choisissez l'une des quatre collections : Feuilles de style (CSS), Jeux de cadres, Page d'accueil (thème) ou Page d'accueil (de base).**

   Remarquez qu'un aperçu de l'exemple courant est affiché dans la partie droite de la fenêtre. Pour cet exercice, j'ai choisi le dossier Page d'accueil (thème).

4. **Dans la liste Exemple de page, choisissez la maquette que vous voulez utiliser pour créer une nouvelle page.**

   Sur la Figure 9.12, j'ai sélectionné l'exemple Hébergement - catalogue.

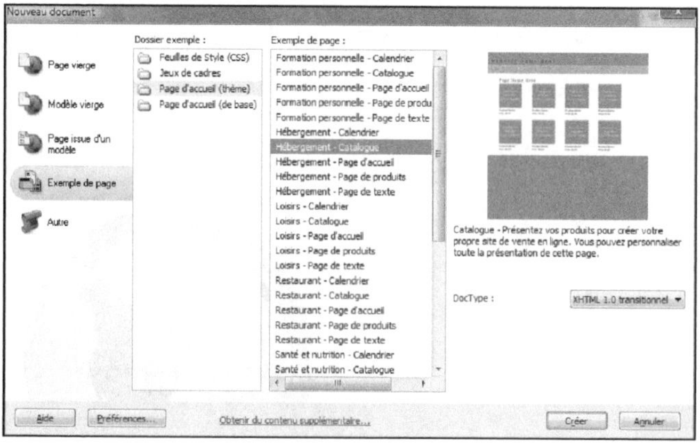

Figure 9.12 : Vous pouvez prévisualiser chacun des exemples proposés par Dreamweaver.

5. **Une fois le fichier exemple sélectionné, cliquez sur le bouton Créer.**

   Une nouvelle page apparaît dans la zone de travail.

6. **Dans le menu Fichier, choisissez Enregistrer pour sauvegarder la page avant d'y modifier quoi que ce soit.**

   Assurez-vous que la page est bien enregistrée sous le dossier racine du site Web actif.

   N'OUBLIEZ PAS

   Il se peut aussi que Dreamweaver affiche automatiquement la boîte de dialogue Enregistrer sous. Donnez alors un nom à votre fichier et validez. Dans le cas où la maquette est liée à d'autres données (par exemple une feuille de style en cascade), Dreamweaver va vous proposer de copier ces fichiers dans la racine de votre site. Spécifiez éventuellement un sous-dossier placé dans la racine du site, puis cliquez sur le bouton Copier.

7. **Cliquez sur un élément de la page à personnaliser, qu'il s'agisse d'une image, de texte ou de tout autre objet. Remplacez-le par le contenu voulu.**

   Dans l'exemple illustré sur la Figure 9.13, j'ai sélectionné le titre par défaut donné par Dreamweaver à la page. Je peux ensuite le remplacer par mon propre intitulé en conservant les options de mise en forme (polices, couleurs, et ainsi de suite).

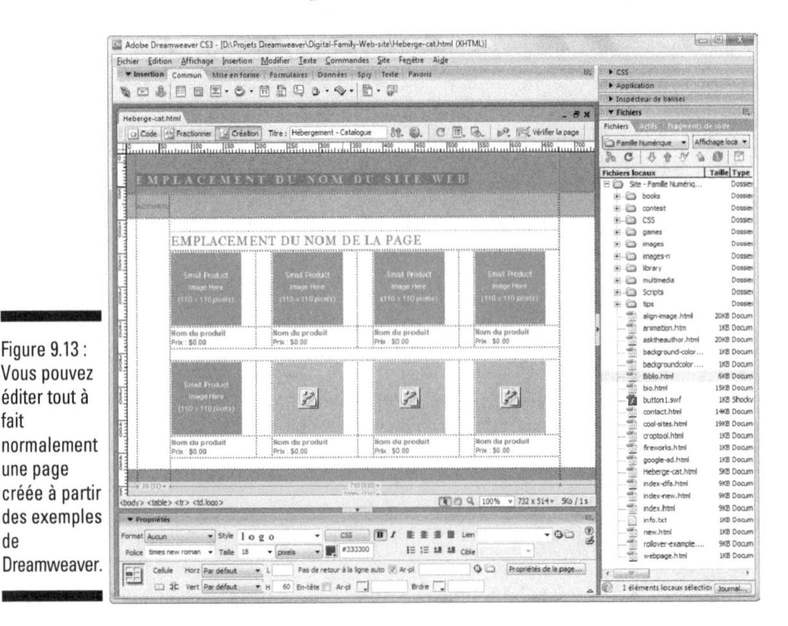

Figure 9.13 : Vous pouvez éditer tout à fait normalement une page créée à partir des exemples de Dreamweaver.

8. **Continuez à éditer la page en remplaçant les images, saisissant vos textes, définissant les liens, et ainsi de suite.**

9. **Lorsque vous avez terminé, enregistrez à nouveau votre page.**

Vous pouvez sauvegarder les fichiers en tant que modèles, et les utiliser ensuite pour créer d'autres pages à partir de la boîte de dialogue Nouveau document.

Troisième partie

Que mon site soit cool !

Dans cette partie...

Les comportements de Dreamweaver permettent d'utiliser JavaScript pour créer des fonctionnalités interactives comme des effets de survol des images. Les options multimédias vous aident à rendre vos pages Web plus dansantes, chantantes et amusantes. Dans le Chapitre 10, vous trouverez une introduction au panneau Comportements ainsi que des instructions détaillées pour réaliser des effets de survol, des permutations d'images, et plus encore. Le Chapitre 11 vous montrera comment ajouter à vos pages Web des fichiers multimédias tels que des sons ou de la musique, des vidéos et des animations Flash. Et, dans le Chapitre 12, vous découvrirez que Dreamweaver possède tous les outils dont vous avez besoin pour ajouter des formulaires à votre Web.

Chapitre 10

Ajouter de l'interactivité avec les comportements

Dans ce chapitre :

- Créer des effets rollover.
- Utiliser le comportement Permuter une image.
- Ouvrir une nouvelle fenêtre de navigation.
- Améliorer Dreamweaver avec des extensions.

Les *comportements* sont des scripts prêts à l'emploi qui peuvent être personnalisés afin de créer de nombreuses fonctionnalités. Vous pouvez appliquer des comportements à pratiquement n'importe quel élément d'une page HTML, et même à la page tout entière. Par exemple, il est possible de proposer un diaporama interactif avec la fonction Permuter l'image, ou encore de jouer une vidéo dans sa petite fenêtre personnelle avec le comportement Ouvrir la fenêtre Navigateur.

Vous connaissez peut-être déjà le comportement rollover, dans lequel une image cède la place à une autre. Dans un rollover, placer le pointeur de la souris sur une image est l'*événement*. L'*action* consiste à remplacer l'image originale par une autre de même taille. Les rollovers sont souvent utilisés pour la navigation. Vous pouvez créer des effets rollover jouant uniquement sur deux images. Mais, avec le comportement Permuter l'image, il est également possible d'obtenir des effets bien plus complexes, afin par exemple de changer tout ou partie des images d'une page lorsqu'un autre élément reçoit un certain événement.

Pour apprécier pleinement l'aide que vous apporte Dreamweaver, vous devriez afficher la vue du code une fois que vous avez défini un comportement, rien que pour juger de la complexité des instructions JavaScript sous-jacentes. Si vous n'aimez pas ce que vous voyez, ce n'est pas bien grave. Revenez en mode Création et continuez à laisser Dreamweaver se charger du sale boulot à votre place. (Je veux juste que vous compreniez la chance que vous avez de travailler avec un logiciel tel que Dreamweaver.)

Dreamweaver contient une vingtaine de comportements prédéfinis, et vous pouvez même en télécharger et installer d'autres. Pour l'instant, nous allons nous intéresser au panneau Comportements et voir comment utiliser quelques-unes de ses options les plus populaires (voir la Figure 10.1). Lorsque le pointeur de la souris survole un des liens de cette page, l'image qui se trouve en dessous est remplacée par une autre qui affiche le même sujet dans une couleur différente (même si cela ne se voit pas beaucoup dans un livre en noir et blanc).

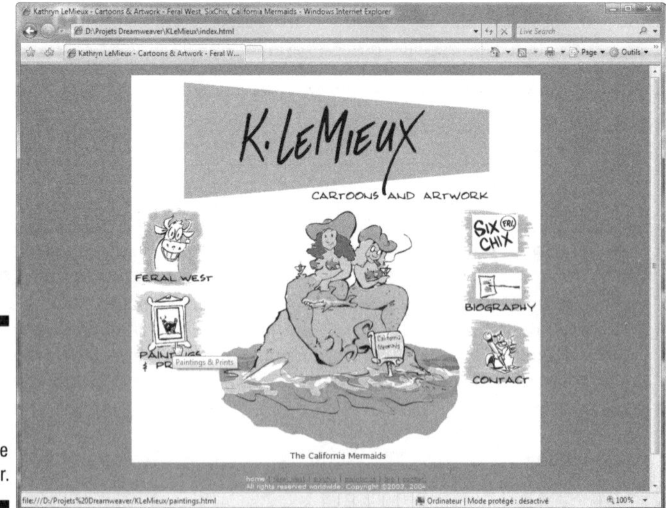

Figure 10.1 : Unes des options les plus populaires de Dreamweaver.

Créer un comportement d'image survolée (rollover)

Un comportement d'image survolée est conçu pour réagir lorsque quelqu'un place le pointeur de la souris au-dessus d'une image donnée. L'effet peut être radical (la photographie d'un chat est remplacée par celle d'un lion) ou beaucoup plus subtil (un mot apparaît dans une autre couleur). Dans tous les cas, Dreamweaver propose une boîte de dialogue particulière qui fait de cet effet l'un des plus simples à appliquer.

Vous pouvez créer des effets plus complexes, par exemple en vous servant de l'option Permuter une image du panneau Comportements. Cela rend possible la modification de multiples images en même temps. Nous y reviendrons dans la section suivante.

Voici comment créer une image survolée (échange d'images) dans Dreamweaver (les mêmes procédures s'appliquent à de nombreux comportements) :

1. **Cliquez dans votre page, à l'endroit où vous voulez faire apparaître l'effet de survol.**

   Un effet rollover nécessite au moins deux images : une pour l'état initial (quand le pointeur n'est pas sur l'image) et une pour l'état rollover (quand le pointeur est sur l'image). Vous allez probablement réaliser un jeu de deux images spécialement pour votre comportement rollover. Il est préférable qu'elles aient les mêmes dimensions pour éviter des effets trop étranges. En effet, elles occuperont exactement le même espace sur la page.

2. **Dans le menu Insertion, sélectionnez Objets image, puis Image survolée.**

   La boîte de dialogue Insérer une image survolée apparaît (voir la Figure 10.2).

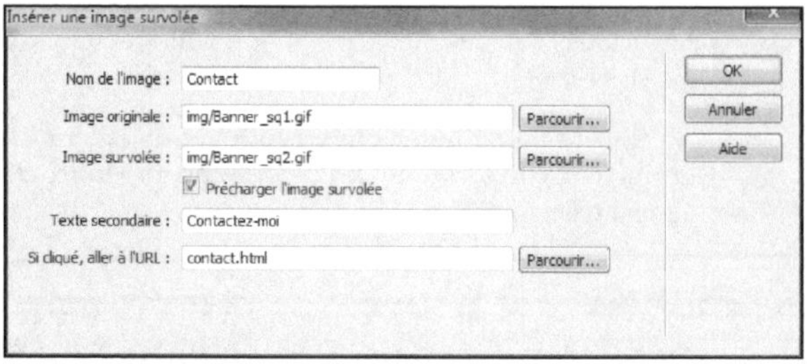

Figure 10.2 : Spécifiez l'image originale et l'image survolée.

3. **Saisissez un intitulé dans le champ Nom de l'image de la boîte de dialogue.**

Pour appliquer un comportement à un élément (par exemple une image), celui-ci doit avoir un nom, afin que le script du comportement puisse y faire référence. Cela permet aussi d'intervertir des images situées en des endroits différents sur la page. N'employez ni espaces ni caractères spéciaux.

4. **Dans le champ Image originale, spécifiez la première image qui doit être visible (vous pouvez utiliser le bouton Parcourir pour naviguer jusqu'au fichier correspondant).**

   Si les images ne se trouvent pas encore sous le dossier racine de votre site, Dreamweaver va vous proposer de les y copier. Si votre site n'est pas déjà défini, reportez-vous au Chapitre 2 pour réaliser cette étape préliminaire importante.

5. **Dans le champ Image survolée, spécifiez la seconde image, celle qui sera visible lorsque le pointeur de votre visiteur passera au-dessus de la première (vous pouvez utiliser le bouton Parcourir pour naviguer jusqu'au fichier correspondant).**

6. **Si vous voulez que l'image soit chargée dans le cache du navigateur avant l'événement qui la rend visible au visiteur, activez l'option Précharger l'image survolée.**

7. **Dans la zone Si cliqué, aller à l'URL, entrez une adresse Web ou utilisez le bouton Parcourir pour naviguer jusqu'à la page que vous voulez lier.**

   Si vous ne spécifiez pas une URL, Dreamweaver insère automatiquement le caractère dièse (#).

8. **Cliquez sur OK.**

   Les images sont automatiquement définies en tant qu'images survolées.

9. **Vérifiez le fonctionnement du rollover dans un navigateur en cliquant sur le symbole qui représente un globe, en haut de l'espace de travail.**

Choisir le meilleur événement pour un comportement

Dans le jargon de l'interactivité Web, les *événements* concernent des éléments sur une page Web avec lesquels l'utilisateur peut interagir. Cliquer sur une image est un événement, de même que charger une page dans le navigateur ou presser une touche du clavier. Il y a de nombreux événements disponibles quand vous définissez vos comportements. Différentes versions de navigateurs supportent différents événements. Plus le navigateur est récent, plus il y a d'événements disponibles. De ce fait, la liste des comportements du panneau Comportements varie en fonction du navigateur ciblé. Lorsque vous cliquez sur le bouton "+" du panneau Comportements, l'avant-dernière option se nomme Afficher les événements pour. Utilisez-la pour sélectionner le navigateur cible.

La liste suivante décrit les événements les plus courants :

- onAbort : Déclenché quand l'utilisateur interrompt le chargement d'une image (par exemple quand il clique sur le bouton Arrêter de son navigateur pendant le téléchargement).
- onBlur : Déclenché quand l'élément spécifié n'a plus le *focus* lors de l'interaction utilisateur. Par exemple, quand un utilisateur clique en dehors d'un champ de texte après avoir cliqué dedans, le navigateur génère un événement `onBlur` pour ce champ. `onBlur` est l'opposé de `onFocus`.
- onChange : Déclenché quand l'utilisateur modifie une valeur sur la page, comme sélectionner une option dans un menu ou changer la valeur d'un champ textuel et cliquer ensuite ailleurs sur la page.
- onClick : Déclenché quand l'utilisateur clique sur un élément comme un lien, un bouton ou une image réactive.
- onDblClick : Déclenché quand l'utilisateur double-clique sur l'élément spécifié.
- onError : Déclenché quand un navigateur rencontre une erreur pendant le chargement d'une page ou d'une image. Cela peut être notamment causé par une image ou une URL non trouvée sur le serveur.
- onFocus : Déclenché quand l'élément spécifié obtient le focus au cours de l'interaction avec l'utilisateur. Par exemple, cliquer dans un champ de texte d'un formulaire génère un événement `onFocus`.
- onKeyDown : Déclenché dès que l'utilisateur presse une touche du clavier. (Il n'est pas nécessaire que l'utilisateur relâche la touche pour que cet événement survienne.)
- onKeyPress : Déclenché quand l'utilisateur presse puis relâche n'importe quelle touche de son clavier. Cet événement est une combinaison de `onKeyDown` et `onKeyUp`.
- onKeyUp : Déclenché quand l'utilisateur relâche une touche du clavier.
- onLoad : Déclenché quand une image ou une page termine son téléchargement.
- onMouseDown : Déclenché quand l'utilisateur presse le bouton de la souris. (Il n'a pas besoin de le relâcher pour déclencher cet événement.)

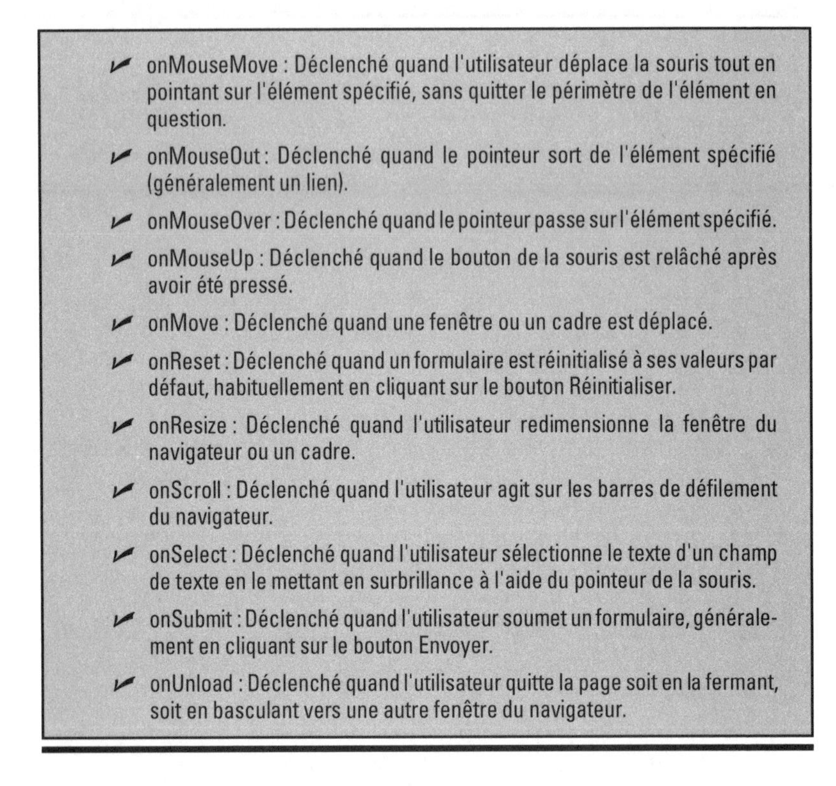

- onMouseMove : Déclenché quand l'utilisateur déplace la souris tout en pointant sur l'élément spécifié, sans quitter le périmètre de l'élément en question.
- onMouseOut : Déclenché quand le pointeur sort de l'élément spécifié (généralement un lien).
- onMouseOver : Déclenché quand le pointeur passe sur l'élément spécifié.
- onMouseUp : Déclenché quand le bouton de la souris est relâché après avoir été pressé.
- onMove : Déclenché quand une fenêtre ou un cadre est déplacé.
- onReset : Déclenché quand un formulaire est réinitialisé à ses valeurs par défaut, habituellement en cliquant sur le bouton Réinitialiser.
- onResize : Déclenché quand l'utilisateur redimensionne la fenêtre du navigateur ou un cadre.
- onScroll : Déclenché quand l'utilisateur agit sur les barres de défilement du navigateur.
- onSelect : Déclenché quand l'utilisateur sélectionne le texte d'un champ de texte en le mettant en surbrillance à l'aide du pointeur de la souris.
- onSubmit : Déclenché quand l'utilisateur soumet un formulaire, généralement en cliquant sur le bouton Envoyer.
- onUnload : Déclenché quand l'utilisateur quitte la page soit en la fermant, soit en basculant vers une autre fenêtre du navigateur.

Créer des permutations d'images

Avant de songer à permuter des images grâce aux comportements de Dreamweaver, commençons par regarder un exemple de page finie (voir la Figure 10.3). Vous remarquerez qu'il y a une collection de vignettes, sur le côté gauche de la page, et une vue agrandie de l'une de ces images, à droite.

Sur la Figure 10.4, la page a été affichée dans un navigateur. En passant le pointeur au-dessus d'une des images de la colonne de gauche, l'aperçu change en bas de la fenêtre. Pour avoir une version agrandie dans le volet de droite, je clique sur la vignette voulue.

Pour appliquer un comportement Permuter une image, suivez ces étapes :

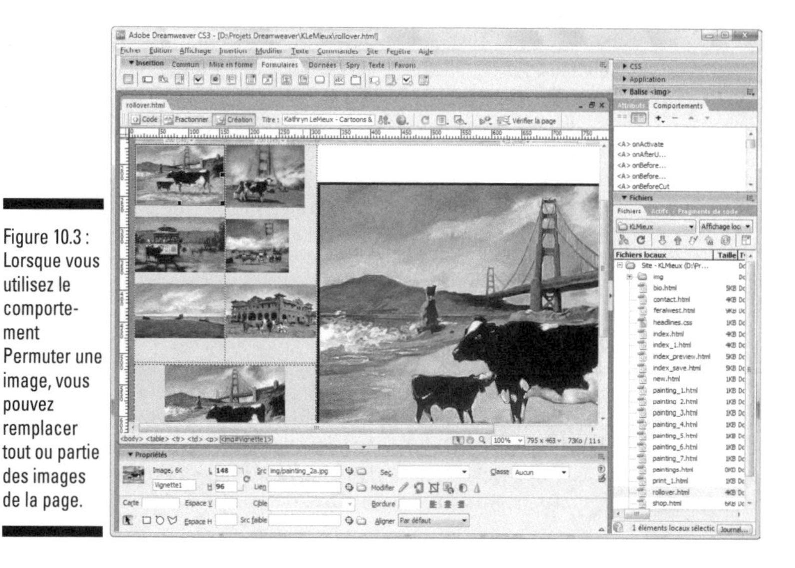

Figure 10.3 : Lorsque vous utilisez le comportement Permuter une image, vous pouvez remplacer tout ou partie des images de la page.

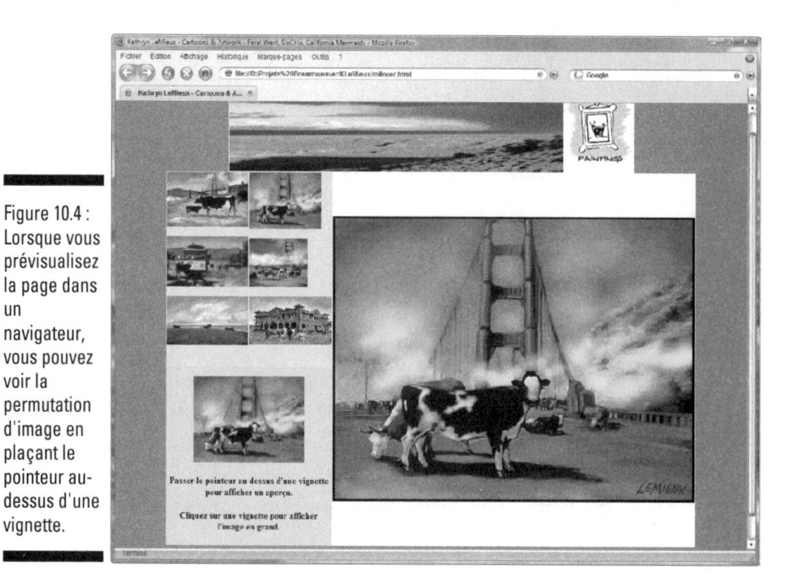

Figure 10.4 : Lorsque vous prévisualisez la page dans un navigateur, vous pouvez voir la permutation d'image en plaçant le pointeur au-dessus d'une vignette.

1. **Commencez par créer une page comportant toutes les images que vous voulez afficher.**

Sur la Figure 10.3, la page que j'utilise contient des vignettes placées sur la gauche, et la première des grandes images a été insérée dans la zone de droite.

2. **Donnez un nom à chaque image dans l'inspecteur Propriétés.**

   Pour cibler vos images avec JavaScript (qui se cache derrière tous les comportements), vous devez commencer par leur donner un nom unique. Dans cet exemple, j'ai appelé les vignettes **Vignette1**, **Vignette2**, et ainsi de suite (voir la Figure 10.5). L'image qui se trouve en bas et à gauche, et qui va servir à afficher la vignette courante chaque fois que le pointeur la survole, a été dénommée **Apercu**. Quant à la version agrandie de droite, je l'ai appelée sans trop forcer mon talent **GrandeImage**. Une méthode un peu différente consisterait à attribuer à un graphisme le même nom que le fichier correspondant. L'essentiel est de toute manière d'être en capacité d'associer facilement et rapidement les objets Dreamweaver et les images qui vont y apparaître.

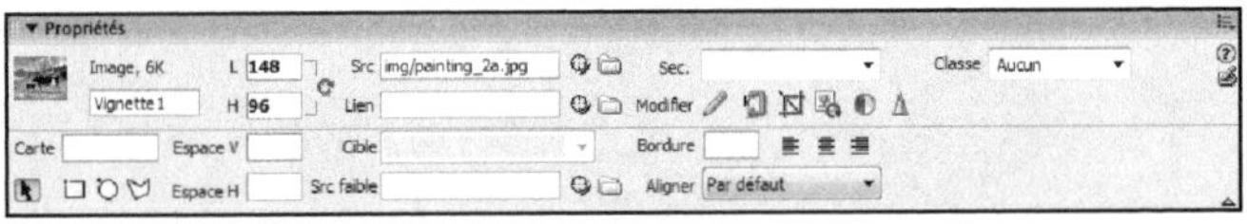

Figure 10.5 : Donnez un nom à chaque image dans l'inspecteur Propriétés.

3. **Dans le menu Fenêtre, cliquez sur la ligne Comportements.**

   Le panneau Comportements va s'ouvrir à droite de la zone de travail (ou à gauche si vous avez opté pour le mode d'affichage Codeur). Il est possible de faire glisser ce panneau n'importe où sur la fenêtre, ou encore de l'agrandir en faisant glisser un de ses bords. Si nécessaire, refermez un ou plusieurs des autres panneaux afin de faire de la place sur votre écran.

4. **Spécifiez le navigateur cible pour les comportements.**

   Dans le panneau Comportements, cliquez sur la petite flèche qui se trouve sous le grand signe "+". Sélectionnez alors Afficher les événements pour, puis le navigateur voulu. Pour cet exemple, j'ai choisi Internet Explorer 6.0 (voir la Figure 10.6). Lorsque vous sélectionnez un navigateur cible, vous limitez la liste des comportements à ceux compatibles avec ledit navigateur et ses versions ultérieures. Si un comportement n'est pas supporté par l'élément retenu, il apparaît en grisé dans la liste. Notez bien que Dreamweaver peut également désactiver un comportement tout simplement parce qu'il ne peut pas s'appliquer à l'élément actif dans la page.

Figure 10.6 : Utilisez la liste Ajouter un comportement pour sélectionner un navigateur cible.

5. **Sélectionnez une image, puis choisissez le comportement Permuter une image.**

   Commencez par cliquer sur l'image de la page qui servira de déclencheur pour l'action. Dans cet exemple, les déclencheurs sont les vignettes de gauche. Il va donc falloir les activer une par une et reproduire la même procédure autant de fois que nécessaire. Une fois la première vignette sélectionnée dans l'espace de travail, cliquez dans le panneau Comportements sur le bouton Ajouter un comportement (le signe plus avec la petite flèche). La liste des actions disponibles va s'ouvrir. Cliquez sur celle que vous voulez appliquer, en l'occurrence Permuter une image. La boîte de dialogue de même nom s'ouvre.

6. **Spécifiez les images à permuter.**

   Dans la boîte de dialogue Permuter une image, cliquez sur celle qui sera remplacée par un autre contenu. Sur la Figure 10.7, j'ai choisi l'objet `Apercu`. Servez-vous ensuite du bouton Parcourir pour localiser et sélectionner le fichier dont le contenu viendra remplacer `Apercu`. Pour ce petit exercice, il suffit de charger la même image que dans la vignette survolée. Si vous voulez que l'action réalisée consiste à afficher une vue élargie d'une image, vous devez disposer de deux fichiers source, l'un de taille réduite et l'autre d'un format normal. Dans cas, vous choisirez ici l'objet `GrandeImage` en lui attribuant comme source la version haute définition de ce qui est affiché en réduction dans la vignette.

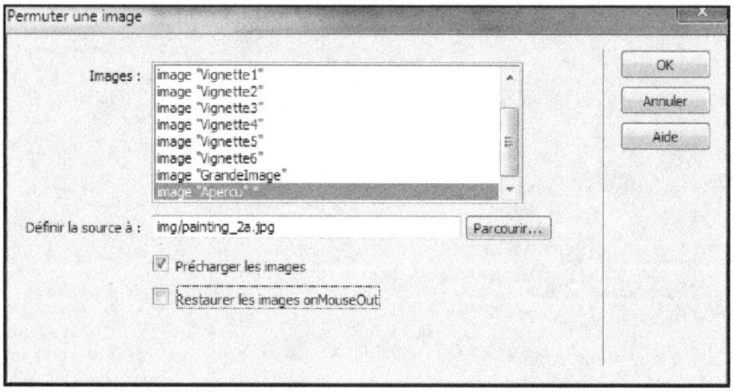

Figure 10.7 : Utilisez le bouton Parcourir pour sélectionner l'image de substitution.

Cochez la case Précharger les images, vers le bas de la boîte de dialogue, pour demander au navigateur de télécharger tous les contenus dans son cache lorsqu'il lit la page. Si vous n'utilisez pas cette option, il pourra y avoir un délai entre le moment où vous survolez le déclencheur et l'apparition de l'image permutée. L'option Restaurer les images `onMouseOut` signifie qu'une fois l'événement terminé (par exemple, le pointeur de la souris quitte la zone active), l'image d'origine est réaffichée. Par défaut, Dreamweaver sélectionne cette option. Dans cet exemple, je l'ai désactivée, car je considère que revenir chaque fois à l'image d'origine risque de distraire l'utilisateur et de nuire à la cohérence de l'action.

7. **Lorsque vous avez spécifié tous les paramètres pour le comportement, cliquez sur OK.**

   La nouvelle définition apparaît dans le panneau Comportements.

8. **Spécifiez un événement pour le comportement.**

   Lorsque vous définissez une action pour le comportement Permuter une image, Dreamweaver l'associe par défaut à l'événement `onMouseOver`. Mais vous pouvez parfaitement opérer un autre choix (par exemple pour déclencher la permutation lorsque l'utilisateur clique sur l'image, via `onClick`). Pour cela, cliquez dans la colonne de gauche du panneau sur le nom de l'événement, puis sur la flèche qui suit ce nom. Choisissez alors l'une des possibilités offertes par la liste déroulante qui apparaît (voir la Figure 10.8). Pour plus d'informations sur ce point, reportez-vous à l'encadré "Choisir le meilleur événement pour un comportement", plus haut dans ce chapitre.

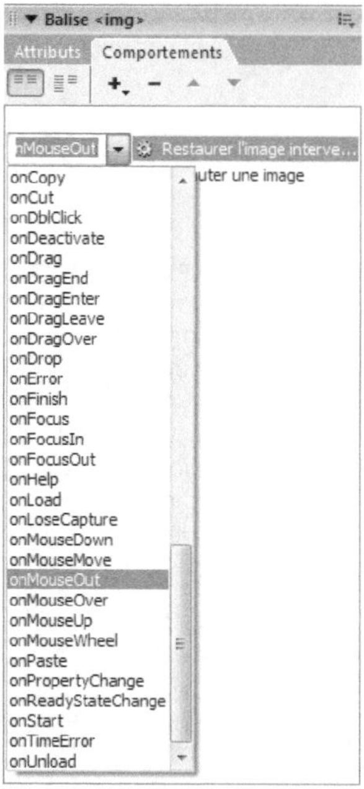

Balise <img>
Attributs Comportements
nMouseOut Restaurer l'image interve...
uter une image
onCopy
onCut
onDblClick
onDeactivate
onDrag
onDragEnd
onDragEnter
onDragLeave
onDragOver
onDrop
onError
onFinish
onFocus
onFocusIn
onFocusOut
onHelp
onLoad
onLoseCapture
onMouseDown
onMouseMove
onMouseOut
onMouseOver
onMouseUp
onMouseWheel
onPaste
onPropertyChange
onReadyStateChange
onStart
onTimeError
onUnload

Figure 10.8 : Vous pouvez choisir l'événement qui déclenche l'action, autrement dit le comportement.

Vous pouvez afficher ou masquer des événements en cliquant en haut du panneau sur l'un des boutons Afficher les événements définis ou Afficher tous les événements. Si vous utilisez Windows, vous remarquerez la présence d'événements dont le nom commence par <A>. Ils concernent des éléments qui sont liés.

9. **Définissez les autres comportements dont vous avez besoin.**

Pour appliquer des permutations à d'autres images de la page, reprenez les étapes 5 à 7 ci-dessus. Cliquez sur l'image servant de déclencheur, puis spécifiez celle qui sera permutée ainsi que son nouveau contenu. Pour cet exercice, il suffit de sélectionner successivement chacune des vignettes et de définir les correspondances exactement selon le même principe que ci-dessus.

10. **Testez votre travail dans un navigateur.**

    Vous ne pourrez pas juger des effets de vos comportements tant que vous n'aurez pas affiché votre page dans un navigateur tel que Firefox ou Internet Explorer.

Si vous voulez découvrir les images proposées dans cet exemple, visitez le site `www.klemieux.com`.

Utiliser le comportement Ouvrir la fenêtre Navigateur

Les comportements de Dreamweaver servent à mettre en place de nombreuses fonctions interactives, comme l'ouverture d'une nouvelle fenêtre de navigateur en réponse à un clic sur un lien. Comme vous pouvez le constater sur la Figure 10.9, c'est un excellent moyen de fournir des informations supplémentaires sans perdre le contenu de la page visitée par l'utilisateur. Le comportement Ouvrir la fenêtre Navigateur vous permet de spécifier les dimensions de la nouvelle fenêtre et de l'afficher au-dessus de la page actuelle.

Figure 10.9 : Une version agrandie d'une image est affichée dans une nouvelle fenêtre de navigation lorsque l'utilisateur clique sur une vignette.

Pour ajouter un comportement Ouvrir la fenêtre Navigateur à une image sélectionnée (ou à un autre élément quelconque), suivez ces étapes :

1. **Créez la page qui s'ouvrira dans la nouvelle fenêtre de navigation.**

   Pour cet exemple, j'ai créé une nouvelle page vierge HTML dans laquelle j'ai inséré une version agrandie de l'image correspondant à la vignette qui va servir de déclencheur. Le but est, lorsque l'utilisateur clique sur la vignette, d'ouvrir une fenêtre de navigation ayant à peu près les dimensions de la grande image, tout en restant plus petite que la fenêtre d'origine.

2. **Sélectionnez l'image, le texte ou tout autre élément devant servir à déclencher l'action.**

   Vous pouvez choisir sur votre page une image, un texte ou encore un calque. La procédure à suivre est la même dans tous les cas.

3. **Ouvrez le panneau Comportements depuis le menu Fenêtre.**

4. **Cliquez sur le bouton "+" et choisissez le comportement voulu dans la liste déroulante.**

   Ici, vous sélectionnerez Ouvrir la fenêtre Navigateur.

   Si un comportement est affiché en grisé, cela signifie qu'il ne peut être associé à l'élément choisi. Par exemple, Déplacer l'élément PA ne peut être appliqué ni à un calque, une image ou un texte.

5. **Spécifiez les paramètres voulus dans la boîte de dialogue Ouvrir la fenêtre Navigateur.**

   Une série d'options permet de contrôler la manière dont la nouvelle fenêtre va apparaître (voir la Figure 10.10).

   Utilisez le bouton Parcourir, à droite du champ URL à afficher, pour sélectionner dans votre site la page à ouvrir, ou encore l'adresse d'un autre site. Indiquez ensuite la largeur et la hauteur de la nouvelle fenêtre. Pour cet exemple, j'ai repris les dimensions de l'image à afficher en ajoutant 20 pixels afin de laisser un peu de marge à l'affichage de la peinture. Si vous voulez que la fenêtre de navigation contienne certains éléments d'interface, cochez les cases correspondantes : Barre d'outils de navigation, Barre d'adresse, Barre d'état, Barre de menus, Barre de défilement si nécessaire et Poignées de redimensionnement. Au cas où la fenêtre d'un visiteur serait plus petite que la taille spécifiée

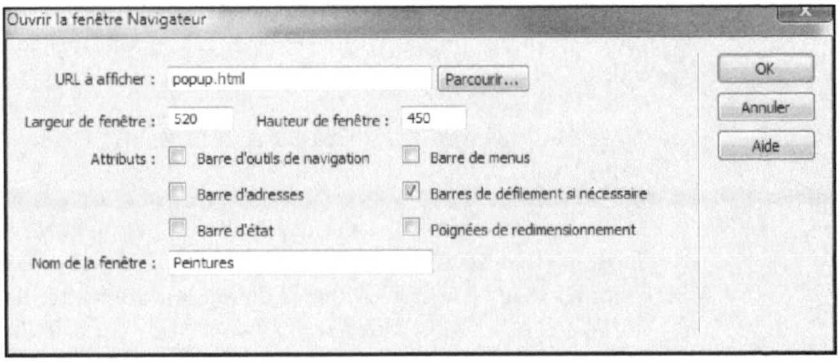

Figure 10.10 : Spécifiez les paramètres d'affichage de la fenêtre dans la boîte de dialogue Ouvrir la fenêtre Navigateur.

pour la photo, j'ai activé l'affichage des barres de défilement (uniquement si cela est nécessaire). Par contre, toutes les autres options ont été désactivées afin de proposer une fenêtre simple et sans fioritures. Enfin, il est important de donner un nom à la nouvelle fenêtre si vous voulez par exemple pouvoir y charger d'autres pages.

6. **Cliquez sur OK quand vous avez fini de configurer le comportement.**

   Il apparaît dans le panneau Comportements.

7. **Spécifiez un événement pour le comportement.**

   Cliquez dans la colonne de gauche du panneau sur le nom de l'événement, puis sur la flèche qui suit ce nom. Choisissez alors l'une des possibilités offertes par la liste déroulante qui apparaît. Pour plus d'informations sur ce point, reportez-vous à l'encadré "Choisir le meilleur événement pour un comportement", plus haut dans ce chapitre.

8. **Testez votre travail dans un navigateur.**

   Vous ne pourrez pas juger des effets de vos comportements tant que vous n'aurez pas affiché votre page dans un navigateur tel que Firefox ou Internet Explorer.

Attacher plusieurs comportements

Plusieurs comportements peuvent être attachés au même élément d'une page (tant qu'ils n'entrent pas en conflit, bien sûr). Par exemple, vous pouvez définir une action qui est déclenchée quand l'utilisateur clique sur une image, et une autre quand il retire son pointeur de l'image. Vous pouvez également déclencher la même action pour plusieurs événements. Par exemple, vous pouvez lire le même son quand un utilisateur effectue un certain nombre d'actions.

Pour attacher des comportements supplémentaires, cliquez sur le signe "+" pour sélectionner un nouveau comportement et définissez les options de celui-ci. Répétez cette procédure autant de fois que nécessaire.

Modifier un comportement

Vous pouvez toujours et à tout moment modifier un comportement que vous avez créé. Il est ainsi possible de choisir une autre action pour déclencher l'événement, d'ajouter ou de supprimer des comportements, ou encore d'en modifier les paramètres.

Voici comment modifier un comportement :

1. **Sélectionnez un objet avec un comportement attaché.**
2. **Si nécessaire, ouvrez le panneau Comportements depuis le menu Fenêtre.**

   Voici quelques options que vous pouvez choisir dans le panneau Comportements :

   - **Pour modifier un événement :** Choisissez-en un autre dans la liste des événements du panneau Comportements.
   - **Pour supprimer une action :** Sélectionnez-la dans le panneau Comportements, puis cliquez sur le signe "–", en haut du panneau.
   - **Pour modifier des paramètres d'une action :** Double-cliquez sur l'icône représentant un engrenage. La boîte de dialogue correspondante qui apparaît vous permet d'effectuer les corrections nécessaires.
   - **Pour modifier l'ordre des actions :** Sélectionnez une action et cliquez sur l'une des flèches dirigées vers le haut ou le bas, en haut du panneau Comportements.

Chapitre 11

En route pour le multimédia

Dans ce chapitre :

- Créer des boutons et du texte Flash avec Dreamweaver.
- Ajouter des fichiers Flash aux pages Web.
- Comparer les formats audio et vidéo.
- Insérer des fichiers multimédias.

L'aspect les plus compliqué du multimédia sur le Web est de choisir le format le mieux adapté aux internautes. C'est pourquoi ce chapitre vous propose une introduction aux formats audio et vidéo. Vous ne pouvez pas fabriquer et éditer des fichiers multimédias dans Dreamweaver. Mais dès lors qu'ils existent, qu'ils sont optimisés et parés pour l'Internet, Dreamweaver rend relativement facile leur insertion dans vos pages Web.

Comme vous le découvrirez dans ce chapitre, l'insertion des fichiers audio, vidéo et Flash ressemble à ce que vous faites pour de simples images. Simplement, le nombre d'options dont vous disposez est bien plus important, ne fût-ce par exemple que pour décider quand et comment ils doivent être joués.

Travailler avec Adobe Flash

Flash a clairement émergé comme étant la technologie favorite pour la création d'animations et une grande variété de fonctions interactives sur le Web. Il est même possible d'intégrer du son et de la vidéo dans Flash, ce qui en fait un outil courant employé pour combiner des formats. Et avec les nouveaux fichiers vidéo Flash, vous avez la possibilité de créer vos propres vidéos directement sous celui-ci, ce qui est un excellent choix étant donné la popularité du lecteur Flash.

L'une des raisons qui rendent les animations Flash si souples et si rapides à charger sur l'Internet est que la technologie Flash utilise des *graphiques vectoriels* et non *bitmap*. Cela signifie que les graphiques Flash sont fondés sur des formules mathématiques qui occupent peu d'espace disque comparées aux pixels des images bitmap. Les graphiques vectoriels peuvent être redimensionnés pour s'adapter à n'importe quelle taille de fenêtre, sans altérer la qualité du résultat ni augmenter le poids des fichiers. Cette faculté de redimensionnement fait des images Flash les représentations graphiques idéales pour des formats d'écran variés, y compris des assistants personnels ou des téléphones portables. Il est envisageable de projeter une animation Flash sur un mur ou un écran de cinéma sans perdre en qualité (les photographies ou fichiers vidéo intégrés au fichier Flash perdront cependant en qualité en cas de fort agrandissement ou d'une extrême réduction).

Les fichiers Flash portent l'extension `.swf`. Vous pouvez les insérer dans n'importe quelle page Web. Le format vidéo de Flash utilise l'extension `.flv` (nous y reviendrons un peu plus loin dans ce chapitre). De surcroît, Dreamweaver vous permet de créer directement des boutons et des textes Flash. Les sections suivantes vous en apprendront plus, notamment sur l'ajout de fichiers, de boutons et de textes Flash dans vos pages Web.

Côté inconvénients, l'impression du contenu Flash n'est pas à toute épreuve. En outre, il pose parfois des problèmes d'accessibilité aux handicapés. Son actualisation demande aussi généralement plus de travail, et il peut ne pas être lu par les moteurs de recherche lors de l'analyse de votre site. Enfin, les sites réalisés entièrement avec Flash sont plus difficiles à lier, surtout lorsque le but est d'atteindre non pas la page d'accueil, mais une section particulière à l'intérieur du site.

Ajouter des boutons et du texte Flash avec Dreamweaver

Dreamweaver est capable de créer et de modifier des fichiers Flash simples comme des boutons et du texte. Vous ne pourrez certes pas créer d'animations Flash complexes avec Dreamweaver, mais ces fonctions intégrées vous permettent de fabriquer des légendes ou des titres graphiques et d'insérer de sympathiques boutons interactifs dans vos pages. Dreamweaver possède pour cela une belle bibliothèque d'objets Flash prédéfinis.

Mieux, l'architecture de Dreamweaver étant extensible, vous pouvez télécharger de nouveaux styles de boutons Flash sur le site Adobe Exchange, en cliquant sur le bouton Acquérir plus de styles dans la boîte de dialogue Insérer le bouton Flash.

Le Chapitre 10 vous donne des instructions pour télécharger des boutons Flash ainsi que d'autres extensions sur le site Adobe Exchange (`www.adobe.com/exchange`).

Utiliser des scripts pour rendre Flash encore plus puissant

Lorsque vous insérer un fichier multimédia (Flash ou autre) avec Dreamweaver CS3, le programme crée un script JavaScript qui aide à jouer automatiquement son contenu. Ce fichier est appelé AC_RUNActiveContent, et est enregistré dans un dossier Script que Dreamweaver ajoute automatiquement sous la racine de votre site. La première fois que Dreamweaver produit ce fichier, une boîte de dialogue vous prévient que vous devez transférer le script de manière que votre fichier multimédia fonctionne correctement. N'oubliez pas d'inclure ce script lorsque vous publiez le site sur votre serveur Web.

Si vous omettez cet élément lors de la publication, il se peut que votre fichier multimédia ne soit pas diffusé, ou encore que l'utilisateur soit contraint de cliquer deux fois sur le bouton *Play* pour que le contenu multimédia soit joué. La raison tient à une longue et compliquée saga à propos de standards et de droits, sujet avec lequel je ne vais pas vous ennuyer ici (d'autant que tout cela risque probablement de changer dans le futur). La bonne nouvelle est qu'Adobe ne vous pénalise pas avec ces histoires juridico-techniques (ou technico-juridiques). Dès lors que vous copiez le script sur votre serveur et installez les mises à jour de Dreamweaver lorsque Adobe vous le propose, vos fichiers multimédias devraient rester jouables sur le Web.

Créer des textes Flash avec Dreamweaver

Grâce à l'objet Texte Flash, il est possible de créer et d'insérer dans votre document une animation Flash (`.swf`) contenant du texte. Comme les autres animations Flash, ces textes sont des objets vectoriels, donc plus rapides à charger que la plupart des images et automatiquement redimensionnés en fonction de la surface disponible dans la fenêtre du navigateur. Un autre avantage est que vous pouvez utiliser la police de votre choix, ou encore mettre en place un effet de survol sans devoir créer des images séparées.

Pour insérer un objet texte Flash, suivez ces étapes :

1. **Ouvrez ou créez une page Web dans Dreamweaver.**

   Enregistrez toujours un nouveau document avant d'insérer un objet texte Flash.

2. **Si ce n'est pas le cas, sélectionnez Commun dans la barre Insertion.**

3. **Dans la liste déroulante Médias de la barre Insertion Commun, choisissez Texte Flash (voir la Figure 11.1).**

   Vous pouvez également ouvrir le menu Insertion, et cliquer successivement sur Médias et Texte Flash. La boîte de dialogue Insérer le texte Flash apparaît (voir la Figure 11.2).

Figure 11.1 : La liste déroulante Médias fournit un accès rapide à l'option Texte Flash.

4. **Sélectionnez les options de police, style, taille, couleur, alignement, couleur d'arrière-plan :**

   Police et Taille : Choisissez une des polices disponibles sur votre système ; spécifiez la taille des caractères. La taille de la police détermine les dimensions du cadre entourant le texte Flash. Pour prévisualiser le texte dans la police choisie, cochez la case Afficher la police. Utilisez les options de mise en forme au-dessous de la case Police pour indiquer l'alignement du texte et s'il est composé en gras ou en italique.

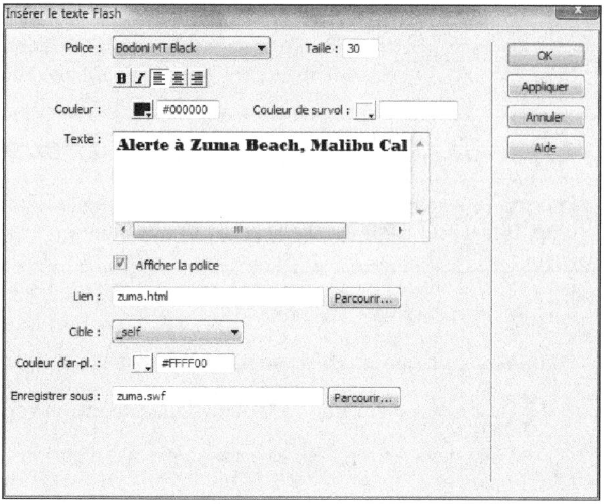

Figure 11.2 : La boîte de dialogue Insérer le texte Flash vous permet de créer dans Dreamweaver des textes interactifs.

Couleur : Sélectionnez ici la couleur du texte.

Couleur de survol : Pour indiquer la couleur prise par le texte lorsque la souris passe au-dessus.

Lien, Cible : Dans la case Lien, précisez la page à ouvrir lorsque l'observateur clique sur le lien. Avec la liste Cible, spécifiez l'emplacement où la page doit s'ouvrir.

Couleur d'ar-pl (couleur d'arrière-plan) : Lorsque cette couleur est identique à la couleur d'arrière-plan de la page Web, le texte Flash est incrusté dans la page. Sinon, le texte est affiché dans un rectangle de la couleur choisie. Si vous ne choisissez pas de couleur, l'arrière-plan est blanc, pas transparent.

Enregistrer sous : Le texte Flash étant encapsulé dans un fichier Flash, il faut donc nommer celui-ci. Enregistrez toujours le fichier avec l'extension `.swf`. Utilisez le bouton Parcourir (la petite icône de dossier) pour indiquer l'emplacement où vous voulez enregistrer le fichier Flash sur votre disque dur (de préférence dans la racine de votre site ou dans un sous-dossier spécifique de celle-ci).

5. **Cliquez sur OK.**

   Vous pouvez aussi cliquer sur le bouton Appliquer pour prévisualiser le texte Flash dans votre document avant de cliquer sur OK.

La boîte de dialogue se referme et le texte Flash est inséré dans la page. Pour modifier le texte ou changer une des options, double-cliquez sur l'objet pour ouvrir la boîte de dialogue.

Créer des boutons Flash avec Dreamweaver

Plus excitants encore que les textes Flash, les *boutons Flash* sont des graphismes prédéfinis que vous pouvez personnaliser. Ils servent ensuite de boutons interactifs dans la page Web. Eux aussi sont constitués d'images vectorielles que vous pouvez redimensionner sans aucune dégradation de la qualité.

Pour insérer un bouton Flash, suivez ces étapes :

1. **Ouvrez ou créez une page Web dans Dreamweaver.**

   Vous devez enregistrer le document avant d'insérer le bouton Flash.

2. **Si nécessaire, sélectionnez Commun dans la barre Insertion.**

3. **Dans la liste déroulante Médias de la barre Insertion Commun, choisissez Bouton Flash.**

   Vous pouvez aussi ouvrir le menu Insertion et cliquer successivement sur Médias puis sur Bouton Flash. La boîte de dialogue Insérer le bouton Flash apparaît (voir la Figure 11.3).

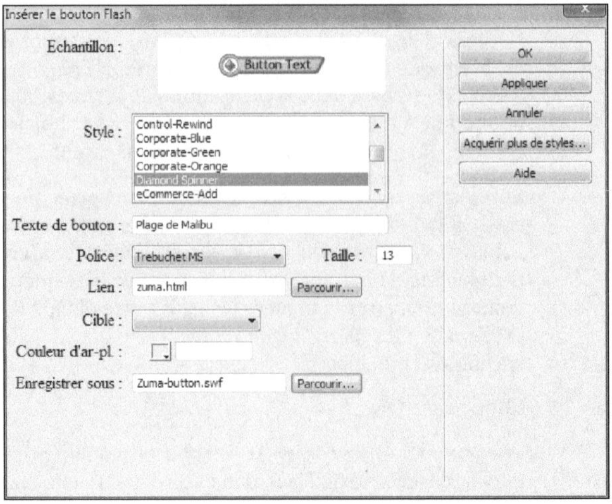

Figure 11.3 : La boîte de dialogue Insérer le bouton Flash.

4. **Servez-vous de la liste Style pour choisir le type de bouton à créer.**

   Le bouton sélectionné s'affiche dans la zone Echantillon, en haut de la boîte de dialogue.

5. **Personnalisez votre bouton en entrant le texte à afficher sur le bouton, en sélectionnant une police, etc.**

   Saisissez la légende dans le champ Texte du bouton (laissez-le vide si vous ne voulez pas de texte sur le bouton). Sélectionnez les autres options de texte (police, style, taille, couleur, alignement).

6. **Si vous voulez que le bouton serve de lien, indiquez le lien, la cible et la couleur d'arrière-plan dans les champs appropriés.**

   Du fait que vous créez ici un fichier Flash, il faut le nommer. Enregistrez toujours le fichier avec l'extension `.swf`. Utilisez le bouton Parcourir (la petite icône de dossier) pour indiquer l'emplacement où vous voulez enregistrer le fichier Flash sur votre disque dur (de préférence dans la racine de votre site ou dans un sous-dossier spécifique de celle-ci).

7. **Une fois les options configurées, cliquez sur OK pour insérer le bouton.**

   Vous pouvez également cliquer sur le bouton Appliquer pour prévisualiser le bouton dans votre document Dreamweaver avant de cliquer sur OK.

   La boîte de dialogue se referme et le bouton est inséré dans la page. Pour modifier le bouton ou changer une des options, double-cliquez sur l'objet pour ouvrir à nouveau la boîte de dialogue.

Pour voir l'effet de survol, prévisualisez le bouton dans un navigateur ou sélectionnez-le et cliquez sur Lire dans l'inspecteur Propriétés. La première solution est plus précise.

Insérer des fichiers Flash

Avec Dreamweaver, il est facile d'insérer dans les pages Web des fichiers Flash, souvent appelés *animations Flash* même lorsqu'ils ne sont pas animés. En revanche, il ne permet pas de les créer. Dans cette section, je considère que vous disposez d'un fichier Flash complet à insérer dans votre page Web.

Le format de fichier Flash est un standard ouvert. Il est donc possible de créer des fichiers Flash avec divers programmes vectoriels comme Adobe Illustrator qui possède une commande d'exportation au format SWF.

L'insertion d'un fichier Flash est très semblable à celle d'une image. Cependant, Flash étant capable de réaliser bien d'autres prouesses que simplement afficher une image fixe, vous disposez de toute une série de paramètres et d'options pour contrôler la lecture d'un tel fichier.

Avant de commencer, enregistrez le fichier Flash dans le dossier principal de votre site Web. Je recommande de créer un sous-dossier `multimedia` dans le dossier principal de votre site Web pour y stocker vos fichiers audio et d'autres composants multimédias, de même que la plupart des concepteurs créent un sous-dossier "images" pour y stocker les fichiers d'images.

Voici comment ajouter un fichier Flash dans une page Web de Dreamweaver :

1. **Cliquez à l'endroit où vous souhaitez insérer l'animation Flash. Le point d'insertion y clignote.**

2. **Si nécessaire, sélectionnez Commun dans la barre Insertion.**

3. **Dans la liste déroulante Médias de la barre d'outils Communs, cliquez sur l'option Flash (reportez-vous à la Figure 11.1).**

   Vous pouvez aussi sélectionner dans le menu Insertion les commandes Médias, puis Flash. La boîte de dialogue Sélectionner un fichier apparaît.

4. **Dans la boîte de dialogue, parcourez votre lecteur pour localiser le fichier d'animation approprié. Cliquez pour sélectionner le fichier.**

5. **Si vous avez activé les options d'accessibilité, une boîte de dialogue vous demande d'ajouter un texte alternatif pour décrire le fichier Flash. Entrez une description puis cliquez sur le bouton OK.**

Dreamweaver affiche le fichier Flash sous forme d'une boîte grise aux dimensions du fichier. Pour afficher ce dernier, cliquez dessus pour le sélectionner, puis sur le bouton vert Lire dans l'inspecteur Propriétés (voir la Figure 11.4). Le bouton Lire devient Arrêt. Le fichier Flash est également lu lorsque vous prévisualisez la page dans un navigateur.

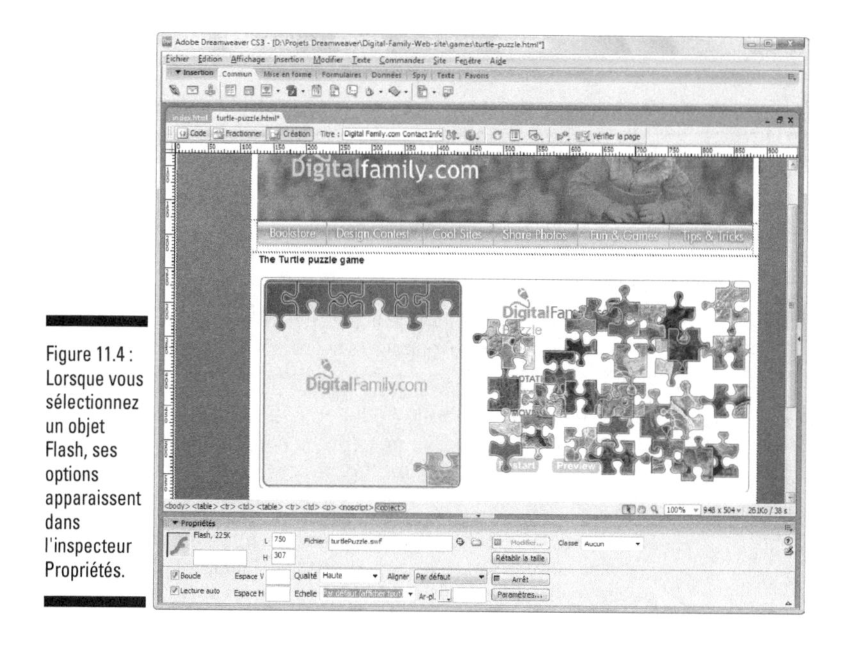

Figure 11.4 : Lorsque vous sélectionnez un objet Flash, ses options apparaissent dans l'inspecteur Propriétés.

Définir les options pour Flash

À l'image de la plupart des balises HTML, celles qui lient Flash et d'autres fichiers multimédias à une page Web ont des *attributs* qui définissent la manière dont un fichier est lu dans un navigateur, en indiquant par exemple si l'animation est automatiquement lancée au chargement de la page ou si le visiteur doit cliquer sur un lien pour en commencer la lecture. Dreamweaver règle automatiquement certaines options comme la hauteur et la largeur du fichier Flash. Vous définirez tout ou partie des autres.

Si vous ne voyez pas toutes les options dans l'inspecteur Propriétés, cliquez sur la petite flèche de développement du contenu, dans le coin inférieur droit du panneau.

Voici les options Flash disponibles dans l'inspecteur Propriétés :

- **Nom :** Ce champ se trouve dans le coin supérieur gauche du panneau, juste en dessous de l'icône Flash (F). Il sert à assigner un nom au fichier. Vous pouvez laisser ce champ vide ou saisir le nom qui vous convient. Dreamweaver n'applique pas de nom si vous laissez ce champ vierge. Cette donnée est importante, car elle peut être utilisée pour faire référence au fichier dans un script.

- **L (largeur) :** Spécifiez ici la largeur du fichier, en pixels.
- **H (hauteur) :** Spécifiez ici la hauteur du fichier, en pixels.
- **Fichier :** Dreamweaver remplit automatiquement cette case avec le nom et le chemin d'accès du fichier Flash que vous avez inséré. Si vous modifiez ce champ, vous risquez de briser le lien vers ce fichier.
- **Modifier :** Permet d'ouvrir le fichier dans Flash. Vous pouvez le modifier sans quitter Dreamweaver.
- **Src (source) :** Ce champ textuel permet d'identifier le fichier source que vous avez utilisé pour créer le fichier `.swf` pour le Web. Vous pouvez y saisir un nouveau nom, y taper directement le chemin d'accès, ou encore cliquer sur l'icône du dossier pour parcourir vos lecteurs et y sélectionner un fichier.
- **Rétablir la taille :** Puisque les fichiers Flash peuvent être redimensionnés sans altérer la qualité de l'image, il est fréquent de redimensionner le fichier Flash pour qu'il s'ajuste aux dimensions de la page ou à la zone que vous lui réservez sur la page. Pour retrouver la taille d'origine du fichier, cliquez sur ce bouton.
- **Classe :** Utilisez la liste déroulante pour appliquer une éventuelle feuille de style.
- **Boucle :** Cette option répète la lecture du fichier Flash. Si vous ne l'activez pas, l'animation Flash s'arrête après avoir atteint la dernière image.
- **Lecture auto :** Cette option contrôle le paramètre Lecture. Vous déterminez si l'animation Flash doit démarrer dès son chargement ou seulement suite à une action de l'utilisateur, comme un clic sur un bouton. Cochez cette option pour une lecture automatique. Ne la cochez pas si la lecture doit découler d'une action quelconque définie dans le fichier Flash lui-même (par exemple `onMouseOver` ou `onMouseDown`). Il est également possible d'appliquer un comportement défini ailleurs dans le document pour déclencher la lecture (les comportements sont traités au Chapitre 9).
- **Espace V (espace vertical) :** Permet d'insérer un espace au-dessus ou en dessous du fichier en saisissant une valeur exprimée en pixels.

- **Espace H (espace horizontal) :** Permet d'insérer un espace sur les côtés du fichier en saisissant une valeur exprimée en pixels.
- **Qualité :** Cette option sert à définir le niveau de priorité de l'antialiasing (anticrénelage), en fonction de la vitesse de lecture. L'*antialiasing* améliore la qualité d'affichage des images en lissant les contours. Mais il risque de porter atteinte à la fluidité de l'animation, car l'ordinateur doit d'abord lisser les contours. Ce paramètre permet de réguler ce processus en définissant un compromis entre rendu et rapidité. Les options proposées sont les suivantes :

  Faible : Avec cette option, l'anticrénelage n'est jamais utilisé. Priorité est donnée à la vitesse de lecture sur l'apparence.

  Haute : Avec cette option, l'anticrénelage est toujours utilisé. L'apparence l'emporte sur la vitesse de lecture.

  Elevée automatique : Dans ce mode, la lecture commence avec l'anticrénelage activé. Cependant, si la cadence de lecture n'est pas supportée par l'ordinateur de l'utilisateur, l'anticrénelage est désactivé pour accélérer le processus. La qualité est donc sacrifiée si nécessaire au profit de la vitesse.

  Basse automatique : Avec cette option, la lecture commence sans anticrénelage. Si le lecteur Flash détecte que le processeur est capable de gérer une meilleure qualité, il active l'anticrénelage. Cette option améliore la qualité d'affichage dès que les performances de l'ordinateur le permettent.

- **Echelle :** Ne recourez à cette option que si vous avez modifié la hauteur et/ou la largeur du fichier original. Le paramètre Echelle permet de définir la manière dont l'animation Flash sera alors affichée. Les options suivantes de la liste Échelle permettent de définir des préférences de redimensionnement d'une animation Flash dans la fenêtre d'un navigateur :

  Par défaut (Afficher tout) : Cette option permet à l'animation entière de s'afficher dans la zone spécifiée. Le rapport largeur/hauteur de l'animation originale est conservé sans la moindre distorsion de l'image. Cependant, des bordures peuvent apparaître sur les deux côtés de l'animation pour combler l'espace vide.

  Aucune bordure : Cette option permet de dimensionner une animation Flash pour qu'elle remplisse la zone spécifiée. Là encore, les proportions largeur/hauteur originales sont conservées et aucune distorsion n'apparaît, mais des portions de l'animation peuvent être coupées.

Taille exacte : Cette option affiche entièrement l'animation dans la zone spécifiée. Cependant, l'animation Flash risque d'être déformée, car les proportions largeur/hauteur peuvent être dilatées ou contractées pour que l'animation s'ajuste parfaitement à la zone allouée.

- **Aligner :** Cette option contrôle l'alignement du fichier sur la page. Elle fonctionne de la même manière pour des fichiers de plug-ins et pour les images.
- **Ar-pl. :** Cette option spécifie une couleur d'arrière-plan qui remplit la zone du fichier. Cette couleur s'affiche si la hauteur et la largeur spécifiées sont supérieures à la taille réelle du fichier, et également quand l'animation n'est pas lue, soit parce qu'elle est en cours de chargement, soit encore parce que sa lecture est terminée.
- **Lire :** Cliquez sur le bouton vert Lire pour prévisualiser le fichier Flash directement dans Dreamweaver. Une fois la lecture lancée, le bouton indique Arrêt. Il permet alors de stopper l'exécution du fichier Flash.
- **Paramètres :** Ce bouton ouvre une boîte de dialogue où vous pouvez saisir des paramètres supplémentaires pour vos animations Flash.

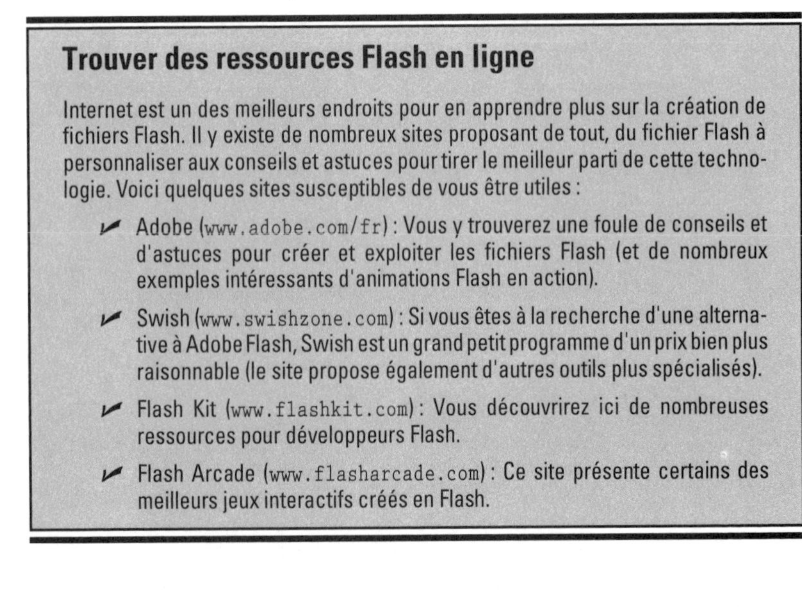

Trouver des ressources Flash en ligne

Internet est un des meilleurs endroits pour en apprendre plus sur la création de fichiers Flash. Il y existe de nombreux sites proposant de tout, du fichier Flash à personnaliser aux conseils et astuces pour tirer le meilleur parti de cette technologie. Voici quelques sites susceptibles de vous être utiles :

- Adobe (`www.adobe.com/fr`) : Vous y trouverez une foule de conseils et d'astuces pour créer et exploiter les fichiers Flash (et de nombreux exemples intéressants d'animations Flash en action).
- Swish (`www.swishzone.com`) : Si vous êtes à la recherche d'une alternative à Adobe Flash, Swish est un grand petit programme d'un prix bien plus raisonnable (le site propose également d'autres outils plus spécialisés).
- Flash Kit (`www.flashkit.com`) : Vous découvrirez ici de nombreuses ressources pour développeurs Flash.
- Flash Arcade (`www.flasharcade.com`) : Ce site présente certains des meilleurs jeux interactifs créés en Flash.

Vidéo et audio sur le Web

Au fur et à mesure que la bande passante croît sur l'Internet, l'emploi de fichiers vidéo se développe énormément plus vite que celui de tout autre type de fichier multimédia. Chaque jour, des millions de nouvelles vidéos apparaissent sur le Web (avec, il faut bien le dire, un invraisemblable gâchis).

L'insertion d'un fichier vidéo dans une page Web est relativement facile, surtout si vous utilisez le format vidéo Flash, décrit un peu plus loin. Si vous faites appel à un autre format, tel que Windows Media Video ou Quicktime, vous trouverez des instructions dans la section suivante, "Ajouter des fichiers multimédias aux pages Web". Vous pouvez adapter le comportement des objets audio et vidéo, comme activer la lecture automatique, à partir de l'inspecteur Propriétés.

Avec le multimédia, le premier défi à relever est le choix du bon format et l'optimisation de la vidéo pour un téléchargement rapide et une bonne qualité d'image. L'optimisation vidéo sort du cadre de ce livre. Je présente cependant quelques informations générales sur les différents types de fichiers vidéo, pour vous aider dans vos décisions sur le genre de fichiers que vous pouvez insérer dans vos pages avec Dreamweaver.

Il est possible d'enregistrer la vidéo dans plusieurs formats. Malheureusement, aucun format vidéo n'est universel sur le Web (même si Flash est pratiquement devenu un standard universel). De nos jours, la majorité des nouveaux ordinateurs sont fournis avec des lecteurs vidéo et audio préinstallés qui reconnaissent les formats de fichier les plus courants. Les ordinateurs sous Windows sont accompagnés du lecteur Windows Media. Les Mac sont fournis avec Quicktime. Ces deux lecteurs vidéo gèrent plusieurs formats vidéo ; aussi, quiconque dispose d'un ordinateur relativement récent est-il à même de lire les formats vidéo les plus courants.

ATTENTION !

De nombreuses personnes naviguent sur le Web au bureau, dans des bibliothèques et autres endroits où un son inattendu peut être très mal reçu. Si vous désirez que vos visiteurs reviennent sur votre site, avertissez-les toujours avant de déclencher de la vidéo ou de l'audio, et donnez-leur toujours le moyen de stopper rapidement cette lecture si nécessaire.

Le chargement en flux continu est plus rapide

Windows Media, RealMedia et Quicktime sont les formats les plus populaires, notamment parce qu'ils gèrent le chargement en flux continu (ou *streaming*). *Charger en continu* signifie commencer à lire un fichier alors que son téléchargement n'est pas encore terminé. Il s'agit de quelque chose d'important, car le téléchargement des fichiers vidéo et audio peut être long. Voici comment cela fonctionne. Lorsque vous cliquez sur un lien vers un fichier vidéo, votre ordinateur commence à le télécharger à partir du serveur. Si votre lecteur gère le chargement en continu, la lecture de la vidéo ou de l'audio commence dès que vous avez téléchargé suffisamment de données pour assurer ensuite un déroulement ininterrompu. Sans cela, la totalité du fichier doit être téléchargée avant de commencer la lecture. La durée totale de téléchargement n'est pas spécialement diminuée, mais cela réduit le temps pendant lequel le visiteur doit attendre avant de voir les premières images de la vidéo ou écouter la musique.

Comparer les formats vidéo les plus courants

La conversion d'un format de fichier vers un autre s'opère assez facilement avec un programme d'édition vidéo relativement quelconque. Par exemple, vous ouvrez une vidéo au format AVI dans Adobe Premiere Elements (un bon éditeur vidéo pour débutants), puis vous choisissez Fichier suivi d'Exporter pour le convertir avec une bonne dizaine d'options pour le choix du format et du mode de compression. Vous pourriez par exemple convertir un fichier AVI au format Windows Media avec une compression adaptée à un modem 56 K, ou au format Quicktime avec une compression pour modem câble. L'édition vidéo peut être compliquée, mais la conversion d'un fichier vidéo est relativement facile une fois assimilées les options de conversion. Bref, comme dans bien d'autres domaines, il s'agit à la fois d'un art et d'une science.

Les sections suivantes fournissent une brève description des formats vidéonumériques les plus courants, de l'extension, ainsi que des sites Web où vous pourrez en apprendre plus sur leurs options.

Flash Video

Vous pouvez créer des vidéos Flash avec Adobe Flash. Il s'agit du dernier standard en date sur le Web, et certainement l'un de ceux dont la popularité croît le plus vite. Le lecteur Flash est si populaire de nos jours que la plupart des développeurs font de ce format leur choix préféré.

- Extension de fichier : `.flv`
- Site Web : `www.adobe.com`

Windows Media Video

Conçu par Microsoft et très répandu sur PC, ce format vidéo gère le chargement en continu. Il est évidemment lu par le lecteur Windows Media et de nombreux autres lecteurs populaires.

- Extensions de fichier : `.wmv, asx`
- Site Web : `www.microsoft.com/windows/windowsmedia`

RealVideo

Ce format de fichier a été conçu par Real Networks. Il se lit avec le lecteur RealPlayer (disponible pour Mac et PC). RealMedia apporte une optimisation bien adaptée à la fois aux connexions faible et haut débit, mais il nécessite un logiciel spécial sur votre serveur Web pour le chargement en continu.

- Extensions de fichier : `.rm, rv`
- Site Web : `france.real.com/`

MPEG

Prononcez *m-peg*. Les vidéos au format MPEG (*Moving Picture Experts Group*) sont optimisables pour un téléchargement beaucoup plus rapide que les formats de qualité similaire comme l'AVI. MPEG se lit avec la plupart des lecteurs vidéo dont le lecteur Windows Media, RealPlayer et les lecteurs dédiés MPEG. Sachez que le format MPEG est non seulement celui des DVD vidéo, mais aussi celui du célèbre DivX.

- Extensions de fichier : `.mpeg, .mpg`
- Site Web : `www.mpeg.org`

Quicktime

Basé sur le standard MPEG, Quicktime a été développé par Apple. Le lecteur Quicktime est intégré au système d'exploitation du Macintosh. Il est exploité par la plupart des programmes Mac affichant de la vidéo ou des animations. Quicktime est un format intéressant pour la vidéo sur le Web, car il gère le chargement en continu. Il est principalement utilisé par les utilisateurs de Mac (mais un lecteur Quicktime est pourtant également disponible sous Windows).

- Extensions de fichier : `.qt`, `mov`
- Site Web : `www.quicktime.com`

AVI

Créé par Microsoft, AVI (*Audio Video Interleave*) est un des formats vidéo les plus populaires sous Windows. Il est lu par les lecteurs vidéo les plus courants. AVI convient pour de la vidéo sur CD ou sur disque dur, car le fichier n'a pas à être téléchargé. En effet, ces fichiers sont généralement trop lourds pour un usage optimisé sur Internet. Si vos fichiers sont en AVI, il faut donc les convertir vers un autre format avant de les placer sur votre site Web. Vous forcerez sinon vos visiteurs à télécharger sans raison de gros fichiers vidéo.

- Extension de fichier : `.avi`
- Site Web : il n'existe pas de site Web dédié à l'AVI. Vous trouverez des informations sur `www.microsoft.com`.

Comparer les formats audio les plus courants

Sur le Web, l'audio se traite d'une manière semblable à la vidéo. Qu'il y ait un lien vers le fichier son ou qu'il soit incorporé dans la page Web, les visiteurs doivent disposer du bon lecteur pour l'écouter. Pour en savoir plus, voyez la section suivante, "Ajouter des fichiers multimédias aux pages Web".

Les sections suivantes fournissent une brève description des formats audionumériques les plus courants, de l'extension, ainsi que des sites Web où vous pourrez en apprendre plus sur leurs options.

MP3

Grand succès en compression audio, le MP3 est issu de la même famille que le MPEG. Il gère le chargement de l'audio en continu. L'essentiel de la musique téléchargeable sur Internet est au format MP3. C'est clairement le format préféré des développeurs Web, car il peut être lu par pratiquement tous les lecteurs multimédias.

- Extension de fichier : .mp3
- Site Web : www.mp3.com

Windows Audio

Le format Windows Audio de Microsoft gère le chargement en continu. Il se lit avec le lecteur Windows Media et de nombreux autres lecteurs populaires. Il gère également les droits numériques.

- Extension de fichier : .wma
- Site Web : www.microsoft.com/windows/windowsmedia

RealAudio

Conçu par Real Networks, ce format de fichier à chargement en continu se lit avec RealPlayer (disponible pour Mac et PC). RealAudio est particulièrement répandu sur les sites de stations de radio et de divertissement.

- Extensions de fichier : .ra, .ram
- Site Web : www.real.com

WAV

Format de fichier très populaire en numérique, car il offre la qualité de son la meilleure qui soit. Mais les fichiers audio dans ce format sont souvent trop grands pour un usage sur le Web, avec une moyenne de 10 Mo par minute de son (en comparaison, un fichier MP3 est environ de cinq à dix fois moins volumineux). Les fichiers WAV sont cependant couramment utilisés sur Internet grâce à leur compatibilité pratiquement universelle. Je vous recommande cependant de convertir vos fichiers WAV (particulièrement de longue durée) dans un des autres formats audio décrits dans cette section et de les compresser avant de les mettre sur votre site Web.

- Extension de fichier : .wav
- Site Web : il n'existe pas de site Web officiel pour les fichiers WAV. Vous trouverez de la documentation sur www.microsoft.com en réalisant une recherche sur WAV.

Ajouter des fichiers multimédias aux pages Web

Du fait qu'il faut un lecteur, ou *module externe*, pour lire les fichiers multimédias, vous utiliserez les options du module intégré à Dreamweaver pour incorporer dans une page Web de l'audio, de la vidéo et d'autres fichiers multimédias. Vous avez aussi la possibilité de créer un lien vers le fichier audio ou vidéo. (Dreamweaver offre des possibilités plus sophistiquées pour l'insertion de fichiers Flash ; voir plus haut dans ce chapitre.) Cela étant posé, lier des fichiers multimédias n'est pas plus compliqué qu'insérer n'importe quel autre type d'objet dans une page Web.

Lier des fichiers audio et vidéo

De nombreuses personnes apprécient que les composants multimédias, par exemple une vidéo, apparaissent dans une nouvelle fenêtre de navigation. Pour cela, créez un fichier HTML et incorporez-y le fichier multimédia. Utilisez ensuite le comportement Ouvrir la fenêtre Navigateur dans Dreamweaver pour créer une fenêtre pop-up qui affichera votre page multimédia. Pour en savoir plus sur les comportements Dreamweaver, voyez le Chapitre 10.

Pour lier un fichier vidéo, audio ou tout autre élément multimédia dans Dreamweaver, suivez ces étapes :

1. **Cliquez pour sélectionner le texte, l'image ou tout autre élément à employer pour créer un lien.**

   Cela fonctionne comme la création d'un lien vers une autre page (voir la Figure 11.5).

   S'il s'agit d'un lien vers un fichier vidéo, il est judicieux d'extraire une image de celui-ci et de l'insérer dans la page Web. Placez ensuite sur cette image un lien vers le fichier vidéo.

2. **Dans l'inspecteur Propriétés, en bas de la zone de travail, cliquez sur le bouton Parcourir, à droite de la case Lien.**

   Ce bouton représente un dossier.

3. **Parcourez votre disque dur pour trouver le fichier vidéo ou audio cible.**

   Comme pour les autres fichiers, veillez à stocker les fichiers audio ou vidéo sous le dossier principal du site Web.

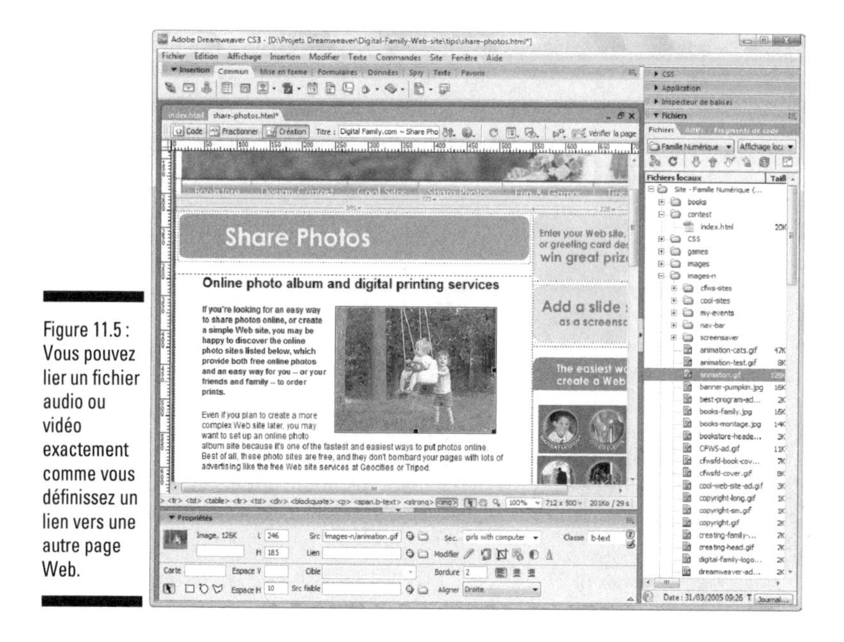

Figure 11.5 : Vous pouvez lier un fichier audio ou vidéo exactement comme vous définissez un lien vers une autre page Web.

4. **Cliquez pour sélectionner le fichier cible.**

5. **Cliquez sur OK.**

   La boîte de dialogue se referme et le lien est automatiquement créé.

6. **Cliquez sur le bouton Aperçu (l'icône qui représente un globe en haut de l'espace de travail) pour ouvrir la page dans un navigateur où vous pourrez tester le lien vers le fichier multimédia.**

   Dreamweaver démarre le navigateur Web spécifié (ou Device Central) et affiche la page. Si vous avez le lecteur nécessaire, le fichier est téléchargé, le lecteur démarre et le contenu multimédia est automatiquement diffusé.

Insérer des fichiers audio et vidéo

Lorsque vous incorporez un fichier dans une page Web, il est possible de déclencher sa lecture automatiquement dès l'ouverture de la page (sous réserve que le visiteur dispose du lecteur nécessaire). Vous avez également la possibilité d'imposer à l'internaute de cliquer sur un bouton *Play*. Dans un cas comme dans l'autre, la lecture se fera à l'intérieur de la page, donc sans ouvrir une autre fenêtre de navigation pour jouer le contenu multimédia.

Pour demander à Dreamweaver d'incorporer un fichier vidéo ou audio dans une page Web, suivez ces étapes :

1. **Cliquez pour insérer le pointeur à l'emplacement prévu pour le fichier dans la page Web.**

   Lorsque vous insérez un fichier son, les contrôles Lire, Pause et Arrêt apparaissent à l'endroit où vous insérez le fichier. Dans le cas d'un fichier vidéo, la première trame devrait s'afficher à l'emplacement du point d'insertion.

2. **Si nécessaire, cliquez sur Commun dans la barre Insertion.**

3. **Dans la liste déroulante Médias de la barre Insertion Commun, cliquez sur Plug-in (l'icône représente une pièce de puzzle).**

   Vous pouvez aussi ouvrir le menu Insertion, et choisir alors Médias puis Plug-in. La boîte de dialogue Sélectionner un fichier apparaît.

4. **Parcourez votre disque pour localiser le fichier son ou vidéo à insérer dans votre page, puis cliquez sur l'élément ainsi repéré pour le sélectionner.**

5. **Cliquez sur OK.**

   La boîte de dialogue se referme et le fichier est inséré dans la page. Il est représenté par une petite icône en forme de pièce de puzzle.

6. **Cliquez sur l'icône pour afficher les options du fichier dans l'inspecteur Propriétés.**

7. **Cliquez sur le bouton Aperçu (l'icône qui représente un globe en haut de l'espace de travail) pour ouvrir la page dans un navigateur où vous pourrez mieux tester votre fichier multimédia.**

   Dreamweaver démarre le navigateur Web spécifié (ou Device Central) et affiche la page. Si vous êtes équipé du lecteur nécessaire et que le fichier est réglé en exécution automatique, le contenu est affiché à l'ouverture de la page.

Définir les options de fichiers audio et vidéo

Lorsque vous sélectionnez un composant multimédia incorporé, tel qu'un fichier son ou vidéo, l'inspecteur Propriétés affiche ses options (voir la Figure 11.6) :

Figure 11.6 : L'inspecteur Propriétés affiche les options disponibles pour un fichier multimédia.

- **Case Nom :** Cette case se trouve dans l'angle supérieur gauche de l'inspecteur Propriétés, à droite de l'icône Plug-in. Tapez-y éventuellement un nom pour désigner le fichier. Lorsque vous laissez vide la case, Dreamweaver n'attribue pas automatiquement de nom. Cet identifiant est important, car il peut être utilisé pour faire référence au fichier dans JavaScript.

Contrairement aux fichiers d'images ou Flash, Dreamweaver n'est pas capable de détecter automatiquement la largeur et la hauteur qui conviennent pour un fichier audio ou vidéo. Il est donc important de spécifier ces valeurs dans l'inspecteur Propriétés. Dans le cas d'une vidéo, servez-vous d'un programme d'édition spécialisé pour déterminer les bonnes dimensions. Pour un fichier audio, vous devriez définir la largeur et la hauteur en vous basant sur la taille du lecteur que vous utilisez.

- **L (Largeur) :** Largeur du contenu du fichier, en pixels.
- **H (Hauteur) :** Hauteur du contenu du fichier, en pixels.

  Les balises de hauteur et largeur sont obligatoires avec la plupart des modules externes, mais Dreamweaver ne les insère pas automatiquement. Il faut donc noter les dimensions du contenu dans le programme utilisé pour le créer, ou essayer une valeur approchante et ensuite prévisualiser le contenu dans un navigateur pour voir s'il s'affiche correctement. Dans le cas d'un fichier son, la hauteur et la largeur déterminent la taille des boutons de contrôle.

- **Src (Source) :** Indique le nom et le chemin d'accès au fichier. Tapez un nom de fichier ou cliquez sur l'icône de dossier pour sélectionner celui-ci. Ce champ est automatiquement rempli lorsque vous incorporez le fichier.
- **Aligner :** Spécifie l'alignement de l'élément dans la page. L'alignement fonctionne comme pour les images.
- **Classe :** Utilisez la liste déroulante pour appliquer une feuille de style définie dans le document.
- **URL :** Fournissez ici l'URL où l'internaute peut télécharger le plug-in s'il n'en est pas équipé.
- **Lire :** Cliquez sur ce bouton pour prévisualiser le contenu dans Dreamweaver. Pour que cette opération fonctionne, le module externe correspondant au média doit être installé dans le dossier Configuration/Plugins de Dreamweaver.
- **Espace V (espace vertical) :** Pour ménager de l'espace au-dessus et au-dessous du contenu, entrez ici le nombre de pixels désiré.
- **Espace H (espace horizontal) :** Pour ménager de l'espace de chaque côté du contenu, entrez ici le nombre de pixels désiré ou un pourcentage de la largeur de la fenêtre du navigateur.
- **Bordure :** Définit la largeur de la bordure autour du contenu multimédia.
- **Paramètres :** Ce bouton active une boîte de dialogue où l'on règle des paramètres supplémentaires propres au type de fichier multimédia inséré.

Définir des paramètres multimédias

Vous pouvez utiliser des paramètres pour contrôler de nombreuses options multimédias, par exemple pour indiquer si un fichier audio ou vidéo doit être diffusé dès que la page est chargée. Définir ces paramètres n'est en rien intuitif, et je ne crois pas que Dreamweaver se sente à l'aise avec tout cela. Mais avec quelques recherches sur les options possibles pour le type de fichier que vous insérez, et un peu de soin dans l'emploi de la boîte de dialogue Paramètres de Dreamweaver, vous devriez pouvoir contrôler avec précision vos fichiers multimédias.

A la décharge des développeurs de Dreamweaver, il faut bien reconnaître qu'il aurait été difficile d'inclure tous les paramètres de tous les types de fichiers que l'on peut actuellement rencontrer sur l'Internet. Pour autant, je pense qu'ils auraient pu intégrer les plus courants. Comme ce n'est pas le cas, je vous propose ici un court aperçu de ce que peuvent être ces paramètres, le tout agrémenté de quelques options courantes pour les quelques types de fichiers tout aussi courants. Je terminerai par quelques adresses Web où vous pourrez trouver des listes de paramètres plus complètes concernant certains formats audio et vidéo largement répandus.

Deux des paramètres les plus courants et les plus utiles sont Autoplay et Autostart (selon le type de fichier). Par défaut, lorsque vous ajoutez de la vidéo ou de l'audio à un fichier HTML, la plupart des navigateurs commencent à en diffuser le contenu dès que la page se charge (à l'exception notable de Firefox, qui donne à l'utilisateur un plus grand contrôle). Si vous voulez éviter que vos fichiers multimédias ne s'exécutent automatiquement dans Internet Explorer et d'autres navigateurs, vous pouvez définir le paramètre Autoplay ou Autostart comme étant False (faux). En informatique, les valeurs True (vrai) et False jouent le même rôle qu'un bouton marche/arrêt sur une machine.

Sur la Figure 11.7, vous pouvez voir la boîte de dialogue Paramètres dans laquelle plusieurs options ont été définies pour un fichier au format WMV (Windows Media Video). Pour accéder à cette boîte de dialogue, sélectionnez le fichier multimédia dans votre page Web, puis cliquez sur le bouton Paramètres dans l'inspecteur Propriétés. Utilisez le bouton "+", en haut de la fenêtre, pour ajouter un nouveau paramètre, et le bouton "-" pour supprimer l'option sélectionnée. Dans la partie principale de la boîte de dialogue, vous saisirez à gauche le nom du paramètre (par exemple Autostart), et à droite sa valeur (par exemple False). C'est ce que j'ai fait ici pour éviter que le fichier WMV soit automatiquement joué.

Figure 11.7 : Vous pouvez définir des paramètres pour spécifier la manière dont les fichiers audio et vidéo doivent se comporter.

Le paramètre Loop est également classique. Il vous permet d'indiquer si un fichier audio ou vidéo doit ou non être diffusé en boucle. Un autre paramètre courant est showControls. Il sert à afficher ou masquer les contrôles de type bouton magnéto qui servent à jouer ou arrêter un contenu multimédia. Faites attention lorsque vous combinez de telles options. Si vous définissez simultanément AutoPlay et showControls comme étant faux, vos visiteurs ne pourront jamais lancer votre fichier multimédia ! Par défaut, ces contrôles sont visibles dans la plupart des circonstances, sauf si vous avez explicitement affecté la valeur False à showControls.

Ajouter des fichiers audio et vidéo Flash

Le format vidéo Flash est devenu rapidement la référence de choix pour de nombreux développeurs de sites Web. La vidéo sur le Web a longtemps été problématique, car il existe tellement de formats différents que vous ne pouvez jamais être certain que tous vos visiteurs seront équipés comme il convient pour lire vos productions.

Pendant que la bataille faisait rage entre les autres éditeurs, chacun essayant de promouvoir ses propres solutions, Flash s'est jeté dans la mêlée en proposant une option presque universelle. En effet, le lecteur Flash est plus que largement répandu, et de surcroît léger et facile à charger pour ceux qui n'ont pas encore cédé à ses qualités.

Comme Adobe possède aussi bien Flash que Dreamweaver, il est logique que les fichiers du second nommé soient particulièrement bien traités par le premier. Une boîte de dialogue vous permet donc de définir facilement les options associées à un fichier Flash lorsque vous insérez celui-ci (voir la Figure 11.8). Dreamweaver est même capable de détecter automatiquement les dimensions du fichier vidéo Flash.

Vous pouvez également utiliser Flash pour créer et insérer des fichiers audio en n'affichant qu'une barre de lecture (ce que Flash et Dreamweaver appellent une *enveloppe*). La Figure 11.9 illustre le comportement d'un fichier vidéo Flash inséré dans une page Web et affiché dans Firefox.

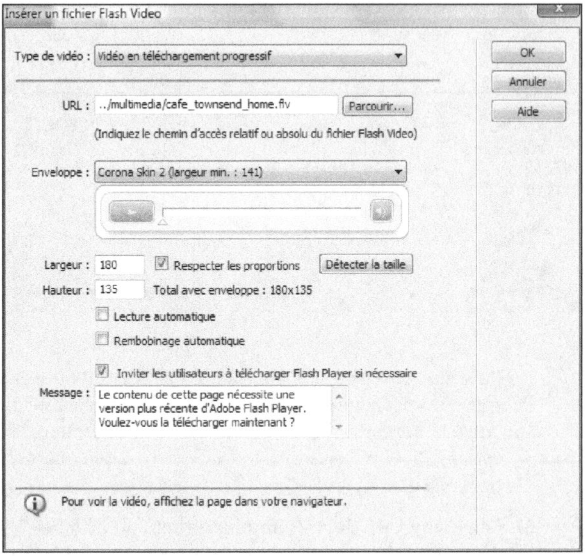

Figure 11.8 : Les paramètres que vous pouvez définir lors de l'insertion d'un fichier vidéo Flash.

Pour insérer un fichier vidéo Flash dans une page Web, suivez ces étapes :

1. **Cliquez pour insérer le pointeur à l'emplacement prévu pour le fichier dans la page Web.**

2. **Si nécessaire, cliquez sur Commun dans la barre Insertion.**

3. **Dans la liste déroulante Médias de la barre Insertion Commun, cliquez sur Flash Video.**

   Vous pouvez aussi ouvrir le menu Insertion, et choisir Médias puis Flash Video. La boîte de dialogue Insérer un fichier Flash Video apparaît (voyez la Figure 11.8).

4. **Dans la liste du haut, spécifiez si le flux sera progressif ou continu.**

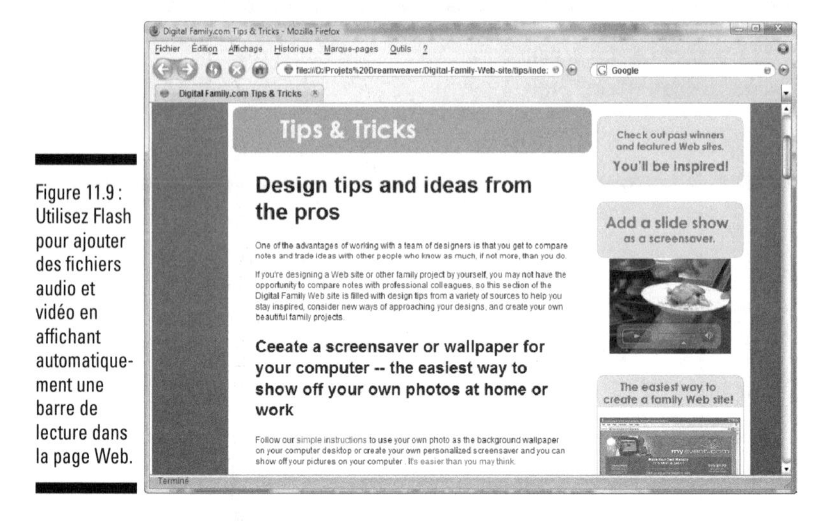

Figure 11.9 : Utilisez Flash pour ajouter des fichiers audio et vidéo en affichant automatiquement une barre de lecture dans la page Web.

Pour une vidéo en flux continu, vous devez disposer d'un serveur spécialement équipé. Vérifiez au préalable ce point avec votre hébergeur ou votre administrateur système. Si la réponse est négative, choisissez l'option Vidéo en téléchargement progressif.

5. **Le champ URL devrait automatiquement afficher le chemin d'accès à votre fichier Flash. Si nécessaire, servez-vous du bouton Parcourir pour le localiser.**

6. **Choisissez une enveloppe dans la liste déroulante de même nom.**

   Dreamweaver appelle les contrôles pour les fichiers Flash des *enveloppes*. Comme vous pouvez le constater sur la Figure 11.8, la fenêtre montre un aperçu de l'enveloppe sélectionnée. Il est donc facile de sélectionner le modèle qui convient à votre projet. Il est également possible de créer des enveloppes personnalisées dans Adobe Flash.

7. **Lorsque vous insérez un fichier vidéo Flash dans une page Web, Dreamweaver devrait automatiquement détecter sa hauteur et sa largeur. Si ces champs ne sont pas remplis, cliquez sur le bouton Détecter la taille afin de remplir directement les champs Largeur et Hauteur.**

8. **Si vous voulez que le fichier Flash soit exécuté dès que la page est chargée, cochez la case Lecture automatique.**

9. **Si vous voulez de plus que la vidéo soit replacée au début une fois la lecture terminée, cochez l'option Rembobinage automatique.**

10. **Si vous activez l'option Inviter les utilisateurs à télécharger Flash Player si nécessaire, tous les internautes qui visiteront votre site sans avoir déjà installé ce lecteur seront invités à le faire immédiatement.**

    Vous pouvez éditer le message que vous propose par défaut Dreamweaver. Exemple : "Rejoignez le monde moderne. Téléchargez la dernière version de Flash Player !" (d'accord, ce n'est qu'un exemple). Le contenu de cette zone de texte ne sera affiché que si le navigateur détecte l'absence d'un lecteur adapté sur l'ordinateur du visiteur.

11. **Cliquez sur OK pour insérer le fichier Flash et refermer la boîte de dialogue.**

    Le fichier Flash apparaît sur la page. Il est matérialisé par un rectangle gris ayant pour dimensions celles du contenu multimédia. Pour visualiser le résultat, vous devrez enregistrer la page et demander un aperçu dans un navigateur.

Vous pouvez modifier l'enveloppe depuis l'inspecteur Propriétés après avoir sélectionné l'objet Flash dans la page. Chaque fois que vous changez d'enveloppe, Dreamweaver crée un nouveau fichier `.swf`. Vous pouvez supprimer les enveloppes que vous n'utilisez pas, ou bien encore déplacer les composants `.swf` vers un autre dossier du site à partir du panneau Fichiers de Dreamweaver. Celui-ci ajustera alors les références correspondantes dans votre code de manière qu'il pointe vers la bonne enveloppe.

Si vous voulez en apprendre plus sur les autres paramètres Flash, visitez le site `www.adobe.com` et effectuez une recherche (en anglais !) sur l'expression *setting Flash parameters*.

Travailler avec Java

Java est un langage de programmation comme Basic, C ou C++. La particularité de Java est qu'il peut être exécuté sur n'importe quelle machine sans distinction du système d'exploitation, et qu'il s'affiche à l'intérieur d'un navigateur.

Généralement, lorsque vous créez un programme dans un langage informatique, vous faites une version pour Windows, une deuxième pour Mac OS et une troisième pour UNIX, voire une quatrième pour

Linux. Mais Java, qui a été créé par Sun Microsystems, est indépendant de toute plate-forme. Les développeurs peuvent alors concevoir pratiquement n'importe quel type de programme, y compris des logiciels aussi complexes que des jeux, des traitements de texte ou des tableurs, qui fonctionneront sur n'importe quel ordinateur.

Insérer des applettes Java

Voici comment insérer des applettes Java dans votre page Web :

1. **Cliquez pour placer le point d'insertion à l'endroit où vous voulez afficher l'appliquette sur votre page Web.**
2. **Si nécessaire, sélectionnez Commun dans la barre Insertion.**
3. **Dans le menu de l'icône Médias, choisissez Applet.**

   Vous pouvez aussi ouvrir le menu Insertion, puis cliquer successivement sur Médias et sur Applet. La boîte de dialogue Sélectionner un fichier apparaît.

JavaScript n'est pas Java

JavaScript est un langage de script que de nombreuses personnes confondent avec Java, qui est quant à lui un langage de programmation. Pour bien comprendre la différence entre les deux, envisagez JavaScript comme du Java simplifié et moins puissant (même s'il reste bien plus complexe que le HTML). Contrairement à Java, vous pouvez directement écrire du JavaScript dans un code HTML pour obtenir des fonctions interactives (par exemple, des effets spéciaux lors du survol d'objets). Dreamweaver se sert de JavaScript pour fabriquer la plupart des composants proposés dans le panneau Comportements (voyez à ce sujet le Chapitre 10).

Vous pouvez faire appel à Java afin de programmer des éléments bien plus complexes qu'avec simplement JavaScript. Les programmes Java, nos fameuses applettes, sont généralement des modules autonomes et de petite taille, capables de s'exécuter sur n'importe quel système d'exploitation. Si vous faites quelques recherches sur le Web, vous devriez y découvrir facilement de nombreux programmes gratuits (ou non) que vous pourrez charger et insérer dans vos pages Web (qu'il s'agisse d'horloges, de compteurs, de convertisseurs, et de bien d'autres choses encore). Java permet de réaliser des programmes qui fonctionnent aussi bien sur Mac que sur PC, ce qui représente un avantage certain sur d'autres langages et en fait un partenaire de choix dans un monde aussi multipolaire que l'est le Web.

4. **Utilisez la liste Regarder dans pour parcourir vos divers lecteurs et localiser l'applette Java à insérer dans la page.**

5. **Cliquez sur le nom du fichier, puis sur OK pour fermer la boîte de dialogue.**

   Dreamweaver n'affiche pas l'applette dans l'éditeur. Elle est identifiée par une icône représentant une tasse à café (comme dans le menu Médias). Pour la voir en action, lancez un aperçu de la page dans un navigateur (comme Navigator 4.0 ou Internet Explorer 4.0 et versions supérieures).

6. **Sélectionnez l'icône de l'applette pour ouvrir l'inspecteur Propriétés.**

   De nombreuses options apparaissent dans le panneau. Je vous propose de les découvrir dans la prochaine section.

Définir les paramètres Java et d'autres options

Comme tout autre format de fichier nécessitant un plug-in ou un support avancé au niveau des navigateurs, les applettes Java disposent de nombreux paramètres modifiables via le panneau Propriétés :

- **Nom de l'applet :** Utilisez ce champ (situé dans le coin supérieur gauche) pour nommer l'applette. Dreamweaver n'assigne aucun nom si vous laissez ce champ vide. Le nom attribué identifie l'applette dans un script.

- **L (largeur) :** Cette option spécifie la largeur de l'applette en pixels ou sous forme d'un pourcentage de la largeur de la fenêtre du navigateur.

- **H (hauteur) :** Cette option spécifie la hauteur de l'applette en pixels ou sous forme d'un pourcentage de la hauteur de la fenêtre du navigateur.

- **Code :** Dreamweaver entre automatiquement le code quand vous insérez le fichier. Ce code spécifie le contenu du fichier de l'applette. Vous pouvez saisir votre propre nom de fichier ou cliquer sur l'icône du dossier pour en choisir un.

- **Base :** Ce champ est automatiquement rempli quand vous insérez le fichier. Base identifie le dossier qui contient l'applette. Vous pouvez directement y saisir votre propre nom de dossier. Ce dossier est nécessaire pour les applettes se composant de plusieurs fichiers.

- **Aligner :** Cette option détermine l'alignement de l'objet sur la page. Elle joue exactement le même rôle que par exemple pour des images.
- **Sec :** Cette option permet de spécifier un fichier alternatif, comme une image, qui s'affichera dans un navigateur ne supportant pas Java. De cette manière, l'utilisateur ne se trouvera pas en face d'une icône de fichier brisée. Si vous saisissez du texte dans ce champ, il sera affiché dans le navigateur de l'internaute. Dreamweaver l'écrit dans le code en utilisant l'attribut `Alt` de la balise `<applet>`. Si vous utilisez l'icône Parcourir pour sélectionner une image, elle s'affichera dans le navigateur de l'internaute. Dreamweaver insère automatiquement une balise `<img>` entre les balises d'ouverture `<applet>` et de fermeture `</applet>` de l'applette.
- **Espace V (espace vertical) :** Si vous voulez qu'un espace apparaisse au-dessus ou en dessous de l'applette, saisissez ici une valeur exprimée en pixels.
- **Espace H (espace horizontal) :** Si vous voulez qu'un espace apparaisse sur les bords de l'applette, saisissez ici une valeur exprimée en pixels.
- **Paramètres :** Cliquez sur ce bouton pour accéder à une boîte de dialogue qui permet de définir des paramètres supplémentaires.
- **Classe :** Cette liste donne accès aux feuilles de style CSS.

Chapitre 12

Dreamweaver et les formulaires

Dans ce chapitre :

- Découvrir les possibilités des formulaires.
- Créer des formulaires.
- Mettre les formulaires au travail.
- Connecter des formulaires à des scripts CGI.

Lorsque vous concevez un formulaire, Dreamweaver facilite l'insertion de cases à cocher, de boutons radio, de champs et zones de texte ainsi que d'autres éléments courants. Vous y trouverez également des options pour définir la taille des champs de saisie, le nombre de caractères autorisés, et ainsi de suite. Une fois construite la trame de base de votre formulaire, vous pourrez envisager l'emploi d'options de formatage (via notamment CSS) pour lui donner son aspect final.

Mais si vous voulez qu'un formulaire fasse réellement quelque chose, vous devez le jumeler avec un programme qui se trouve sur votre serveur. L'un des aspects les plus déroutants des formulaires est précisément qu'ils ne produisent rien tant qu'ils ne sont pas associés à un script. La plupart sont traités par le biais de scripts CGI (Common Gateway Interface) ou d'autres outils de même type. Ces scripts peuvent être écrits dans divers langages de programmation, qu'il s'agisse de C, C#, Java ou encore Perl. Les scripts CGI sont bien plus complexes que de simples fichiers HTML, et même les développeurs Web les plus expérimentés achètent souvent des solutions commerciales ou encore embauchent des programmeurs confirmés pour développer ces scripts à leur place, surtout quand il est question de fonctionnalités aussi sensibles et compliquées qu'un forum de discussion ou un panier d'achats virtuel.

La première partie de ce chapitre fournit des instructions pour créer les éléments de base d'un formulaire HTML, en allant des boutons radio aux champs de texte. Dans la dernière partie du chapitre, je vous expliquerai comment configurer un formulaire pour l'associer à un script CGI permettant d'envoyer ses informations vers une certaine adresse de messagerie. Les étapes et fonctionnalités étudiées dans l'exercice final vous aideront à vous sentir plus à l'aise avec d'autres sortes de scripts CGI.

Créer des formulaires HTML

Les éléments de base des formulaires HTML, tels que les boutons radio, les cases à cocher et les champs de texte, sont très simples à créer dans Dreamweaver (nous allons le voir dans un instant). Cependant, n'oubliez pas qu'un formulaire ne sert à quelque chose que s'il est lié à un script. Bien que Dreamweaver ne fournisse aucun script, il rend relativement facile la liaison de vos formulaires avec un script ou une base de données.

Les étapes qui suivent vous montrent comment créer un formulaire HTML. Commencez par ouvrir une page que vous voulez faire évoluer ou par en créer une nouvelle. Maintenant :

1. **Ouvrez le menu Insertion et choisissez successivement Formulaire, puis encore Formulaire.**

   Vous pouvez également cliquer sur l'icône Formulaire du panneau Formulaires (dans la barre Insertion). Cette barre propose tous les éléments que vous pourriez vouloir ajouter aux formulaires que vous créez. Un formulaire vide apparaît sous forme d'un rectangle en pointillé rouge (voir Figure 12.1) qui indique que cette zone est définie comme étant un formulaire dans le code HTML.

   Pour contrôler l'affichage des éléments invisibles, tels que les conteneurs de formulaires, ouvrez le menu Edition (ou Dreamweaver sur Mac) et choisissez Préférences. Puis, dans la catégorie Eléments invisibles, activez ou désactivez la case Séparateurs de formulaire.

2. **Cliquez dans le rectangle rouge pour sélectionner le formulaire (ou encore la balise `<form>`) et afficher ses options dans l'inspecteur Propriétés.**

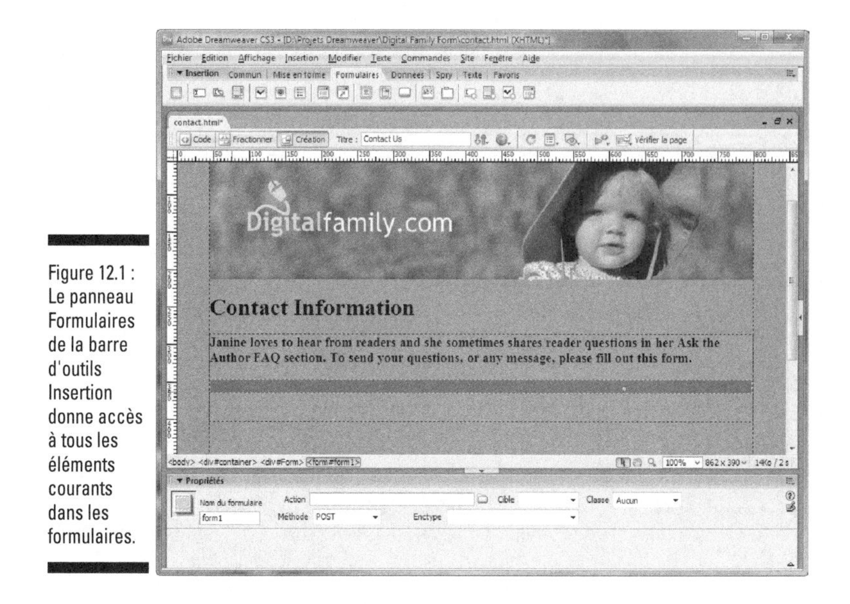

Figure 12.1 : Le panneau Formulaires de la barre d'outils Insertion donne accès à tous les éléments courants dans les formulaires.

3. **Saisissez un nom dans le champ Formulaire (situé à gauche dans le panneau).**

   Vous pouvez choisir n'importe quel nom, à condition de n'utiliser ni espaces ni caractères spéciaux ou signes de ponctuation.

Rendre les formulaires accessibles

Vous pouvez rendre votre formulaire plus facile à utiliser en définissant une légende ainsi que d'autres attributs d'accessibilité. Dreamweaver propose à cet effet la boîte de dialogue Attributs d'accessibilité des balises d'entrée (voir la figure). Pour que cette boîte de dialogue apparaisse lorsque vous insérez un élément dans un formulaire, vous devez au préalable activer les fonctions d'accessibilité dans les préférences de Dreamweaver. Pour cela, ouvrez le menu Edition (ou Dreamweaver sur Mac) et choisissez la commande Préférences. Activez alors la catégorie Accessibilité, dans la liste de gauche, puis sélectionnez à droite l'option Formulaires.

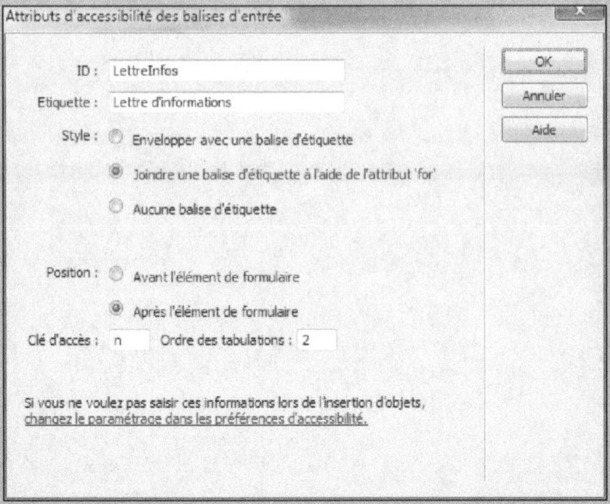

Attributs d'accessibilité des balises d'entrée

ID : LettreInfos
Etiquette : Lettre d'informations
Style : Envelopper avec une balise d'étiquette
Joindre une balise d'étiquette à l'aide de l'attribut 'for'
Aucune balise d'étiquette
Position : Avant l'élément de formulaire
Après l'élément de formulaire
Clé d'accès : n Ordre des tabulations : 2
Si vous ne voulez pas saisir ces informations lors de l'insertion d'objets, changez le paramétrage dans les préférences d'accessibilité.
OK
Annuler
Aide

Lorsque les options d'accessibilité sont activées, l'insertion d'un élément dans un formulaire (bouton radio, champ de texte ou autre) provoque automatiquement l'apparition de la boîte de dialogue Attributs d'accessibilité des balises d'entrée. Vous pouvez y spécifier les paramètres suivants :

- ID : Utilisez ce champ pour affecter un nom à l'élément du formulaire. Vous ne pouvez pas laisser ce champ vierge, et Dreamweaver ne le remplit pas automatiquement. Cette donnée est importante, car elle peut servir à faire référence au fichier dans JavaScript. Elle sert aussi si vous activez dans la catégorie Style l'option Joindre une balise d'étiquette à l'aide de l'attribut 'for'.
- Etiquette : Entrez ici un nom qui correspond au rôle joué par l'élément du formulaire. C'est le texte qui sera repris par un système de lecture vocale.
- Style : Cochez l'une des trois options proposées pour spécifier la manière dont l'étiquette devrait être incluse avec le bouton radio ou le champ de texte dans le code HTML. L'option Joindre une balise d'étiquette à l'aide de l'attribut 'for' est la meilleure du point de vue de l'accessibilité. Si vous la choisissez, la plupart des navigateurs associeront à l'élément un rectangle le signalant visuellement comme étant actif. Cela permet à un utilisateur de sélectionner la case à cocher ou le bouton radio en cliquant n'importe où sur le texte qui lui est attaché, au lieu d'avoir à cliquer exactement à l'intérieur de la case ou du bouton.
- Position : Indiquez ici si la légende doit apparaître avant ou après l'élément de formulaire.
- Clés d'accès : Cet attribut vous permet de créer un raccourci clavier pour chacun de vos éléments de formulaire. Vous pouvez entrer ici une lettre quelconque, qui se trouvera ensuite combinée avec Alt (sous Windows) ou

Control (sur Mac) pour accéder directement à l'élément. Si vous entrez par exemple Q comme clé d'accès, les visiteurs de votre site qui disposent de Windows pourront appuyer sur Alt+Q pour sélectionner cet élément du formulaire.

- Ordre des tabulations : Par défaut, vous pouvez utiliser la touche de tabulation pour passer d'un champ du formulaire à l'autre lorsque la page est affichée dans un navigateur. L'ordre des tabulations vous permet de spécifier le sens dans lequel les éléments du formulaire seront parcourus. Cela peut être particulièrement utile si vous avez sur la même page des liens ainsi que d'autres éléments de formulaire, et que vous voulez imposer un trajet spécifique lorsque l'utilisateur appuie plusieurs fois de suite sur la touche de tabulation. Associez un nom à chaque formulaire pour contrôler cet ordre.

Créer des boutons radio et des cases à cocher

Les boutons radio et les cases à cocher permettent aux visiteurs de remplir plus facilement et plus rapidement un formulaire. Plutôt que de saisir des mots, comme *Oui* ou *Non*, l'internaute répond en cliquant sur un bouton radio ou en cochant une case.

Quelle est la différence entre ces deux éléments ? Les *boutons radio* permettent de sélectionner une option unique dans un groupe de propositions autres. Aussi ce type de bouton est-il idéal quand il faut effectuer un seul choix ou dans des situations de type soit/ou bien. Les *cases à cocher* permettent d'opérer plusieurs choix. Elles sont parfaites pour connaître par exemple les goûts des internautes dans quelque domaine que ce soit, ou encore pour manifester une approbation ou bien au contraire une désapprobation ("Cochez cette case si...").

Créer des boutons radio

Pour créer des boutons radio sur un formulaire, conformez-vous aux étapes suivantes :

1. **Cliquez dans votre formulaire (donc entre les balises `<form>`) à l'emplacement où vous voulez ajouter un bouton radio.**

   Si vous n'avez pas encore inséré de formulaire, reportez-vous à la section "Créer des formulaires HTML".

2. **Dans le panneau Formulaires, cliquez sur l'icône Bouton radio.**

   Vous pouvez aussi ouvrir le menu Insertion et choisir Formulaire puis Bouton radio. Un bouton radio apparaît dans le formulaire.

   Si les options d'accessibilité sont activées, vous devrez au préalable renseigner la boîte de dialogue Attributs d'accessibilité des balises d'entrée (voir l'encadré "Rendre les formulaires accessibles").

3. **Répétez l'étape 2 jusqu'à ce que vous ayez le nombre de boutons radio suffisant.**

4. **Sélectionnez l'un des boutons du formulaire pour afficher ses options dans l'inspecteur Propriétés (voir la Figure 12.2).**

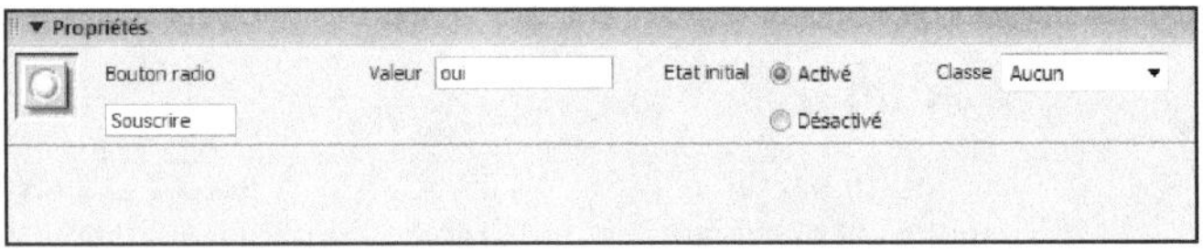

Figure 12.2 : Les propriétés des boutons radio.

5. **Saisissez un nom dans le champ Bouton radio, à gauche du panneau.**

   Tous les boutons radio du groupe doivent avoir le même nom pour permettre aux scripts d'identifier la réponse et de limiter le choix à un seul bouton. Si vous voulez que vos utilisateurs disposent de plusieurs réponses possibles, utilisez plutôt des cases à cocher (voir la section suivante).

6. **Entrez un nom dans le champ Valeur.**

   Chaque bouton du groupe devrait avoir une valeur distincte de celle des autres. Grâce à elle, le script est capable de distinguer les différents boutons. Donnez-leur un nom qui corresponde à ce qu'ils représentent, comme "oui" et "non" quand le choix se résume à ces deux réponses, ou bien encore un parfum si vous vendez des glaces sur le Web. Ce nom est généralement inclus dans les données que vous recevez quand le formulaire est traité et qu'il vous est retourné (que ce soit sous forme d'e-mail ou directement dans une base de données). La manière dont les données vous sont transmises dépend du script CGI ou du programme chargé de traiter le formulaire. Avec des noms parlants, les réponses seront plus faciles à interpréter.

7. **Choisissez un état initial Activé ou Désactivé.**

   Ces deux options déterminent si le bouton est ou non actif au chargement du formulaire. Activé présélectionne un choix. Vous ne devriez en toute logique attribuer cet état qu'à un seul bouton radio d'un même groupe. N'oubliez pas que l'utilisateur peut toujours annuler ce choix en cliquant sur un autre bouton radio.

8. **Sélectionnez un par un les autres boutons radio, et répétez les étapes 5 à 7 pour les configurer dans l'inspecteur Propriétés.**

Si votre formulaire est terminé, passez à la section "Compléter le formulaire avec les boutons Envoyer et Réinitialiser", plus loin dans ce chapitre.

Créer des cases à cocher

Pour créer des cases à cocher, suivez ces étapes :

1. **Cliquez dans votre formulaire (donc entre les balises `<form>`) à l'emplacement où vous voulez ajouter une case à cocher.**

   Si vous n'avez pas encore inséré de formulaire, reportez-vous ci-avant à la section "Créer des formulaires HTML".

2. **Dans le panneau Formulaires, cliquez sur l'icône Case à cocher.**

   Vous pouvez aussi ouvrir le menu Insertion et choisir Formulaire puis Case à cocher. Une case à cocher apparaît dans le formulaire.

   Si les options d'accessibilité sont activées, vous devrez au préalable renseigner la boîte de dialogue Attributs d'accessibilité des balises d'entrée (voir l'encadré "Rendre les formulaires accessibles").

3. **Répétez l'étape 2 jusqu'à ce que vous ayez le nombre voulu de cases à cocher.**

4. **Sélectionnez l'une des cases à cocher du formulaire pour afficher ses options dans l'inspecteur Propriétés (voir la Figure 12.3).**

5. **Saisissez un intitulé dans le champ Nom de la case à cocher, à gauche du panneau.**

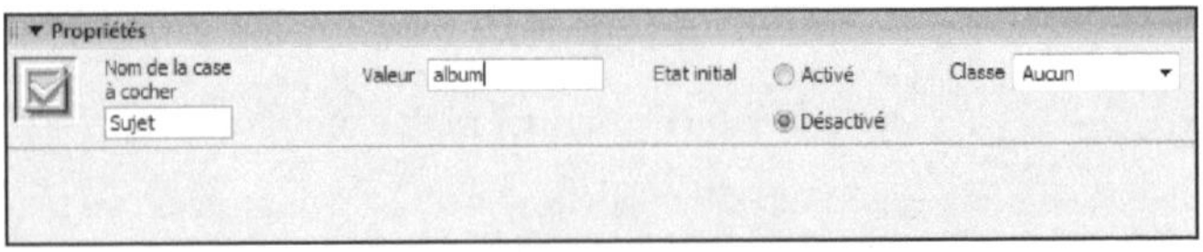

Figure 12.3 : Les propriétés des cases à cocher.

Chaque case à cocher du groupe devrait posséder un nom différent, de manière que les utilisateurs puissent sélectionner plusieurs cases pour permettre aux scripts d'identifier chaque réponse individuellement.

6. **Entrez un nom dans le champ Valeur.**

   Chaque case à cocher du groupe devrait avoir une valeur distincte de celle des autres. Grâce à elle, le script est capable de distinguer les différentes réponses. Donnez-leur un nom (ou une valeur) qui corresponde à ce qu'elles représentent. Comme pour les boutons radio, ce nom est généralement inclus dans les données que vous recevez quand le formulaire est traité et qu'il vous est retourné (que ce soit sous forme d'e-mail ou directement dans une base de données). La manière dont les données vous sont transmises dépend du script CGI ou du programme chargé de traiter le formulaire. Avec des noms parlants, les réponses seront plus faciles à interpréter.

7. **Choisissez un état initial Activé ou Désactivé.**

   Ces deux options déterminent si la case est ou non cochée au chargement du formulaire. Activé présélectionne un choix. N'oubliez pas que l'utilisateur peut toujours annuler cette proposition par défaut en cliquant sur la case pour inverser son état.

8. **Sélectionnez une par une les autres cases à cocher, et répétez les étapes 5 à 7 pour les configurer dans l'inspecteur Propriétés.**

Si votre formulaire est terminé, passez à la section "Compléter le formulaire avec les boutons Envoyer et Réinitialiser", plus loin dans ce chapitre.

Ajouter des champs et des zones de texte

Les champs permettent aux utilisateurs de saisir des données textuelles, comme une adresse électronique ou un commentaire. Voici comment insérer des champs de texte :

1. **Cliquez dans votre formulaire (donc entre les balises `<form>`) à l'emplacement où vous voulez ajouter un champ de texte.**

   Si vous n'avez pas encore inséré de formulaire, reportez-vous ci-avant à la section "Créer des formulaires HTML".

2. **Dans le panneau Formulaires, cliquez sur l'icône Champ de texte.**

   Vous pouvez aussi ouvrir le menu Insertion et choisir Formulaire puis Champ de texte. Un cadre rectangulaire apparaît dans le formulaire.

   Si les options d'accessibilité sont activées, vous devrez au préalable renseigner la boîte de dialogue Attributs d'accessibilité des balises d'entrée (voir l'encadré "Rendre les formulaires accessibles").

3. **Cliquez sur la gauche du champ pour y placer le point d'insertion, et saisissez une question ou un texte significatif.**

   Par exemple, vous pouvez saisir **Adresse de messagerie :** si vous voulez que l'utilisateur saisisse son adresse e-mail dans ce champ.

   Si vous placer précisément devant le champ vous pose problème, essayez plutôt de cliquer à sa droite. Ensuite, appuyez sur la touche Origine de votre clavier. Le point d'insertion se déplace à gauche du formulaire. Il ne vous reste plus qu'à saisir votre légende.

4. **Sélectionnez le champ pour accéder à ses options dans l'inspecteur Propriétés (voir la Figure 12.4).**

5. **Saisissez un nom dans le cadre Champ de texte, à gauche du panneau.**

   Les champs ou zones de texte d'un formulaire doivent avoir un nom unique pour que le script CGI les identifie sans équivoque. Donnez-leur un nom qui corresponde à ce qu'elles représentent, sans utiliser d'espaces ou de caractères spéciaux. Sur la Figure 12.4, vous pouvez remarquer que j'ai appelé le champ destiné à recevoir l'adresse de messagerie de l'utilisateur *email*. De nombreux scripts renvoient ce nom en même temps que le contenu du champ. Avec des noms parlants, les réponses seront plus faciles à interpréter.

6. **Dans le champ Larg. de caract., saisissez le nombre de caractères qui seront visibles sur la page.**

Figure 12.4 : Utilisez l'option Champ de texte pour créer des champs qui permettent à l'utilisateur de saisir une ou plusieurs lignes d'informations.

Vous déterminez ainsi la largeur du champ de texte sur la page. Définissez cette taille en fonction des informations que vous attendez de l'utilisateur et des contraintes de votre mise en page. Sur l'exemple de la Figure 12.4, j'ai défini une largeur de 50 caractères, ce qui devrait largement suffire pour une adresse e-mail.

7. **Saisissez le nombre maximal de caractères pouvant réellement être insérés dans le champ en entrant une valeur dans Nb max. de caract.**

   Si vous laissez ce champ vide, l'utilisateur peut saisir autant de caractères qu'il le souhaite, même si cela dépasse les limites physiques spécifiées dans l'option précédente. Je limite habituellement ce nombre quand je veux maintenir une cohérence des données. Par exemple, un code postal n'a aucune raison de dépasser cinq caractères.

   La largeur du champ peut être inférieure ou supérieure au nombre maximal de caractères autorisés. Cela permet d'obtenir des champs de taille identique, tout en autorisant l'utilisateur à entrer un plus grand nombre de caractères que ne peut en afficher le champ. Dans ce cas, le contenu de celui-ci défilera de manière que son contenu reste tout de même visible.

8. **Les options de Type sont les suivantes :**

   Ligne simple : Choisissez cette option pour créer un champ d'une seule ligne, comme sur la Figure 12.4.

   Multi lignes : Cette option autorise les utilisateurs à saisir plusieurs lignes de texte. Elle permet de définir le nombre de lignes autorisées par cette zone de texte. Fixez une valeur dans le champ Nbre de lignes qui apparaît quand cette option est activée.

Mot de passe : Si vous voulez que les données saisies par l'utilisateur ne soient pas affichées dans le formulaire, cochez cette option. Dans ce cas, des astérisques ou des points remplacent les caractères.

9. **Utilisez la liste Classe pour appliquer un style CSS déjà défini pour le site.**

   Vous pouvez fabriquer des styles pour de multiples usages, y compris le formatage des éléments d'un formulaire. La création et l'utilisation des styles sont étudiées dans les Chapitres 5 et 6.

10. **Dans le champ Val. Init., saisissez le texte qui doit s'afficher par défaut dans le champ une fois le formulaire chargé.**

    Par exemple, vous pouvez faire apparaître la phrase `Ajoutez votre commentaire` dans un champ Commentaires. Cela invite l'utilisateur à donner son avis. Il peut supprimer ce texte ou le laisser et ajouter son commentaire à la suite.

11. **Si vous définissez un champ multiligne, spécifiez les options de retour à la ligne.**

Quand les formulaires s'affichent différemment dans différents navigateurs

Firefox, Netscape, Safari et Microsoft Internet Explorer n'affichent pas les champs de texte de la même manière. Les différences varient d'une version à l'autre du navigateur. Mais, en règle générale, le résultat est que les champs de texte n'ont pas la même longueur selon le navigateur que vous utilisez. Il existe également de légères différences dans le rendu des couleurs, dans les barres de défilement, et dans la forme des cases à cocher. De plus, l'affichage des formulaires diffère aussi entre Mac et PC. Malheureusement, il n'y a pas de solution parfaite à ce problème. Tant que vos formulaires semblent s'afficher correctement dans les navigateurs que vous considérez comme les plus importants, ces variations subtiles ne devraient pas vous inquiéter. Pour affiner les résultats, vous devriez tester tous vos formulaires dans plusieurs navigateurs, aussi bien sur PC que sur Mac, et faire très attention que les champs et autres éléments ne soient pas tronqués.

Cette liste contrôle la manière dont les données saisies par l'utilisateur sont affichées lorsqu'il dépasse la longueur autorisée pour le champ de texte. Choisir Désactivé ou Par défaut évite que le texte saisi soit renvoyé sur la ligne suivante (notez bien que cette option n'apparaît qu'avec des textes multilignes).

12. **Sélectionnez les autres champs de texte un par un, et répétez les étapes 5 à 9 pour définir leurs options dans l'inspecteur Propriétés.**

Si votre formulaire est terminé, passez à la section "Compléter le formulaire avec les boutons Envoyer et Réinitialiser", plus loin dans ce chapitre.

Créer des listes déroulantes

Pour offrir un choix multiple aux utilisateurs sans accaparer trop d'espace sur la page, utilisez des listes déroulantes. Voici comment procéder :

1. **Cliquez dans votre formulaire (donc entre les balises `<form>`) à l'emplacement où vous voulez ajouter une liste déroulante.**

   Si vous n'avez pas encore inséré de formulaire, reportez-vous à la section "Créer des formulaires HTML".

2. **Dans le panneau Formulaires, cliquez sur l'icône Liste/Menu.**

   Vous pouvez aussi ouvrir le menu Insertion et choisir Formulaire puis Liste/Menu. Une liste déroulante apparaît dans le formulaire.

   Si les options d'accessibilité sont activées, vous devrez au préalable renseigner la boîte de dialogue Attributs d'accessibilité des balises d'entrée (voir l'encadré "Rendre les formulaires accessibles").

3. **Cliquez sur la gauche du champ pour y placer le point d'insertion, et saisissez une question ou un texte significatif.**

   Pour l'exemple de ce livre (qui reprend le contenu de mon site Digital Family), j'ai choisi de demander à l'utilisateur dans quel Etat il vivait.

4. **Sélectionnez le champ qui représente la liste dans votre formulaire pour accéder à ses options dans l'inspecteur Propriétés (voir la Figure 12.5).**

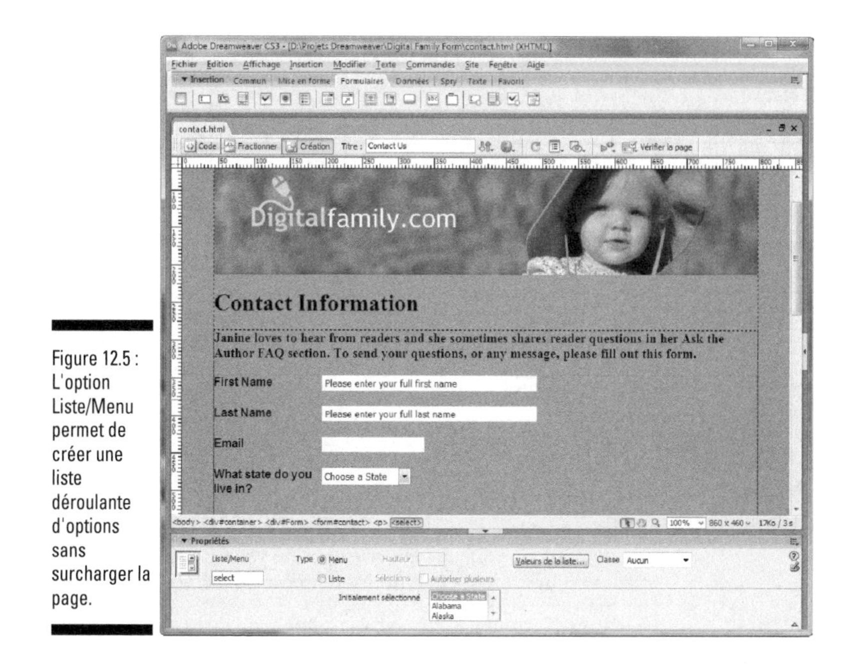

Figure 12.5 : L'option Liste/Menu permet de créer une liste déroulante d'options sans surcharger la page.

5. **Saisissez un nom dans le champ Liste/Menu.**

   Les listes ou menus d'un formulaire doivent avoir un nom différent pour bien les différencier quand vous récupérez les données saisies par l'utilisateur.

6. **Dans Type, choisissez Menu ou Liste.**

   Cela détermine si ce formulaire est un menu ou une liste déroulante. Si vous choisissez Liste, vous pouvez spécifier la hauteur pour contrôler le nombre d'éléments affichés quand la liste apparaît. Si vous choisissez Menu, ces options ne sont pas disponibles.

7. **Cliquez sur le bouton Valeurs de la liste, dans le coin supérieur droit du panneau Propriétés.**

   La boîte de dialogue Valeurs de la liste apparaît (voir Figure 12.6).

8. **Saisissez le contenu de votre liste.**

   Cliquez sur le signe "+" pour ajouter un élément à la liste. Saisissez le nom de cet élément. Utilisez le signe "–" pour supprimer l'élément sélectionné. Avec la touche Tab, vous

Figure 12.6 : Créez vos options dans la boîte de dialogue Valeurs de la liste.

pouvez déplacer le point d'insertion dans la colonne Valeur pour saisir une donnée. Ces valeurs sont facultatives. Mais, si elles sont présentes, elles sont envoyées au serveur à la place des légendes. Cela permet d'inclure des informations que vous ne voulez pas afficher dans le menu déroulant. Par exemple, si vous saisissez `Jura` dans la colonne Etiquette de l'élément, vous pouvez entrer la valeur `40` en regard. De cette manière, vos visiteurs verront une liste qui affiche le nom entier des départements, tandis que votre script collectera et traitera simplement leur numéro. Si vous ne définissez pas de valeur, l'étiquette est utilisée comme identificateur des données collectées.

La première étiquette entrée dans la boîte de dialogue Valeurs de la liste est celle qui sera affichée par défaut sur la page jusqu'à ce que l'utilisateur déroule la liste et sélectionne un autre choix. Une bonne pratique consiste donc à placer ici une instruction qui guidera vos visiteurs dans leurs actions ("Choisissez un département", par exemple).

9. **Cliquez sur OK pour fermer la boîte de dialogue.**

Compléter le formulaire avec les boutons Envoyer et Réinitialiser

Un formulaire étant fait pour envoyer des données à un serveur, vous devez créer à cet effet un bouton sur lequel l'utilisateur devra cliquer lorsqu'il aura fini de le remplir. C'est alors que le script CGI ou un autre programme pourra traiter les données du formulaire. Vous pouvez également ajouter un bouton Annuler (ou Réinitialiser) qui permette d'annuler les informations sans transmettre le formulaire.

De nombreux développeurs n'utilisent pas le bouton Réinitialiser, car ils le trouvent perturbant, voire agaçant si cela signifie qu'un utilisateur peut effacer par erreur tous les renseignements qu'il vient de saisir. En outre, le visiteur, s'il ne désire finalement pas envoyer le formulaire, peut tout simplement quitter la page sans cliquer sur le bouton Soumettre. Le plus simple est donc parfois de ne pas proposer du tout une telle option.

Créer un bouton Soumettre, Réinitialiser ou autre est très facile à mettre en œuvre dans Dreamweaver. Voici comment procéder :

1. **Cliquez dans votre formulaire (donc entre les balises `<form>`) à l'emplacement où vous voulez ajouter une liste déroulante.**

   Si vous n'avez pas encore inséré de formulaire, reportez-vous à la section "Créer des formulaires HTML".

2. **Dans le panneau Formulaires, cliquez sur l'icône Bouton.**

   Vous pouvez aussi ouvrir le menu Insertion et choisir Formulaire puis Bouton. Un bouton Envoyer apparaît dans le formulaire et les options du panneau Propriétés changent (voir la Figure 12.7). Vous pouvez transformer ce bouton en bouton Réinitialiser en modifiant le type d'action dans l'inspecteur Propriétés.

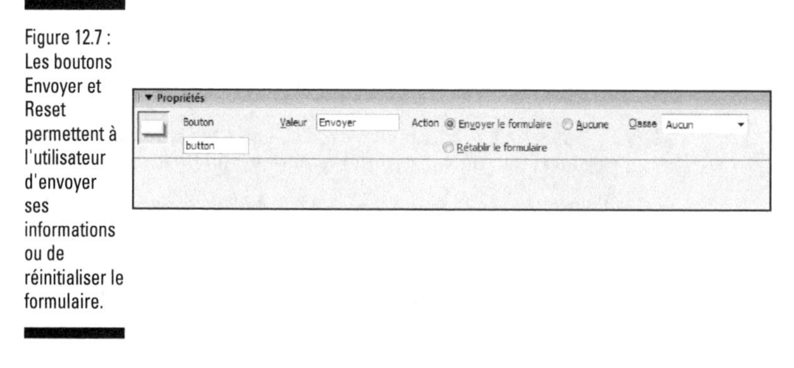

Figure 12.7 : Les boutons Envoyer et Reset permettent à l'utilisateur d'envoyer ses informations ou de réinitialiser le formulaire.

Si les options d'accessibilité sont activées, vous devrez au préalable renseigner la boîte de dialogue Attributs d'accessibilité des balises d'entrée (voir l'encadré "Rendre les formulaires accessibles").

3. **Sélectionnez le bouton pour afficher ses propriétés dans le panneau.**

4. **Dans la zone Action, cliquez sur l'un des boutons radio Envoyer le formulaire, Rétablir le formulaire ou Aucune.**

Un bouton Envoyer invoque une action, comme envoyer les informations de l'utilisateur vers une adresse électronique. Un bouton Réinitialiser vide le formulaire de son contenu. Aucune ne fait rien à moins que le bouton ne soit utilisé avec l'un des comportements JavaScript de Dreamweaver.

5. **Dans le champ Valeur, saisissez le texte qui doit apparaître sur le bouton.**

   Vous pouvez saisir n'importe quel texte à votre convenance, par exemple **Chercher**, **Ajouter au panier**, **Effacer** ou encore **Supprimer**.

Cliquer sur un bouton Envoyer dans un formulaire ne provoque rien de particulier, tant que vous n'avez pas configuré le formulaire pour travailler avec un script CGI ou un autre programme afin de collecter et traiter les données saisies par l'utilisateur.

Utiliser des menus de reroutage

Les menus de reroutage sont souvent utilisés comme éléments de navigation. Ils procurent une liste déroulante de liens qui occupe très peu de place sur une page Web. Vous pouvez vous servir de ce type de menu pour lancer une application ou une séquence animée.

Pour créer un menu de reroutage :

1. **Cliquez dans votre formulaire (donc entre les balises `<form>`) à l'emplacement où vous voulez ajouter un menu de reroutage.**

   Si vous n'avez pas encore inséré de formulaire, reportez-vous à la section "Créer des formulaires HTML".

2. **Dans le panneau Formulaires, cliquez sur l'icône Menu de reroutage.**

   Vous pouvez aussi ouvrir le menu Insertion et choisir Formulaire puis Menu de reroutage. La boîte de dialogue Insérer menu de reroutage apparaît.

3. **Dans le champ Texte, saisissez le nom que vous voulez afficher dans la liste déroulante.**

   Cliquez sur le signe "+" pour ajouter d'autres éléments (voir la Figure 12.8).

4. **Utilisez le bouton Parcourir pour localiser la page HTML à lier, ou saisissez son URL dans le champ Si sélectionné, aller à l'URL.**

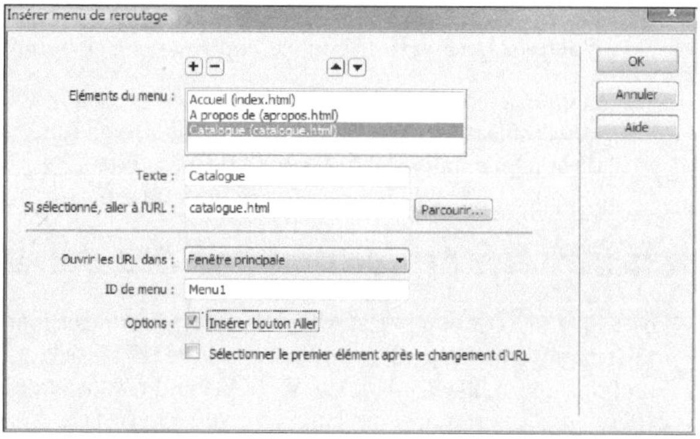

Figure 12.8 : Quand vous créez une liste de reroutage, les éléments saisis dans le champ Texte sont affichés dans la liste Eléments du menu.

Vous pouvez créer un lien vers un fichier local, ou saisir une URL quelconque pour lier la page à un autre site Web.

5. **Si vous utilisez des cadres, spécifiez une cible à l'aide de la liste Ouvrir les URL dans.**

   Si vous ne vous servez pas de cadres, le paramètre par défaut est Fenêtre principale. Aussi, quand l'utilisateur sélectionne une option, la nouvelle page remplace-t-elle la page en cours.

6. **Dans le champ ID du menu, saisissez un nom unique pour ce menu.**

   Cette option facultative peut être utile si vous avez plusieurs menus de reroutage sur une page. Les espaces, les caractères de ponctuation et autres signes spéciaux sont interdits.

Donner du style aux formulaires

La manière d'aligner parfaitement tous les champs de vos formulaires passe par l'utilisation de CSS. En créant des styles qui contrôlent l'espacement et le remplissage des éléments de formulaire, vous pourrez disposer harmonieusement vos champs, boutons et autres éléments. Il est aussi possible d'aligner les champs en faisant appel à un tableau HTML. Dans ce cas, vous devriez placer toutes vos légendes dans une rangée de cellules, et tous vos champs de texte dans une colonne adjacente. Les boutons radio trouveront également plus naturellement leur place sur la gauche, et le texte correspondant dans les cellules qui se trouvent à leur droite. La création et l'édition de tableaux HTML sont traitées dans le Chapitre 7. Les Chapitres 5 et 6 sont consacrés à CSS.

7. **Pour obliger les utilisateurs à cliquer sur un bouton afin d'activer la sélection, cochez l'option Insérer bouton Aller.**

   Si vous n'ajoutez pas un bouton Aller, la page liée apparaît dès que l'utilisateur sélectionne une option. Ce bouton fonctionne de la même manière qu'Envoyer ou Soumettre.

Comprendre le fonctionnement des scripts CGI

Les *scripts CGI* (Common Gateway Interface) sont des espèces de moteurs qui travaillent derrière le formulaire HTML et d'autres fonctions automatisées d'un site Web. Ce sont des programmes généralement écrits dans un langage comme Perl, Java, C++, ASP ou PHP. Ils sont bien plus complexes à créer qu'une page HTML, et les langages utilisés ne sont pas aussi simples à maîtriser que ce dernier. Les scripts CGI sont enregistrés et s'exécutent sur le serveur. Ils sont généralement déclenchés par une action de l'utilisateur, comme un clic sur le bouton Envoyer du formulaire HTML.

Voici un scénario classique de déclenchement d'un script :

1. **L'utilisateur charge une page, comme un livre d'or, remplit le formulaire HTML, et clique sur le bouton Envoyer.**
2. **Le navigateur recueille les données du formulaire et les envoie au serveur Web dans un format standard.**
3. **Le serveur Web reçoit les données et les transfère au script CGI qui les traite.** Il les place par exemple dans un message électronique envoyé à une adresse e-mail particulière, ou encore il les ajoute à une base de données.
4. **Le script CGI renvoie des instructions ou un bloc de HTML au navigateur, via le serveur Web, pour transmettre les résultats qu'il a produits, par exemple une page de remerciements.**

Configurer votre formulaire pour travailler avec un script

Une fois que vous avez créé un formulaire en utilisant les fonctionnalités décrites dans les précédentes sections de ce chapitre, il est temps de le configurer pour l'associer à un script CGI ou à un programme. Pour vous aider à comprendre comment ce processus se met en œuvre, je vais utiliser dans ce qui suit un formulaire que j'ai créé pour mon site `www.DigitalFamily.com` ainsi qu'un script appelé `formmail.pl`.

Le petit (mais intelligent) script est conçu pour collecter des données entrées dans un formulaire HTML et les transmettre à une adresse e-mail spécifiée. Pour vous le procurer, visitez le site `www.scriptsarchive.com` (une excellente source pour trouver de nombreux scripts gratuits).

Tous les scripts sont différents. Par conséquent, les détails concernant leur installation et leur configuration dépendent du programme et de la manière dont votre script est configuré.

Si votre hébergeur n'offre pas le script que vous cherchez, vous pouvez le charger et le configurer vous-même, à condition de disposer des droits d'accès sur le serveur et de savoir comment gérer ce dernier. N'hésitez pas à demander les renseignements dont vous avez besoin à votre fournisseur de services. Et s'il n'est pas capable de vous fournir les scripts interactifs que vous voulez, vous devriez envisager de déplacer votre site vers un hébergeur capable de répondre à vos attentes.

L'exercice qui suit vous montre comment utiliser Dreamweaver avec le script `formmail.pl`. Il devrait constituer une bonne introduction pour apprendre à associer un formulaire à un script quelconque, mais n'oubliez pas que vous aurez sans doute à adapter certaines étapes en fonction du programme que vous utilisez.

1. **Sélectionnez la balise `<form>` qui délimite votre formulaire, en cliquant sur la ligne en pointillé rouge qui en matérialise les limites. Vous pouvez également cliquer sur cette balise dans le sélecteur affiché en bas de la zone de travail (voir la Figure 12.9).**

   Une fois le formulaire sélectionné, l'inspecteur Propriétés affiche ses caractéristiques. Notez bien que *tous* les formulaires HTML *doivent* être encadrés par la balise `<form>`. Si votre script ne comporte pas de balise `<form>`, il vous faudra l'ajouter vous-même de manière à délimiter complètement le formulaire en suivant les étapes décrites dans le premier exercice de ce chapitre.

   Voici un conseil pour vous aider à sélectionner la balise `<form>` dans Dreamweaver. Placez votre curseur n'importe où dans le corps du formulaire. Utilisez ensuite le sélecteur de balises, en bas de la zone de travail du document, pour cliquer sur le formulaire lui-même, et non pas simplement sur un de ses éléments. Sur la Figure 12.9, par exemple, vous pouvez remarquer que la balise `<form#contact>` est "pressée", autrement dit activée.

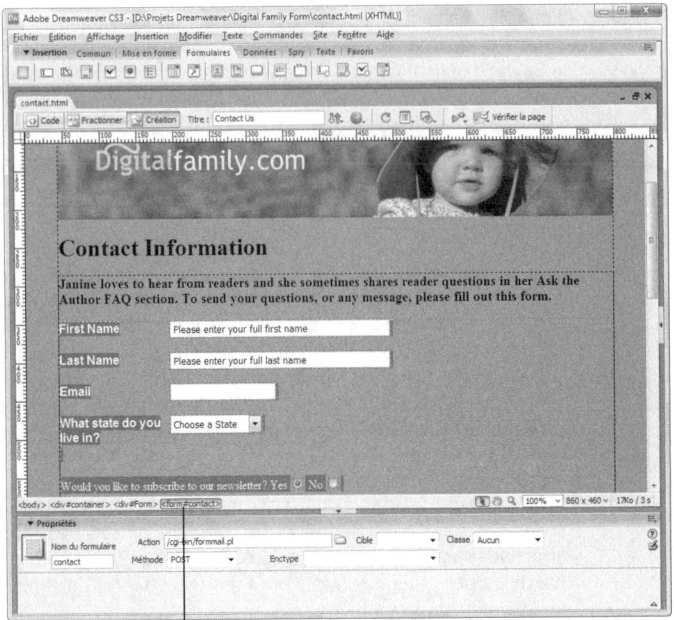

Figure 12.9 : Vous pouvez utiliser le sélecteur de balises pour sélectionner le formulaire et afficher ses paramètres dans l'inspecteur Propriétés.

La balise <form> dans le sélecteur de balises

2. **Donnez un nom à votre formulaire dans l'inspecteur Propriétés.**

   Dreamweaver attribue automatiquement un nom distinct à tous les formulaires que vous créés (*form1*, *form2*, et ainsi de suite). Mais il vaut mieux choisir un intitulé plus parlant, en l'occurrence *contact*. N'importe quel nom peut convenir, à condition de n'utiliser ni espaces ni caractères spéciaux.

3. **Spécifiez l'action associée au formulaire.**

   Pour le script `formmail.pl` utilisé dans cet exemple (comme d'ailleurs pour la plupart des autres scripts que vous êtes susceptible d'utiliser), l'action consiste simplement à indiquer le chemin d'accès à ce script sur votre serveur. Sur la Figure 12.10, vous pouvez constater que j'ai entré l'adresse `/cgi-bin/formmail.pl`. Cette adresse dépend de votre fournisseur de services, mais il est courant d'appeler le dossier dans lequel sont rangés les scripts CGI `cgi-bin`. La dernière partie de l'adresse est le nom du script lui-même (`formmail.pl`). Il s'agit ici d'un script écrit dans le langage Perl, ce qu'indique l'extension `.pl`.

Figure 12.10 : Entrez le chemin d'accès au script dans le champ Action.

Vous pouvez utiliser le bouton Parcourir pour entrer une adresse dans le champ Action uniquement si vous travaillez avec un serveur immédiatement disponible et que Dreamweaver a identifié l'emplacement de votre script, ou bien si ce script est enregistré sur votre disque dur dans une structure identique à celle qui existe sur votre serveur. Dans la plupart des cas, cependant, il est plus simple de demander à votre hébergeur ou au programmeur chargé de bâtir le script l'adresse et le type de fichier à spécifier dans le champ Action.

4. **Dans le champ Méthode, utilisez la liste déroulante pour sélectionner le mode de traitement des données.**

   A nouveau, votre choix dépend du script. Le choix proposé par défaut par Dreamweaver est `Post`. C'est la meilleure option à retenir dans le cas de notre exemple `formmail.pl`.

5. **Cliquez sur l'option Cible pour spécifier ce que doit faire le navigateur une fois l'action "Envoyer" exécutée.**

   Si vous choisissez `_top`, la page de résultats s'ouvrira dans une nouvelle fenêtre de navigation. Si vous laissez ce champ vierge, la fenêtre courante sera simplement remplacée par la liste des résultats. Cette page est en général un simple fichier HTML affichant un message du style "Merci pour votre participation", qui est renvoyé lorsque l'utilisateur clique sur le bouton Envoyer.

6. **Utilisez le champ Enctype pour spécifier la manière dont les données doivent être formatées lorsqu'elles sont renvoyées (voir la Figure 12.11).**

   Si vos utilisez par exemple un script du même type que `formmail.pl`, le champ Enctype va déterminer la manière dont

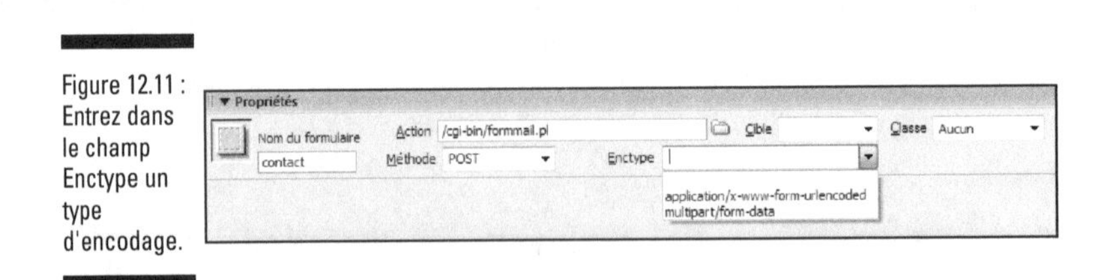

Figure 12.11 : Entrez dans le champ Enctype un type d'encodage.

le texte apparaîtra dans votre e-mail lorsque le contenu du formulaire vous sera renvoyé. Par défaut, Enctype prend la valeur `application/x-www-form-urlencoded`.

7. **Utilisez le champ Classe, à droite de l'inspecteur Propriétés, si vous voulez appliquer un style CSS au formulaire.**

   Pour cet exemple, j'ai appliqué un style CSS à certains éléments, comme les textes, mais pas au formulaire tout entier.

Nous en avons fini avec la description de toutes les options de l'inspecteur Propriétés, mais votre travail n'en est pas terminé pour autant, car il vous reste encore à insérer un champ caché dans le formulaire pour qu'il fonctionne correctement avec le script `formmail.pl`. C'est ce que vous allez découvrir dans le dernier exercice.

Utiliser des champs masqués

De nombreux scripts, y compris `formmail.pl`, nécessitent l'emploi de champs masqués. Pour cela, suivez ces étapes :

1. **Cliquez dans votre formulaire (entre les balises `<form>`) pour y placer le curseur.**

   Si vous n'avez pas encore inséré de formulaire, reportez-vous à la section "Créer des formulaires HTML".

   Même si le champ masqué n'apparaît pas dans la zone du formulaire, vous devez vous assurer qu'il se trouve bien à l'intérieur des balises `<form>` avant de l'insérer. Placer votre curseur en haut ou en bas de la zone du formulaire avant d'insérer un champ masqué est une bonne option, car cela rendra ce champ plus facile à localiser dans le code HTML.

2. **Dans le panneau Formulaires, cliquez sur l'icône Champ Masqué.**

Vous pouvez aussi ouvrir le menu Insertion et choisir Formulaire puis Champ masqué. Une icône apparaît à l'emplacement du curseur.

Une fois le champ masqué inséré à l'intérieur des balises <form>, l'inspecteur Propriétés affiche les (deux) paramètres qui lui sont associés.

3. **Entrez un nom pour le champ à gauche de l'inspecteur Propriétés, puis une valeur dans le second champ**

   Si vous utilisez un script du style `formmail.pl`, vous devriez saisir un nom comme **recipient** (c'est-à-dire l'objet *destinataire* tel qu'il est défini dans ce script particulier), puis une adresse de messagerie dans le champ Valeur. Il est même possible de définir plusieurs adresses e-mail en les séparant par une virgule (voir la Figure 12.12). Dans ce cas, les résultats du traitement seront transmis à l'ensemble de ces adresses lorsque l'utilisateur aura cliqué sur le bouton Envoyer.

Figure 12.12 : Les propriétés des champs cachés.

4. **Cliquez à nouveau pour placer le curseur entre les balises `<form>`, puis cliquez sur l'icône Champ masqué de la barre d'outils Formulaires afin d'insérer un second champ caché qui servira à créer une ligne Objet.**

5. **Dans l'inspecteur Propriétés, entrez le nom *subject* (à nouveau, c'est l'intitulé reconnu par le script). Dans le champ Valeur, saisissez une ligne fournissant l'objet qui sera automatiquement défini pour le message lorsque l'utilisateur cliquera sur le bouton Envoyer.**

   Vous pouvez définir d'autres champs masqués dans un formulaire. Tout dépend de ce que demande le script que vous utilisez et le niveau de personnalisation des résultats que vous souhaitez.

C'est tout ! En supposant que tous les champs sont correctement remplis et que le script `formmail.pl` (ou son équivalent) est installé comme il faut sur votre serveur, vous devriez recevoir par e-mail toutes les données que l'utilisateur a entrées dans votre formulaire, puis évidemment envoyées en validant sa saisie.

Il existe des tas de raisons pour créer des formulaires sur le Web, mais l'envoi d'un contenu par courrier électronique est l'une des plus courantes. J'espère que ce petit exercice vous aura aidé à vous faire une idée de ce dont vous avez besoin pour concevoir des formulaires HTML qui interagissent avec des scripts CGI enregistrés sur votre serveur.

N'oubliez pas que la plupart des fournisseurs d'accès offrent toute une collection de scripts que vous pouvez utiliser pour mettre en place des tâches courantes, comme des forums et des livres d'or. Tout ce dont vous avez alors besoin, c'est de créer la partie HTML du formulaire, puis de spécifier les champs de celui-ci qui doivent être traités par votre script.

Quatrième partie

Les dix commandements

Dans cette partie...

Tout va par dix... Dix ressources utiles en ligne pour vous aider à incorporer encore plus de fonctionnalités avancées dans vos pages Web, c'est dix sur dix...

Chapitre 13

Dix ressources pour aller encore plus loin

Dans ce chapitre :

- Enregistrer un nom de domaine.
- Vendre sur le Web.
- Suivre le trafic.
- Surveiller vos visiteurs.
- Que fait la police ?
- Suivez les standards du Web sur W3.org.
- Etendre Dreamweaver sur Adobe.fr.
- Enjoliver la barre d'adresse avec une Favicon.
- Apprenez des autres créateurs.

Dreamweaver est un formidable outil pour créer des sites Web. Mais il ne peut quand même pas gérer absolument tout ce dont vous pouvez avoir envie ou besoin pour mettre un site en ligne. Par exemple, vous ne pouvez pas enregistrer un nom de domaine à partir de Dreamweaver. Ce n'est pas non plus un serveur Web, indispensable pour publier vos pages. Ce chapitre est donc conçu pour vous proposer une liste de ressources qui peuvent vous aider à finaliser votre ouvrage lorsqu'il est temps d'aller au-delà des fonctionnalités de Dreamweaver.

Enregistrer un nom de domaine

L'adresse de votre site Web est appelée *nom de domaine*. C'est ce nom que vos visiteurs doivent connaître pour visiter votre site. Par exemple, mon site Web dédié aux familles numériques a pour nom `DigitalFamily.com`.

Avant même de commencer à bâtir votre site Web, je vous conseille d'enregistrer votre propre nom de domaine. Ce processus est simple, sans difficultés particulières, et ne coûte bien souvent que quelques euros par an (voire quelques dizaines d'euros selon les options que vous choisissez). Par contre, le processus d'enregistrement entier peut prendre plusieurs heures, voire quelques jours.

Vous pouvez enregistrer n'importe quel nom de domaine, à la condition évidemment qu'il ne soit pas déjà attribué à quelqu'un d'autre. S'assurer qu'un nom est disponible est gratuit. Par exemple, le site "officiel" pour les suffixes `.fr` est celui de l'AFNIC (`www.afnic.fr`). Pour des visées plus larges ou autres, tapez par exemple "nom de domaine", et vous obtiendrez bien plus de réponses que vous n'en souhaiteriez ! Généralement, il suffit de saisir dans un certain champ le nom que vous souhaitez réserver, puis de valider. Si cette adresse n'est pas disponible, vous obtiendrez bien souvent en retour des conseils ou des propositions alternatives pour vous aider dans votre démarche.

La plupart des services qui proposent l'enregistrement de noms de domaines sont également capables d'héberger votre site, mais vous n'êtes absolument pas obligé de faire appel au même fournisseur pour gérer les deux. Le serveur Web peut se trouver n'importe où. Il vous suffit ensuite de vous servir des options de configuration du service d'enregistrement de nom de domaine pour demander que ce nom "pointe" vers le serveur sur lequel votre site est enregistré.

Lorsque vous entrez un nom de domaine dans un navigateur Web, tout ce qui se trouve avant l'extension (la partie `.fr`, `.com` ou encore `.net`) peut être saisi en minuscules comme en majuscules. Cela ne pose aucun problème. Par contre, si vous voulez accéder à une page spécifique d'un site Web, comme dans `DigitalFamily.com/videos`, le texte qui suit l'extension est souvent sensible à la casse des caractères (c'est-à-dire à l'emploi des majuscules et des minuscules). Si vous faites par exemple apparaître votre nom de domaine sur vos cartes de visite, je vous conseille d'utiliser à bon escient les majuscules pour aider vos correspondants à bien identifier votre site. Ainsi, les deux rédactions `digitalfamily.com` et `DigitalFamily.com` sont équivalentes, mais la seconde est plus évocatrice.

Choisir un service d'hébergement pour votre site Web

Un *serveur Web* est un ordinateur qui dispose d'une connexion permanente à l'Internet ainsi que de logiciels spécifiques qui lui permettent de communiquer avec des navigateurs tels qu'Internet Explorer, Firefox ou encore Safari. Le plus souvent, vous créez votre site sur votre propre ordinateur en utilisant Dreamweaver ou un autre programme de même type, puis vous transférez vos fichiers vers un serveur Web lorsque vous êtes prêt à le publier sur l'Internet. Si vous travaillez dans une grande entreprise ou une université, vous aurez peut-être la possibilité d'accéder à son serveur central. Si vous créez un site personnel ou pour une petite organisation, il est probablement préférable de vous tourner d'entrée de jeu vers un service d'hébergement spécialisé.

La plupart des hébergeurs du commerce ont des pièces remplies d'ordinateurs avec des disques durs vraiment très gros, des logiciels haut de gamme et des connexions Internet spéciales à très haut débit qui leur permettent de rester connectés 24 heures sur 24, 7 jours sur 7 (ou du moins aussi près que possible de ce 24/7 selon le niveau de leurs techniciens et de leur système de sauvegarde). Lorsqu'un prestataire vous vend un service d'hébergement, il vous loue en fait une section de l'un de ses disques durs et vous fournit un mot de passe sophistiqué pour que vous seul puissiez y accéder. Vous y téléchargez vos pages et les rendez publiques sur l'Internet.

Tous les hébergeurs ne sont pas nés égaux. Certains gèrent les trafics importants mieux que d'autres ou offrent une meilleure sécurité, d'autres sont spécialement équipés pour les flux audio et vidéo. Certains sont chers, voire très chers (on peut alors compter en centaines ou milliers d'euros tous les mois), tandis qu'à l'inverse d'autres sont bon marché et ne facturent que quelques dizaines d'euros par an.

Selon mon expérience, choisir un hébergeur est un peu comme choisir un opérateur pour le téléphone. Vous devez étudier soigneusement les différentes propositions. Par exemple, elles diffèrent selon que vous téléphoniez surtout en local, appeliez couramment à l'étranger ou encore communiquiez uniquement le jour (ou à l'inverse le soir et en fin de semaine).

Avec les serveurs Web, les principaux facteurs qui affectent les coûts sont généralement l'espace dont vous avez besoin sur le disque dur, la quantité de trafic que vous recevez, et le niveau de sécurité que vous voulez obtenir. Bien entendu, comme dans tout marché concurrentiel, il existe aussi un certain nombre de variables à prendre en compte : réputation du service, étendue des logiciels servant à gérer les sites, promotions d'été, et ainsi de suite.

Laissez-vous guider par votre instinct (et les conseils que des personnes de votre connaissance peuvent vous donner à partir de leur propre expérience). Faites une recherche dans votre navigateur ou votre moteur de recherche favori. Vous trouverez des myriades d'options possibles. A titre d'exemple, le site de l'AFNIC (`www.afnic.fr`) propose de rechercher des hébergeurs localisés dans votre région.

Pour vous aider dans votre démarche, plusieurs bonnes questions sont à poser à la société de services que vous envisagez de prendre pour héberger votre site Web.

Quel est votre prix ?

Il y a toujours un plan de base qui vous offre une certaine quantité d'espace sur le disque dur. Mais quel sera le tarif si vous avez besoin de davantage de place ? Quel est le surcoût si le trafic vers votre site est réellement important ? A moins de besoins particuliers, notamment en termes de multimédia, la proposition de base de la plupart des hébergeurs possédant une surface suffisante est généralement satisfaisante. Mais il vaut mieux s'informer sur le prix des extensions avant de signer le contrat.

Fournissez-vous des services de commerce électronique ?

Certains hébergeurs proposent en supplément un système adapté au commerce électronique, notamment pour le paiement en ligne. Ce qui a son prix. Mais il est aussi possible de faire appel à des solutions totalement indépendantes, comme par exemple PayPal.

Qu'offrez-vous en termes de support technique ?

Si vous rencontrez des problèmes pour télécharger votre site ou pour en assurer la maintenance, vous aurez peut-être besoin de contacter votre hébergeur afin d'en apprendre plus sur les particularités de son serveur Web.

Certains FAI ont une équipe dimensionnée pour être opérationnelle 24 heures sur 24. D'autres peuvent ne jamais répondre au téléphone (surtout ceux qui cassent les prix de l'abonnement) et ne vous proposer qu'un dialogue par messagerie interposée. Avant de vous engager, je vous recommande de contacter le support technique du prestataire afin de juger de la rapidité et de la qualité des réponses apportées à vos questions.

Où se trouve votre siège ?

Lorsque vous recherchez un service d'hébergement, n'oubliez pas qu'il ne se trouve pas forcément dans un rayon relativement proche de chez vous. Vous pouvez envoyer vos fichiers n'importe où sur l'Internet, et donc éventuellement n'importe où dans le pays, le continent ou le monde. Si la proximité vous paraît importante, essayez de rechercher un hébergeur facilement joignable. Sinon, n'hésitez pas à voir plus loin.

Est-il possible d'héberger plusieurs noms de domaines ?

Lorsque vous allez comparer les options proposées, vous remarquerez peut-être que certains fournisseurs proposent (à un prix évidemment plus élevé) un lot groupé qui vous permet d'héberger plusieurs noms de domaines. Si vous travaillez sur plusieurs sites Web, cette solution peut être plus rentable que d'utiliser un service certes moins cher à la base, mais qui voit son coût multiplié par le nombre de sites à héberger.

Héberger plusieurs noms de domaines correspondant à autant de sites différents et enregistrer plusieurs noms de domaines pointant vers le même site, ce n'est pas du tout la même chose. Par exemple, j'ai enregistré à la fois `www.JanineWarner.com` et `www.JCWarner.com`, mais ces deux noms renvoient au même site. Et j'ai même pu obtenir ce résultat auprès du service qui gère mes noms de domaines sans coût supplémentaire !

Vendre sur le Web

Il existe de nombreuses manières de vendre en ligne. Comme règle de base, je vous recommande de faire simple au départ, puis d'ajouter des options plus complexes et plus chères lorsque vous avez la certitude que votre site devient rentable.

Du côté le plus simple du spectre, vous avez la possibilité d'ouvrir un compte vendeur sur `PayPal.fr`, puis d'ajouter à votre site un bouton de paiement qui redirigera l'acheteur vers les services de PayPal. En plus des services que votre hébergeur est susceptible de vous proposer, vous pouvez vous tourner vers une solution plus personnalisable, afin de créer par exemple un *panier*, et regarder alors du côté d'une puissante extension à Dreamweaver : Cartweaver (`cartweaver.com`).

Suivre le trafic

La plupart des services d'hébergement fournissent des rapports basiques ainsi que des informations sur le trafic vers votre site. Mais si vous voulez réellement savoir comment les gens trouvent votre site Web et ce qu'ils font une fois qu'ils y ont accédé, vous devriez vous tourner vers un service plus spécialisé. Il en existe de nombreux. Entrer un critère de recherche tel que par exemple `Web suivi trafic référencement` dans votre navigateur préféré devrait déjà vous fournir des pistes (ajoutez `démonstration` pour affiner la recherche).

L'utilisation de ce type de service nécessite généralement l'ouverture d'un compte ainsi que la copie d'un peu de code dans vos pages Web. Normalement, quelques copier/coller dans la fenêtre de code de Dreamweaver devraient faire l'affaire. Essayez de trouver un prestataire qui propose une démonstration et un exemple de rapport comportant les différents types d'informations que vous pouvez collecter, y compris les termes utilisés par quelqu'un dans un moteur de recherche et qui l'ont conduit vers votre site. Etudier la façon dont les gens utilisent votre site Web est l'une des meilleures méthodes qui soient pour vous aider à déterminer comment continuer à développer votre conception et vos contenus.

Surveiller vos visiteurs

Vous voulez savoir ce que pensent réellement vos visiteurs ? Demandez-le-leur. Comment ? En trouvant un prestataire spécialisé ou en utilisant un outil adéquat. Je vous conseille pour ma part `SurveyMonkey.com`. Certes, c'est américain, mais les formulaires de surveillance que Survey Monkey vous permet de créer facilement dans votre navigateur habituel peuvent parfaitement être rédigés en français. En plaçant un lien adapté dans votre site Web, vous pourrez obtenir automatiquement une série de rapports et de graphiques qui impressionneront très certainement votre direction.

Que fait la police ?

Si vous avez déjà essayé d'identifier une police de caractères inhabituelle, vous savez combien cela est problématique. Vous apprécierez alors certainement un service en ligne gratuit comme celui offert par WhatTheFont.com. Vous pouvez y télécharger un graphique quelconque ou encore entrer l'adresse URL d'une image, et le programme analyse cet objet afin d'identifier la police de caractères. Ce système n'est pas parfait, mais même s'il n'arrive pas à identifier la police, il tentera quand même de vous proposer ce qu'il a trouvé de plus approchant. A la suite de quoi, les créateurs du site seront contents de vous vendre cette police afin que vous puissiez la télécharger.

Gagnez du temps avec des modèles

Si vous voulez d'autres modèles prédéfinis que ceux inclus dans Dreamweaver, sachez que de nombreuses sociétés indépendantes conçoivent et (généralement) vendent de tels modèles sur le Web.

Visitez par exemple www.dreamweaver-templates.org pour découvrir une longue liste de sites qui proposent des modèles payants ou gratuits. Il vous suffit de les charger, puis de les ouvrir dans Dreamweaver. Vous pouvez alors commencer à construire votre site Web en peu de temps grâce à un modèle de niveau professionnel.

Suivez les standards du Web sur W3.org

Si vous voulez être au courant des derniers développements du Web et tenez à vous assurer que vous respectez bien ces standards, il n'existe rien de mieux que W3.org. Il s'agit en effet du site officiel de l'organisation qui définit les standards du Web. Vous y trouverez de multiples informations, y compris les spécifications complètes du HTML, de CSS, et de bien d'autres choses encore. Vous pouvez également y tester vos pages Web en entrant leur URL dans le système de validation qui vous est proposé, à l'adresse : jigsaw.w3.org/css-validator/.

Etendre Dreamweaver sur Adobe.fr

Adobe vous propose toute une collection d'extensions que vous pouvez utiliser pour ajouter à Dreamweaver des comportements ainsi que d'autres fonctionnalités. Ces composants sont simples à installer grâce au Gestionnaire d'extensions décrit dans le Chapitre 10. Rendez-vous sur le site d'Adobe (www.adobe.fr), puis sélectionnez comme produit Dreamweaver. Faites défiler la page vers le bas et cliquez sur le lien Adobe Exchange. Vous arrivez alors sur le site Adobe.com (en anglais, donc). Il ne vous reste plus qu'à sélectionner à nouveau le lien Dreamweaver.

Tant que vous y êtes, profitez-en pour vous intéresser à la collection de didacticiels, de mises à jour et de ressources, y compris la nouvelle section consacrée à CSS (www.adobe.com/devnet/dreamweaver/css.html), où vous trouverez des astuces, des conseils et des solutions.

Enjoliver la barre d'adresse avec une Favicon

Vous avez certainement déjà remarqué que certains sites ajoutent un graphisme personnalisé à gauche de la barre d'adresse de votre navigateur. Par exemple, Google y place la lettre *G*, Adobe son logo, et vous pouvez aussi y insérer votre propre image. Mais il faut commencer par la mettre dans le bon format.

Pour convertir une image en une *Favicon*, visitez par exemple le site Favicon.com. Vous pourrez y charger une image et demander à la convertir gratuitement. Placez ensuite le résultat dans le dossier racine de votre site, là où se trouve la page d'accueil. L'icône s'affichera alors automatiquement dans la barre d'adresse d'un navigateur. Et si vous manquez d'idées, servez-vous de celles des autres en visitant par exemple le site www.Favicon.fr.

Apprenez des autres créateurs

Si vous avez envie d'écouter le bruissement des discussions entre de grands créateurs de pages Web, et si l'anglais ne vous fait pas peur, rendez-vous sur le site AListApart.com. Vous y découvrirez des tas d'excellents articles, notes et conseils actualisés régulièrement. Animé par une impressionnante équipe de rédacteurs, le site se décrit lui-même comme étant un magazine qui "explore la conception, le développement et la signification des contenus Web, avec une attention particulière pour les standards Web et les meilleures pratiques".

Index

A

B

D

E

F

G

H

I

J

L

M

N

P

Q

R

S

T

U

V

W

Z

Achevé d'imprimer par Corlet, Imprimeur, S.A. - 14110 Condé-sur-Noireau
N° d'Imprimeur : 108796 - Dépôt légal : janvier 2008 - *Imprimé en France*